文明の物流史観

黒田勝彦・小林ハッサル柔子　共著

成山堂書店

まえがき

現代に生きる世代の誰しもが「物流」が遮断されたときの混乱を経験している。直近では現在（二〇二〇年）でもそうだが、医療用マスクはもちろん、一般用マスクも急速な需要増加にもかかわらず、海外（これら繊維製品はほとんど、中国、ベトナム、カンボジアなどに製造工場が集中している）からのこれら製品の供給が途絶えた。COVID－19によって調達・製造・供給の一連の流れを支える国際物流が遮断された結果引き起こされた。また、日常雑貨ではなかったが、二〇一一年三月一一日に発生した東日本大震災により東北で生産している自動車部品工場が被災し、部品の供給が遮断され、日本車の内外製造工場への部品供給が途絶え、大きな経済ダメージを受けた。さらに、同年の夏にはタイで大洪水が発生し、外資企業が集積しているバンコク周辺が水害を受け、電子部品や自動車部品の流通が遮断され、国際的に電子機器や自動車生産がストップして大混乱となった。また、供給地の災害ではなく、物流施設の破壊が招いた大混乱の例として、一九九五年一月一七日に発生した阪神・淡路大震災を挙げることができる。この震災では海外との貿易の窓口である神戸港が壊滅し、あらゆる食料・工業製品の物流がストップし、被災地周辺での食料や医療品の不足はもとより、日本の東西の物流経路が遮断され、日本全体に大きな経済混乱をもたらした。

ＩＣＴの発達した現在に生きる私たちは、パソコンのクリック一つで、世界中の商品を購入できる。これもグローバリゼーションの一側面ではあるが、その裏にはわれわれが意識していない「国際物流システム」の存在がある。物流システムの発展はなにも現代社会にとどまるものではなく、遥かに以前からあったはずなのである。

どのような社会においても、完全に自給自足して生活をするということはありえない。人々は商品を交換しなければ生きていけない。人類の歴史が始まった石器時代においてすら、石器材料そのものが交換によって入手された。当初の物流範囲はかなり狭かったものの、その範囲が徐々に広がり、世界の物流が今日のように一体化していった。したがって、グローバリゼーションの歴史、言い換えれば文明の歴史の研究は、とりもなおさず、物流の歴史的発展過程の研究と言えよう。

しかしながら、これまでの歴史研究は、人類が開発した商品に焦点が絞られ、それらの移動（物流）についてはあまり注目されてこなかった。

われわれが本書を執筆しようとした動機は、もともと「人類が、なぜアフリカの東海岸のジャングルで突然変異を起こしサルから原人や新人が生まれたのか、なぜアフリカを出なければならなかったのか、現代に至るまでどのようにして生き延びて文明を作り上げてきたのか」という疑問から出発している。この疑問を追求する過程で、集団と集団とのモノの交換（交易）が重要な役割を演じているのではないか、ということに気づいた。交易は、それを可能ならしめるための輸送手段の開発が不可欠である。それでは、人類だけがなぜ、それを可能ならしめたのであろうか？

地球上の生命は、環境の激変とそれへの対応によって「進化」（進歩ではない）してきた。人類は、他の動物と違い強力な肉体に進化する方向ではなく、「考える知力の進化（頭蓋骨容量の増加）」の方へ向かった。すべての生命体は、環境の変化に適応しながら生きながらえる知恵をつけて進化するのである。

本書は人類が築いた文明の歴史的展開の中で「交易（モノの移動）」がどのように位置づけられるかを考察したものである。すなわち本書の目的は、これまであまり取り上げてこられなかった文明の誕生と盛衰の歴史が交易要素によっていかなる経緯をたどったかを概観するものである。

著者の黒田と小林は私的な研究会で、互いの研究成果を発表し合い議論を戦わせてきた。黒田は国際物流や人流を支えるインフラである港湾や空港に関する研究成果を、小林はアジアを中心に人類の移動の動機や移動先での文化融合、移動の障壁などを中心とする国際文化を主テーマとした研究成果を発表してきた。そのような経緯の中で、特に近年世界に存在感を示しつつある中国が「一帯一路」政策を発表したとき、最初に思い出したのが古代のシルクロードであった。また、史学分野では中国をはじめ東南アジア諸国の著しい経済発展を目の当たりにして、これまでの「世界史」を見直す機運が高まっている。古代オリエント～古代ギリシャ・ローマ～中世ヨーロッパ～大航海時代～産業革命を達成した近代ヨーロッパ～近代西洋文明といった流れが「世界史」とされていた世界の歴史は、西欧中心史観、キリスト教中心史観で描かれた歴史で偏った世界史叙述である、といった批判が相次ぎ世界史や文明史の見直しが始まっている。一方で、二〇一三年から中国習近平政府が推進している巨大経済圏構想「一帯一路」では、アジアとヨーロッパを陸路および海上航路でつなぐ物流ルートを構築し、貿易を活発化させようとする動きもある中で、再度、シルクロードの文明に果たした役割を考える必要も生じているのではないだろうか。また、最近のグローバル貿易と物流を勘案して、物流や交易を文明の中に位置づける必要性を強く感じていた。そのことが本書を執筆する動機でもある。もとより、著者たちは直接には「物流の歴史」を専門にしているわけではないため、歴史的事実の解釈や資料による客観性など十分でないことは重々承知している。したがって多くの曲解や間違いもあろうと思うが、読者からの叱責は甘受したい。

交易を文明の中に位置づけようとするとどうしても文明の定義や解釈について先達の知見をフォローしておく必要があった。それに関してもすべての文献や書籍に当たることは筆者たちにとって荷が重すぎるので、必然、主要な書籍に当たって参考にさせていただいたにとどまっている。

そのような次第で、最初に、第Ⅰ章では文明の定義とこれまでに提唱されている主な文明史観を概観する。文明史観そのものを論じても本書の最終目的にはあまり益はないが、ここで筆者の立ち位置を明らかにするために、筆者なりの文明成立主要件を抽出しておきたい。結論を先にいえば、文明の成り立ち発展を支える要素は、①統治組織、②文字、③大規模定住人口、④交易、⑤インフラ、であるとの結論に達した。これらの内容については後述する。

次いで、文明の誕生とその歴史展開を知るには、人類とはそもそもどのような存在かを知っておく必要がある。そのために第Ⅱ章で地球の誕生からホモ・サピエンスがどこでいつ頃誕生し、なぜ出アフリカを果たして世界に拡散したかを概述する。さらに第Ⅲ章では、世界に拡散していったホモ・サピエンスが四大文明をその場所で発生させた理由を解き明かし、それらに交易がいかなる役割を果たしてきたかを論じた。第Ⅳ章では、文明と都市と交易の関係について解説する。次いで第Ⅴ章で文明と交易の歴史展開について詳述する。文明と交易の歴史的展開を論じるには、その歴史的、空間的視点区分をどのように捉えるかがきわめて重要であるが、ここでは筆者たちの考えを展開したい。この視点についても多くの叱責があるかもしれない。これも甘受したい。最後に第Ⅵ章では、二一世紀におけるヒトとモノの移動が人類の未来にどのような意味を持ってくるかを考察した。

現代社会は、政治・経済・宗教を含め混沌とした「カオス」ともいえる状態にある。私たちは、二〇年先、いや、一〇年先の世界とて確実には見通せない時代に生きている。このようなときは、人類が過去にたどってきた歴史を振り返り、文明を構成する要素がどのような展開を見せてきたかを知り、そこから何らかの法則を見出して、未来への不安を少しでも和らげるために、現在、何をすべきかを知ることが大切である。本書が港湾政策や物流政策に携わる方々だけでなく若い人たちにも、二一世紀に展開する未来をどう捉えるかの示唆を少しでも提示できれば最大の喜びとするところである。

二〇二一年六月

黒田勝彦
小林ハッサル柔子

目　次

I

文明の定義と文明史観

D.M.Mattthews, The Kassite Glyptic of Nippur（1992）

交易要素が文明に果たした役割を論じるとき、まず、文明とは何か、という定義をしておかなければならない。文明の定義についてはさまざまな見解があり、包括的な議論を重ねてもあまり実りのある議論は期待できないが、ゴードン・チャイルド「文明の起源〈上〉」(1)によれば、

1. 効果的な食料生産
2. 大きな人口
3. 職業と階級の分化
4. 都市
5. 冶金術
6. 文字
7. 記念碑的公共建造物（神殿、祭祀場など）
8. 合理科学の発達
9. 支配的な芸術様式

といった九の要素を備えた人類の活動を「古代文明」と定義している。また、「都市」としては、

1. 大規模集落と人口集住
2. 一次産業以外の居住者の職能者化（工人、運送人、商人、役人、神官）
3. 租税（神や君主に献上する生産者の物納）
4. 余剰の集中による神殿等記念建造物
5. 知的労働に専従する支配階級
6. 文字（情報記録の体系）記録システム
7. 実用的科学技術（暦、算術、幾何学、天文学）の発展
8. 芸術的表現
9. 奢侈（しゃし）品・原材料の長距離交易（定期的輸入）への依存

10. 支配階級に扶養される専業工人

を挙げた。これらの「都市文明」の定義は古代西アジアにおける遺跡発掘データの積み重ねから帰納された見解である。しかし、農業を前提としない都市（例えば、中世に発達した東南アジアの港市や、西欧近世のハンザ同盟都市など）もある。さらに、この説には、文明が自成的に変移する、という前提が暗黙の裡にある。

一方、小泉龍人「都市の起源　古代の先進地域＝西アジアを掘る」[2]は、

1. 高密度の集住
2. 分業、階層化と棲み分け
3. 物資、資本、技術の集中とそのネットワーク化
4. 権力（政事・祭事・軍事・経済）の中心施設と支配管理道具（文字・文書、法、税）の存在

を都市文明の要素としている。これらの見解はいずれも「都市文明」に対する見解である。文明の誕生プロセスや文明の歴史的展開を示したものではない。

文明の時空間における歴史的展開を示した文明論では、梅棹忠夫「文明の生態史観」[3]が嚆矢である。

梅棹は**図表1**（中国世界、インド世界、ロシア世界、オリエント世界は筆者記入）を用いて四大文明と西欧・日本の並立的文明の発展過程に対する見解を示した。小林道憲「文明の交流史観―日本文明のなかの世界文明―」[4]によると、梅棹の生態史観の

図表1　文明の生態史観（文献3による）

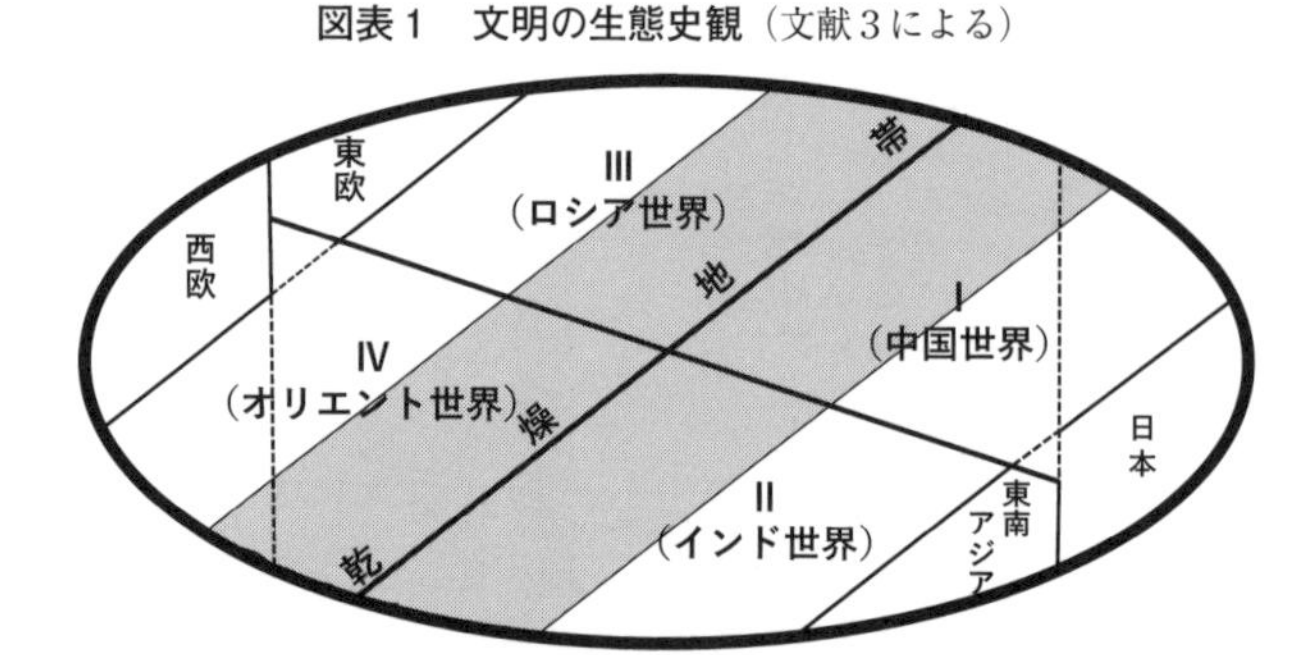

社会の変化、発展には法則があるのではないかと考えている。そのことを生態学の言葉から引用して遷移（サクセッション）と呼ぶ。サクセッションの理論：一種の自然界の発展法則で、それを人間に当てはめて考えて人間発展の法則をある程度つかもうということである。よってこの理論では 社会主義のような単一的な発展は考えず、遷移は環境とその社会自体の変化によって起こり、地域により違った発展がありうると考えている。第1地域は日本と西洋（西欧）、第2地域はその他ユーラシア全土（Ⅰ～Ⅳ）。

概要を以下のようにまとめている。

『「第一地域（日本と西洋）の特徴」

第一地域は、第二地域の古代文明や帝国にとって辺境の存在であった。第一地域は第二地域の文化を吸収し、国家を作りはじめる。第一地域ではその後、封建制が成立していった。また、第一地域は辺境の地域に位置していたため、第一地域が砂漠の民に脅かされるような危険がない。これらの好条件がオートジェニック・サクセッション（文明内部からの変革）を起こさせるのである。つまり第一地域がブルジョアを育てた封建制度を発展させ、資本主義体制へと移行したことはそれの現れである。それはたとえば宗教改革のような現象であるとか、中世における庶民宗教の成立、市民の出現、ギルドの形成、自由都市の発展、海外貿易、農民戦争などである。近代化の後も類似点は多数ある。日本とドイツのファシズム政府、植民地争奪への遅れた参入、また戦後には急速な発展などである。また、日独に限らず、第一地域はみんな資本主義国家であり、過去に植民地争奪戦を行った国家である。

「第二地域（日本と西洋を除くユーラシア全土）の特徴」

第二地域では古代文明が発達したり、巨大で力をもった帝国が成立したりする。それらは何度も成立と崩壊を繰り返してきた。中国の数々の帝国やイスラム帝国がそれである。そこでの専制帝国にも類似点は多い。壮大な宮廷や、非常に大きな領土、複雑な民族関係、辺境の存在、衛星国をもつことなどである。また第二地域の中には乾燥地帯があり、高い武力をもった遊牧民が出現する。そしてそれが文明や帝国を襲うのである。それらによって常に政治を脅かされるため、高度な政治体制を築けない。第二地域においては外部に大きな力が常にあるため、アロジェニック・サクセッション（外部からの影響による発展）が起こる。そのため第二地域では専制政治のためブルジョアが発達せず、資本主義社会を作る基盤ができていなかったといえる。そのため大戦中は大きな軍事力を備えることができず、植民地となってしまう。第二地域においては戦後に独立、革命、内戦などが頻発している。逆に第一地域において一つもそれらが起こっていないことと対照的である。この梅棹の史観にある「文明」は生態系を制約として固有の法則で遷移する文化の歴史的展開を総称して文明と呼んでいる。』

この梅棹の史観に対し多くの反論があるが、梅棹のアイデアが宇宙からの写真もない一九五七年に発表されたことを思い起こせば、彼の説が地球全体史をいかに的確に把握していたかを考えると筆者にとっては彼は天才としか思えない。図表1の楕円と地域区分図を現在の宇宙からの写真（**図表2**）に投射するだけでその天才性が理解できる。この地図によって、日本や西欧が文明中心から遠く離れた最果ての田舎に位置しており、しかも両者が並立的に同じような歴史経過をたどっている点で非常に説得性がある。梅棹の結論とは異なるが、この図によって四大文明は中緯度乾燥地帯（遊牧世界）に接した定住農耕地帯に開化したことは一目瞭然であり、文明地帯をつなぐオアシスルートや草原の道ルートを主たる生活範囲とした遊牧民や隊商民の動きが取引交易によって定住農耕文明に与えた影響は無視できないことが理解される。このことは、岡本隆司(5)も同じように述べている。一方、梅棹理論については多くの批判が提起された。それらは、

・文明を閉鎖的なものとして捉えている。
・文明の相互作用が無視されている。
・海の道が果たした役割を無視している。

といった反論である。

例えば川勝平太は「文明の海洋史観」(6)で**図表3**を提案した。川勝の視点は、梅棹が文明の閉鎖的・自成的発展を前提にしている点を批判し、海上交流を強調して「海の道」が文明の交流を促して相互に干渉しながら発展した、とする点で斬新であったが、いずれも西欧文明中心史観から抜け切れず、草原の道やオアシスの道を中心に展開された遊牧騎馬民族や隊商諸民族の文明へのかかわりが説明しきれていない。

図表2　梅棹忠夫の地域区分とユーラシア大陸
（Google Earth より筆者作成）

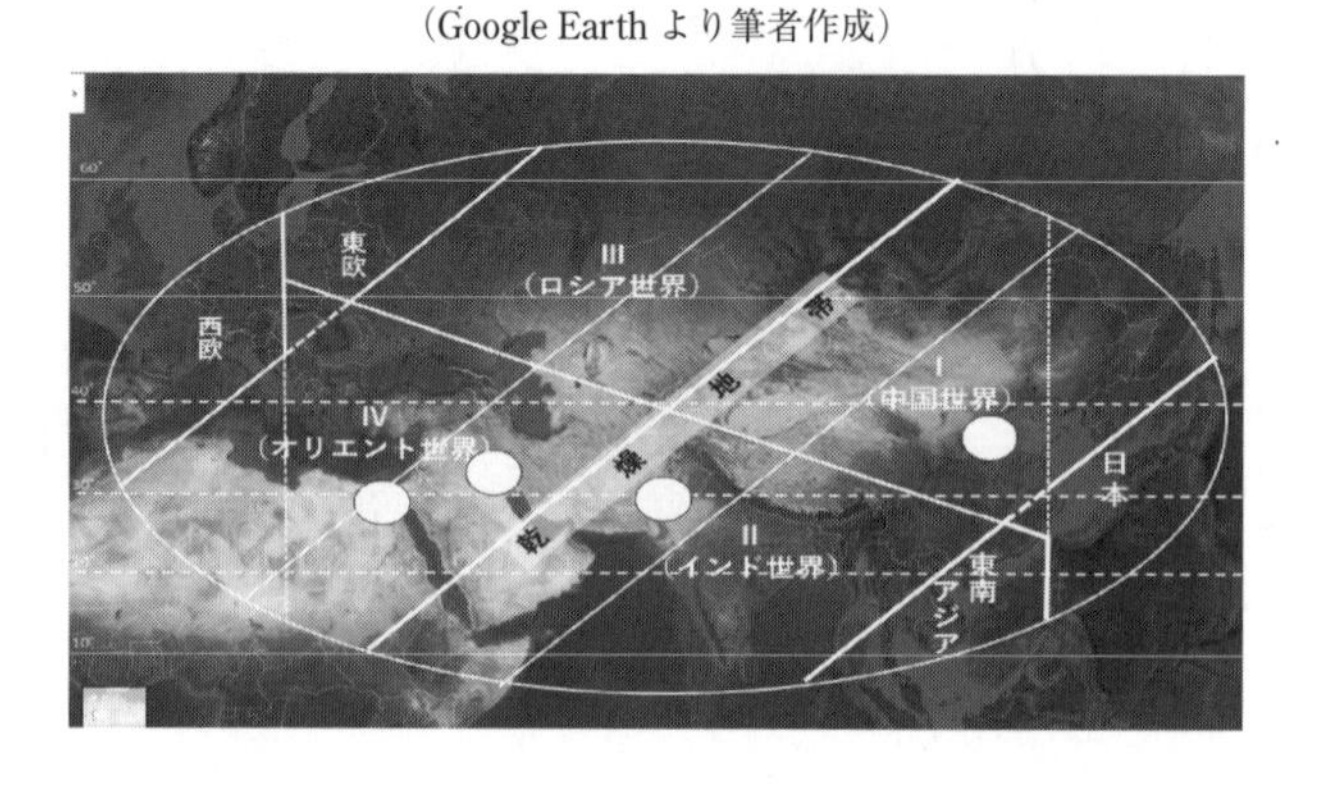

これらの史観に対し、最近の中国や東南アジアの目覚ましい経済発展を目の当たりにして、歴史学、特に世界史の研究者の間では、

「これまでの世界史は古代ギリシャ文明～古代ローマ文明～近代西欧文明が連続的につながり、西欧が世界を支配した、といった〈西欧中心史観〉や〈キリスト教中心史観〉に基づく間違った史観である」

と認識され、世界史の再構築が最大の課題となっており、いくつかの提案もなされている。それらをすべてここで取り上げる余裕はないが、最近出版された典型的な著作物を挙げると、洋書ではPomeranz, K.[7]、Frank, A.G.[8]、Hobson,J.M.[9]などがある。また、和書では小林道憲[4]や森安孝夫[10]がある。前者は主として梅棹の「文明の自成的発展（オートジェニック・サクセッション）説」に対する反論で、文明が交流によって歴史的な発展過程を歩んだ、という主張である。後者は、特にユーラシア全体を眺め文明がなぜ乾燥地帯に接する農耕地帯に発展したか、という視点から、農耕社会と遊牧社会の境界を接壌地帯（オアシス都市連鎖）とし、その存在が文明の発展と密接なかかわりがあると主張している。

さらに、ゴードン・チャイルドの定義を補足拡張した「文明」の定義として、大貫・前川・渡辺・屋形は「世界の歴史1　人類の起原と古代オリエント」[11]で以下のように示している。

「**文明とは国家という政治システムを持つ社会**のことである。（中略）文明の起源の過程とは、せんじつめれば国家という政治システムがどのようにして出来上がったのかということである。国家は政治の機構であるから、それは広い意味では社会の仕組みのことであり、したがって広い意味では文化の一部でもある。もし、人間の営みの全てを文化というならば、文明は国家という政治機構

図表３　川勝平太の「文明の海洋史観」（文献６による）

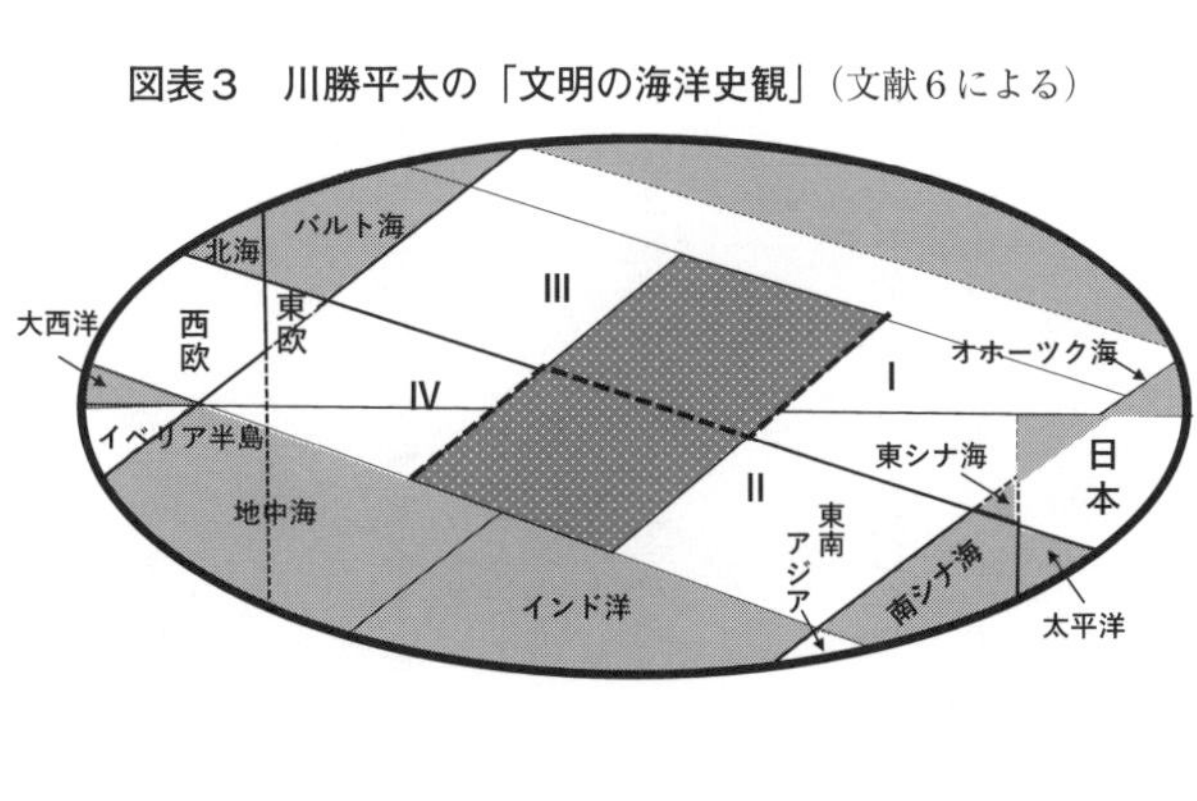

を持った社会とその文化のことである。」（傍点、筆者）
一方、ハンチントンは、「文明の衝突と21世紀の日本」[12]で文明の特徴として以下の五つを挙げている。
1．単数形の文明と複数形の文明ははっきりと区別される。
世界にはいくつもの文明があって、それぞれに独自のやりかたで文明化してきた。
2．文明は文化の総体である。
ドイツでは、文明は機械、技術、物質的要素にかかわるもので、文化は価値観や理想、高度に知的・芸術的・道徳的な社会の質にかかわるもの、と区分している。
3．文明は包括的である。
つまり、文明を構成する単位のどれ一つとして、それを包含する文明との関係を見ずには充分に理解することはできない。
4．文明は滅びる運命にあるが、きわめて長命でもある。
文明は発展しながら適応していき、最も持続性のある人間のつながりであり、「きわめて永続的な実態」である。
5．文明は文化的なまとまりであって、政治的なまとまりではない。
以上の五つの条件からハンチントンは、**図表4**を示して以下のように結論づけている。

「歴史的にはすくなくとも主要な文明が一二存在し、そのうち七つはもはや存在せず（メソポタミア、エジプト、クレタ、古代ギリシャ・ローマ、ビザンティン、中央アメリカ、アンデス）、五つが現存する（中国、日本、インド、イスラム、西欧）（中略）。この五つの文明に東方正教会文明とラテンアメリカ文明、それにあるいはアフリカ文明を加えると、いまの世界を考えるわれわれの目的にかなっている。」

これらの文明論とまったく異なった視点から宮崎市定は「東西交渉史論」[13]において、

「元来文字は右から書いても、左から書いても、どちらからでもよいものである（中略）。そういう、どちらでもよい事がどちらかに決定されているという厳然たる事実の中に（中略）こそ、反って伝統が十分の威力を発揮している。」

図表４　東半球の文明（文献 12 による）

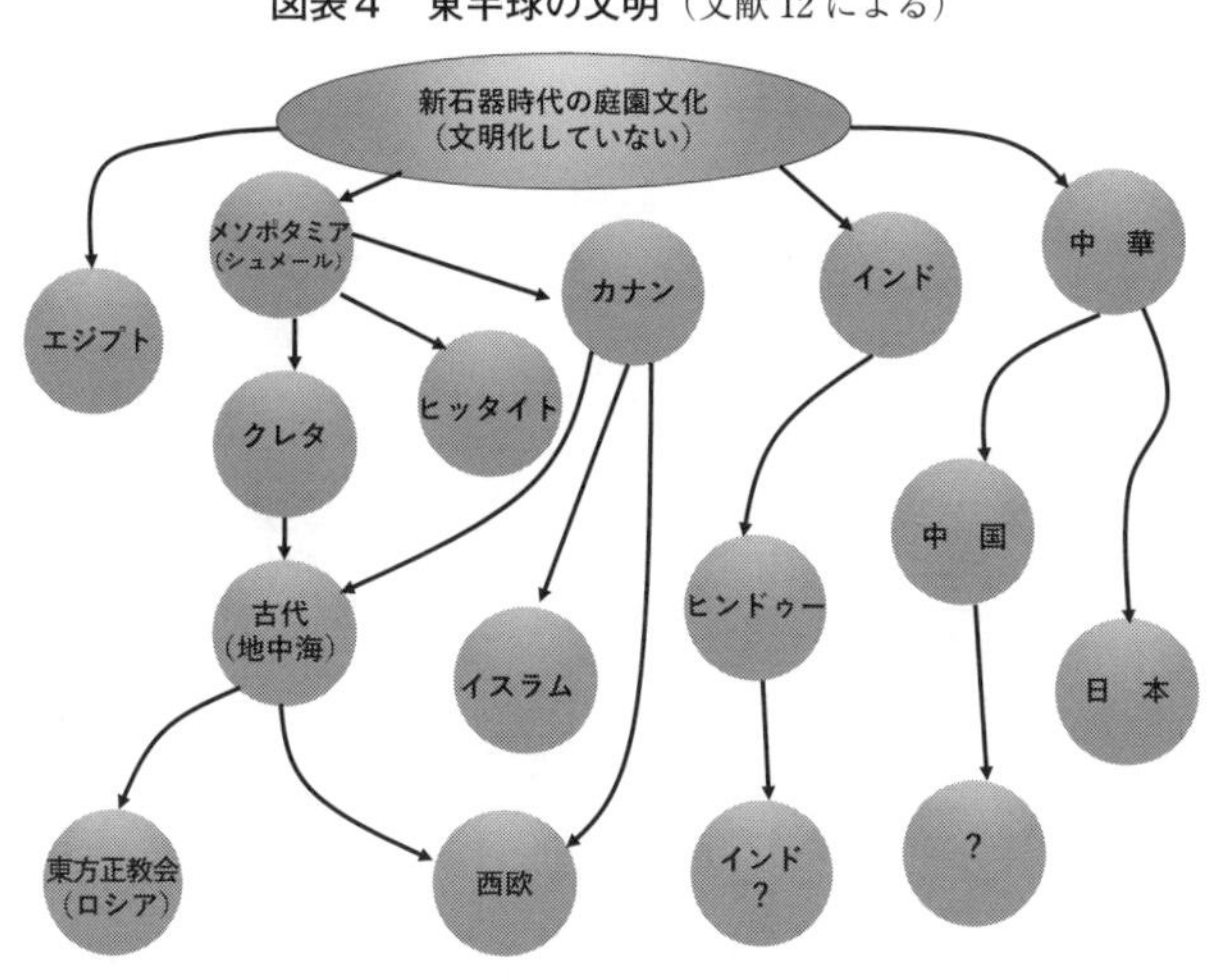

と指摘し、文字による文明史の地域区分を提示した。この宮崎の指摘は、後に詳述する「都市と交易と文明」にかかわるキーワードであり、その先進的な視点はきわめて尊敬に値する。

また、宮崎の視点とは異なるが、同様な指摘として、鈴木董は「文字と組織の世界史」[14]において、文明と文化を以下のように定義している。

『「文明」については、「人類の、マクロコスモスすなわち外的世界と、ミクロコスモスすなわち内的世界についての、利用・制御・開発の能力とその諸結果に対するフィードバックの能力の総体とその所産の総体」と定義したい。（中略）これに対し「文化」については、「人間が、集団の成員として後天的に習得する、行動のありかた、ものの考え方、ものの感じ方の「クセ」の総体とその所産の総体」と定義したい。』

ここでは、文化世界に対応する「文字世界」の概念を提唱しているが、ハンチントンや梅棹の文明概念と対応させると文字と文明の関係がよく理解できる。宮崎[13]と鈴木[14]の概念を、梅棹の生態史観図に重ねたのが**図表５**である。すなわち、漢字から独自のひらがな文字を発明した日本文明、漢字を中心とする中国文明、キリル文字から発展してロシア文字を作り出したロシア文明、ギリシャ文字を祖先に持つラテン文字の西欧文明、梵字を祖語とするインド文明そしてアラム文字を祖先とするアラビア文字を利用するイスラム文明である。さらに現存するこれらの諸文明の祖語

図表5　文字世界と生態史観の対応
（文献5、13、14を基に筆者作成）

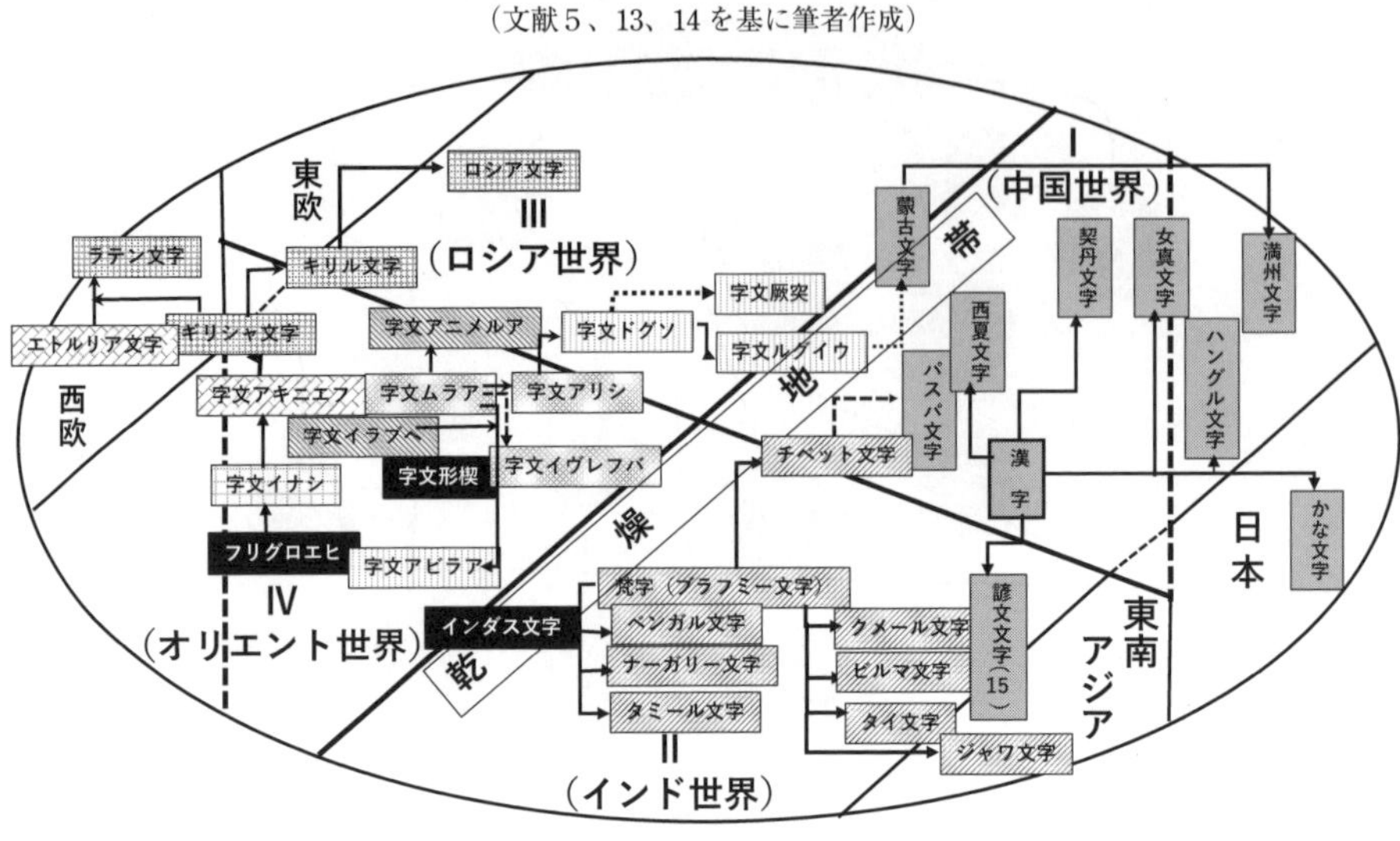

注：「字文アビラア」はアラビア文字と読む

をたどれば消滅した歴史上の文明もたどることができる。図表5では黒で塗りつぶした文字は歴史過程で消滅した文字を表している。なお、文字を持たない文明の例としてインカ文明が例に挙げられることがあるが、彼らは**図表6**に示した「キープ」という結縄文字を利用していたことは確かで、伝言のやりとりは伝令使にキープを持たせていた。もし、彼らがスペインに滅ぼされなかったら他の記録体を発明し文字として残したかもしれない。

以上、過去に提唱されたさまざまな文明論を見てきたが、重要な視点が抜けている。それは、文明の誕生・盛衰に必須の「交易」という要素である。歴史上盛衰した各種文明もその地政学的、生態的独自性を反映する交易条件を抜きに語れない。小林道憲（前出4）も以下のように指摘している。

「交易なくして、都市は形成されず、交流なくして、文明は成立しない。政治制度の発達も、交易の管理の必要からも出てくるのである。土地を所有しなくても、交易を管理するだけで、都市国家は成立する。都市文明以前の新石器時代の農耕社会から、すでに盛んな遠隔地交易が行われていたことを考えれば、もともと、文明の発生には、食料生産だけでは解けない部分があると言わねばならない。生産された食料と他の必需品や奢侈品との交換が無ければ、文明は成立しないのである。」

このような主張も考えると、「文明の条件」としては**図表7**に示したように、

1. 大規模定住人口を持っている
2. 文字を発明している
3. 統治組織を持っている
4. 社会インフラを持っている
5. 生態的・地政学的特性を反映した他地域と交易を行っている

という五点が必須である。図表の意味するところは、文明を構成するためには五つの条件が必要で、その条件要素の独自性は結果としての共通集合で表された文明の異質性を意味し、「文化」は要素全体の包摂集合とする。

図表6　インカの結縄文字「キープ」

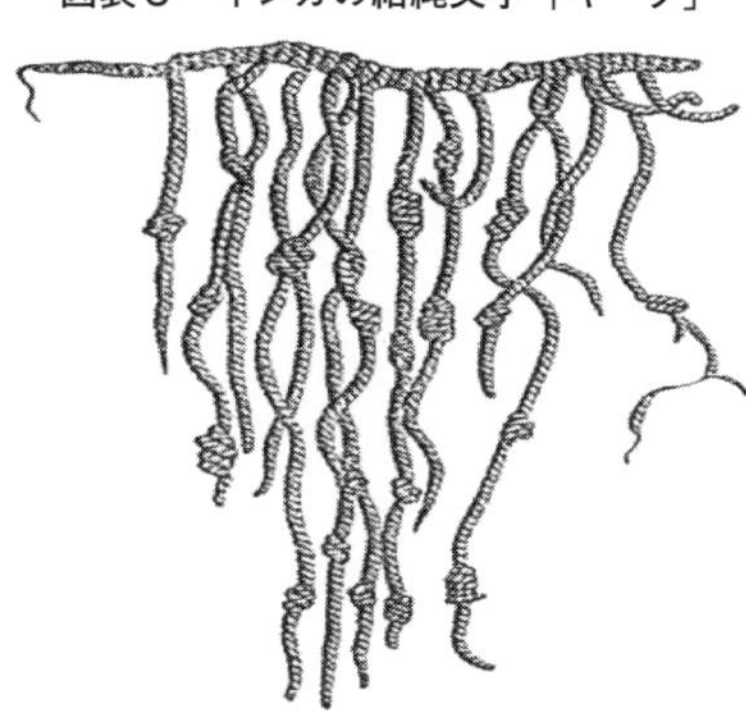

図表7　文明の条件

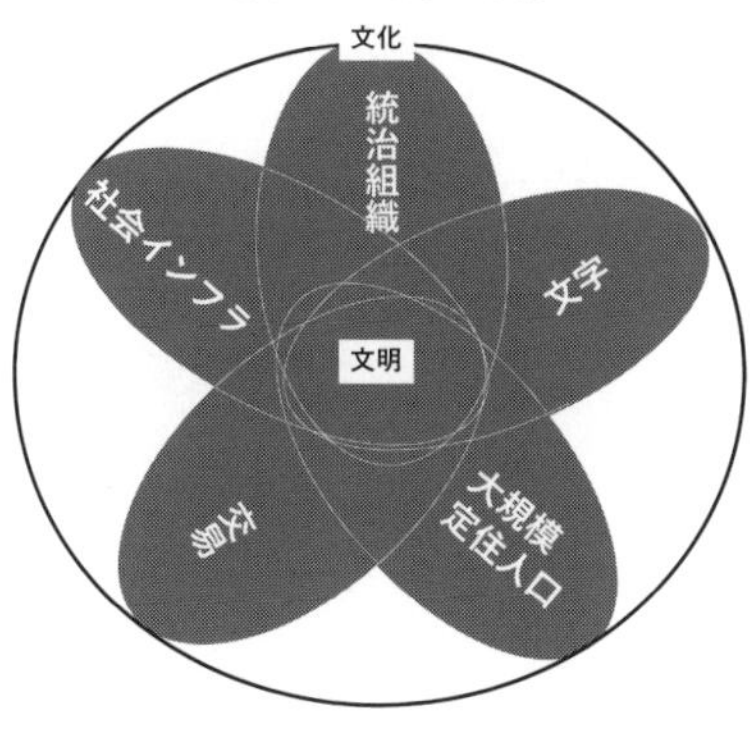

Ⅱ　地球と人類の誕生

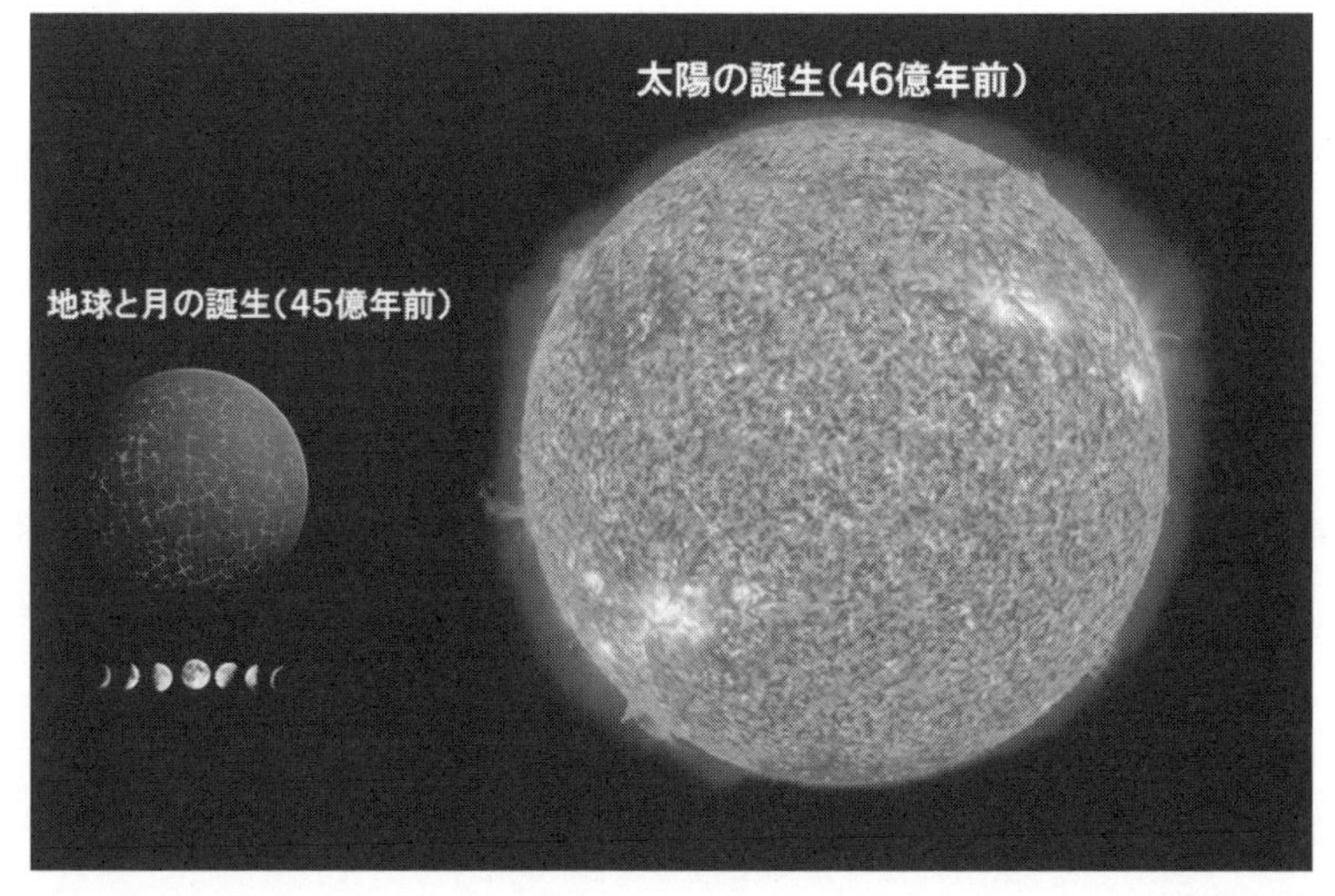

（筆者作成）

図表8　創世記による地球と人類の誕生

天地創造図（光あれ）　ギュスターブ・ドレ作

アダムとエヴァ

ルーカス・クラナッハ作

失楽園

ギュスターブ・ドレ作

『創造主である神は、六日間という期間をかけて、段階的に万物を創造していった。光と闇の区分、天と地と水の分離、陸地と植物の出現、太陽と月、海洋生物と翼のある動物の出現、そして六日目に、神は地上のあらゆる動物を創造し、最後に、神に似た「かたち」を持つ者として、最初の人間「アダム」を創造した。そして七日目に、神は全ての創造の業を休み、その日を聖別した。（創世記1章）その後、アダムの骨からエヴァを造り、一緒に暮らさせたが禁断の木の実を食べ、エデンを追放され、地上での苦難生活に入る。』（**図表8**）

これは旧約聖書・創世記に描かれた地球と人類の歴史である。この物語は科学が宇宙のメカニズムや人類の進化過程を明らかにするまでは、特に、キリスト教の信者に真実として考えられていた。

しかし、現在では、誰も聖書の物語（創世記）のすべてを真実とは考えていない。現在では宇宙物理学や人類学、歴史学、考古学、地球環境学、分子生物学などの諸科学の進歩により、地球の誕生や人類の進歩は科学的に解き明かされている。地球の誕生はブラック・ホールのビッグバン説が有力となっている。それによると、約一三七億年前にビッグバン（**図表9**）によって瞬時に拡大した宇宙には多くの銀河が誕生した。宇宙空間に散らばった無数の粒子は次第に結合し星となったが、それらの近いもの同士が集まり、無数の銀河を作り出した。それらの銀

図表9　宇宙の誕生
（文献15佐藤勝彦の「インフレーション理論」のイメージ図、筆者作成）

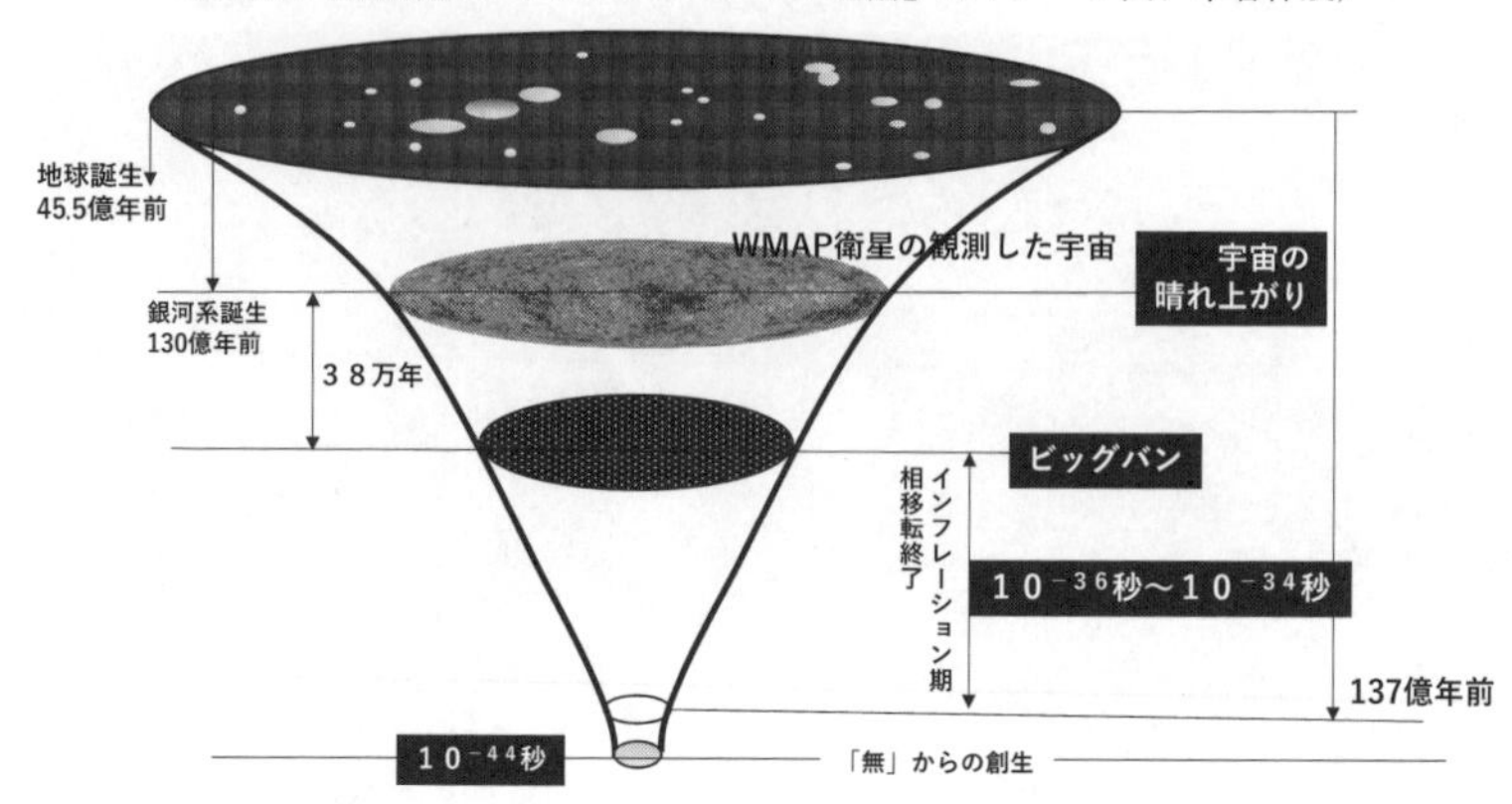

河の中の一つの銀河がわれわれの地球を含む「天の川銀河」である（図表10）。さらに天の川銀河の中の一つの惑星の集団がわれわれのよく知っている「太陽系」であり、太陽系の一つの星が地球だ。これらの銀河系は約一三〇億年前に誕生し、今から四五・五億年前に原始太陽と小さな惑星が形成され、これらの小惑星が衝突を繰り返して地球やその他の惑星に成長していった。この頃の地球は、微小惑星の衝突エネルギーと水蒸気大気の保温効果で地表面の温度は一五〇〇℃以上になり、地表には鉱物が溶けたマグマの海ができ、水蒸気、二酸化炭素、窒素からなる大気で覆われて未だ液体の水はなかった。やがて放熱によって地表の温度が下がり始めると大量の雨を降らせた。地表のマグマは冷えて地上に降った雨が地表面外殻の窪みに溜まって誕生したのが海だ。さらに放熱が続くと地球表面のマグマは固まり地殻が誕生した。地殻はマグマの海を漂っていたが約六億年前にはこの地殻は衝突を繰り返して結合し、地球上で一つの「ゴンドワナ大陸」となった。この大陸は相変

図表10　天の川銀河と太陽系
（NASAによる）

図表11　パンゲア大陸から分離した現在の大陸
（文献16による）

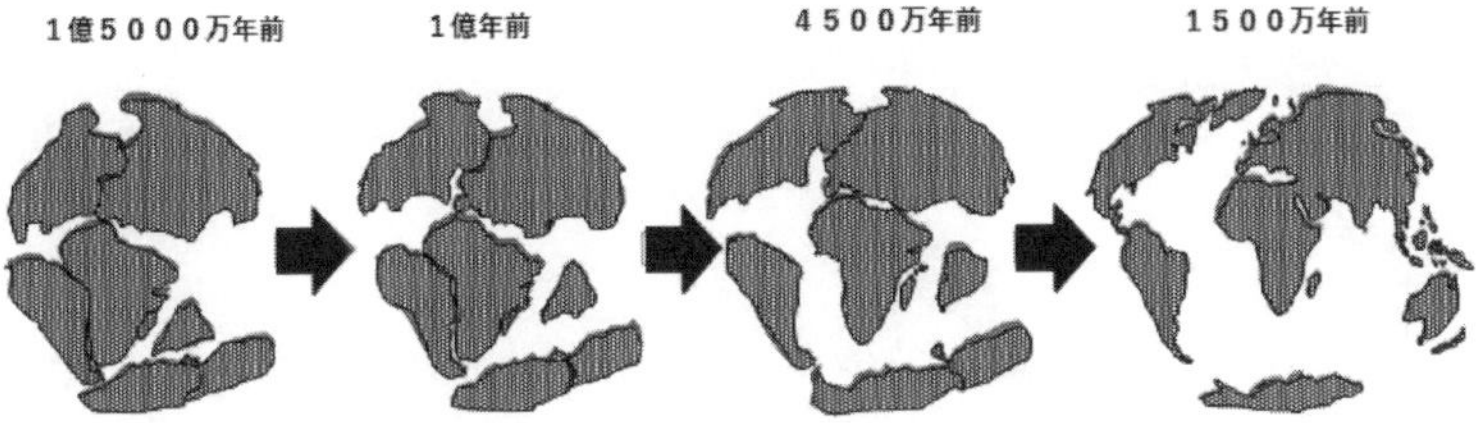

1億5000万年前　1億年前　4500万年前　1500万年前

わらず融解した鉱物（マントル）の海の中を浮遊していた。やがて、ゴンドワナ大陸は分裂を繰り返したが約三億年前に分裂したコンドワナ大陸は、再び一つの「パンゲア大陸」となった。パンゲア大陸は約一億五〇〇〇万年前に再度分裂し**図表11**に示す過程を経て、現在の七大陸（ユーラシア大陸、インド亜大陸、南北アメリカ大陸、アフリカ大陸、オーストラリア大陸、南極大陸）となった。なお、日本列島はユーラシア大陸棚であった海底が太平洋プレートとフィリピンプレートに押し上げられユーラシア東端の山脈となっていたものが、中新世紀（二三〇〇万年前頃）に大陸から引きちぎられて多くの島として誕生した。

現在においてもこれらの大陸（地殻）はプレート（地殻と上層マントルの表面はプレートと呼ばれ、プレートの動きで自然諸現象を説明する分野をプレートテクトニクス理論という）とともに移動を続けている。地球上の大陸や海底外殻を構成するプレートは絶えずマグマに乗ってお互いを押し合いながら、あるいは引き合いながら現在でも絶えず動いている。日本列島はユーラシアプレートの端に位置する火山列島であるが、太平洋プレートとフィリピンプレートが衝突して絶えずユーラシアプレートの下に潜り込もうとしている動きで今なお押し上げられている。そのときにプレートに蓄積された歪エネルギーがほぼ定期的に解放される。このエネルギー解放のときに大きな地震が発生する。二〇一一年三月一一日に発生した東北大震災はこのようなエネルギー解放の一環であった。**図表12**に現在明らかにされているプレートの分布を示したが、こうして見ると、大小のプレートがその境界面で押し合っている様子がよくわかる。インドプレートや太平洋プレート、フィリピンプレート、アラビアプレートなどはユーラシアプレートに衝突しその下に潜り込んでおり、押されたプレート側は褶曲（しゅうきょく）作用で山脈を形成する。多くの山脈はこうしたプレートの衝突かまたは火山によって生まれた。またプレートとプレー

図表 12　プレートテクトニクスの分布（文献 17 による）

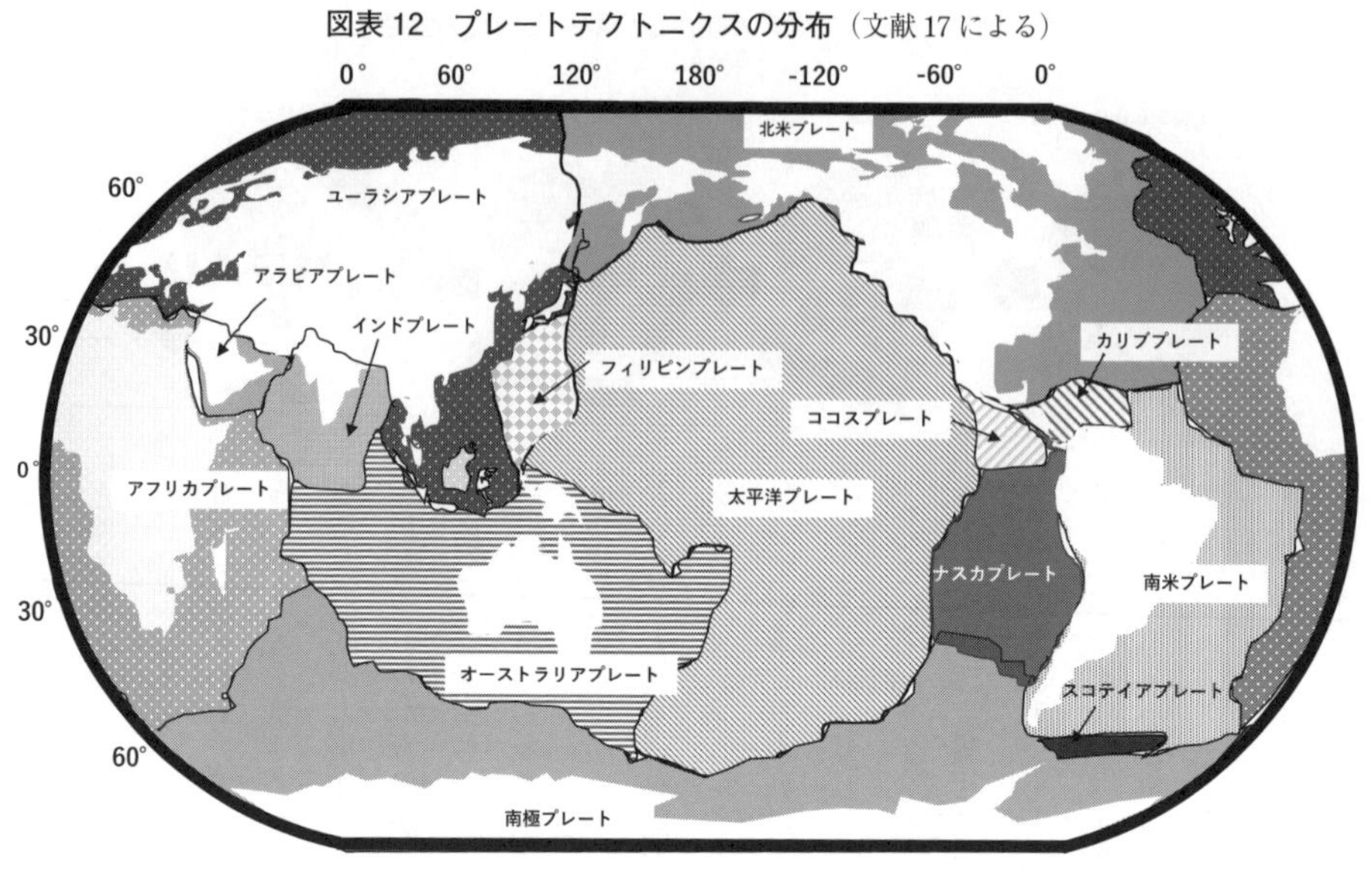

トの狭間にあった海が閉じ込められて内海や湖を形成した。後述する地球の寒冷化が進むと海水面は低下し約二万年～一万五千年前には現在の海水面より一〇〇メートルも低く、現在では海面下にあるプレートの多くの部分が陸地としてつながっていた。

このようなプレートの動きとも連動して、約三九億年前には有機物とアミノ酸の化学反応によって海に単細胞生命が誕生した。この生命は酸素ではなく硫化水素を餌としていた。そして約二七億年前に光合成生物が誕生しCO_2を吸収して地球に酸素が大量に供給されるようになった。やがて、約一五億年～一〇億年前に多細胞生物が海で誕生し、五億年ほど前に光合成から生成されたオゾン層が厚くなり、紫外線から生物を守ることが可能になった。その結果、植物（苔の仲間）が最初に陸上に進出した。この頃、海の中では有名な三葉虫やアノマロカリス等が繁栄していた。映画「ジュラシックパーク」に出てくるおなじみの恐竜はパンゲア大陸が分裂する前の中生代三畳紀（約二億五〇〇〇万年前）に誕生し約六六〇〇万年前に絶滅した。魚類が生まれ、両生類が誕生し、爬虫類や鳥類が陸上に誕生したあと、やっと人類の祖先を含む哺乳類が五六〇〇万年前頃誕生した。そのうち、類人猿（チンパンジー、ゴリラなど）の誕生は、氷期の最中の約七〇〇万年～五〇〇万年前の東アフリカのグレート・リフト・バレーとされている。また教科書でおなじみの原人や旧人、新人の狩猟の対象となっていたマンモスは猿人の誕生と同じ頃の約七〇〇万年前にアフリカで原種のアフリカゾウから進化し、氷期に全世界に広がった。この人類の貴重な食料であったマンモスは約一万年前には狩猟しつくされて絶滅に追いやられたと言われている。生物の進化は地質年代（地球の歴史のモノサシ）との対応で取り扱われることが多いので**図表13**にその対応を示す。この図で注目されるのは、地球の長い歴史の中で大周期の氷期が繰り返し発生していることである。一方、恐竜は約二億五〇〇〇万年前に誕生して繁栄していたが約六六〇〇万年前の大隕石の衝突で絶滅し、その後地球は大温暖化に向かい海水面は現在より三〇〇メートルも高く大陸の多くは海水面下にあった。そしてパンゲア大陸は分裂していくのである。

今から約六〇〇万年前、東アフリカのグレート・リフト・バレーで一頭の類人猿の母親が突然変異を起こした二頭の子供を産んだ。一頭は後にアウストラロピテクスと呼ばれるようになった二足歩行をする猿人（約四〇〇万年～一三〇万年前）の祖先であり、一頭はチンパンジーと呼ばれる猿の一種の祖先であった。やがて、約一九〇万年前、この猿人の子孫の母親が、同じ東アフリカの地で、再び突然変異を起こした子供を産んだ。この子供とその子孫はホモ・エレクトス（原人：約一九〇万年～七万年前）と呼ばれ、その一部はアフリカを離れ、ヨーロッパから東アジアにまで広がった。そして、今から約四〇万年前に、アフリカの同じ場所にとどまっていた原人の子孫の母親が、やはり突然変異を起こした子供を産んだ。その子供の子孫はネアンデルタール人（旧人：約四〇万年～三万年前）と呼ばれヨーロッパと西アジアを中心に広がった。そして、約二〇万年前、アフリカにとどまっていた原人の一人の女性が突然変異を起こした子供を産んだ。この子供の子孫は新人（クロマニヨン人、現生人類：約二〇万年前）と呼ばれアフリカを離れて世界に拡散した。われわれの直接の祖先である（**図表14**）。

後述するように、猿人以外の人類はいずれも出アフリカを果たし地球上に散らばっていったが、現生人類以外はいずれも絶滅している。ひと昔前には、現在のようなミトコンドリアDNA分析やゲノム解析科学が未発達だったため、原人が発見された場所（北京原人、ジャワ原人など）で人類が並立的に進化したと考えられていた。現在では人類の進化の起源はすべて東アフリカのグレート・リフト・バレーであると考えられているが、なぜこの場所でのみ進化が

図表13　地質年代と生物の誕生

累代	代	紀		基底年代（百万年）	生物変遷	
顕生代	新生代	第四紀	完新世	0.01	人類　現代間氷期	氷期
			更新世	2.58	現代氷河期の始まり　被子植物	
		新第三紀	鮮新世	5.3	類人猿	
			中新世	現在の大陸誕生　15.0		
				24.0		
		古第三紀	漸新世	33.9	哺乳類　南極大陸氷床誕生	
			始新世	56	温暖化極大期	
			晩新世	大隕石衝突　66	恐竜絶滅，海水面＋300mの時代	
	中生代	白亜紀	後期		鳥類	氷期
			前期	パンゲア大陸分裂　145	石油が生成された時代　超大陸パンゲア	
		ジュラ紀	後期		爬虫類	
			中期			
			前期	201.3	裸子植物	
		三畳紀	後期			
			中期	242	両生類	
			前期	251.902		
	古生代	ペルム紀（二畳紀）	後期		ペルム期の大量絶滅	
			中期			
			前期	298.9		
		石炭紀	ペンシルヴェニア世	260	シダ植物	氷期
			ミシシッピ世	358.9	石炭が生成された時代	
		デボン紀	後期		魚類	
			中期			
			前期	419.2		
		シルル紀	プリドリ世	419.2		
			ラドロウ世	423		
			ウエンロック世	443.8	有殻	氷期
			ランドヴェリー世	443	藻類・菌類	
		オルドビス紀	後期	450		
			中期			
			前期	485.4	無脊椎動物	
		カンブリア紀	芙蓉世			
			第三成		無殻	
			第二成			
			テレヌーヴ成	541		
原生代	新原生代	エディアカラン		635		
		クライオジェニアン		720		氷期
		トニアン		1000		
	中原生代	ステニアン		1200		
		エクタシアン		1400		
		カリミアン		1600		
	古原生代	スタテリアン		1800		
		オロシリアン		2050		
		リィアキアン		2300		
				2400		氷期
		シデリアン		2500		
太古代（始生代）	新太古代			2800		氷期
	中太古代			3200		
	古太古代			3600		
	原太古代			4000		
冥王代				4600	地球誕生	

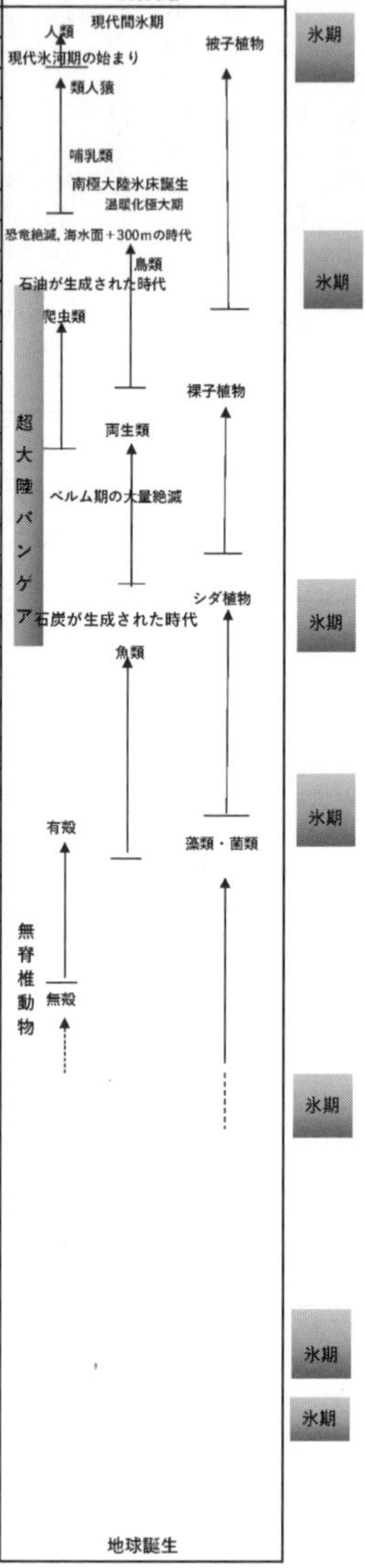

図表 14　人類の誕生と進化
（文献 18 を基に筆者作成）

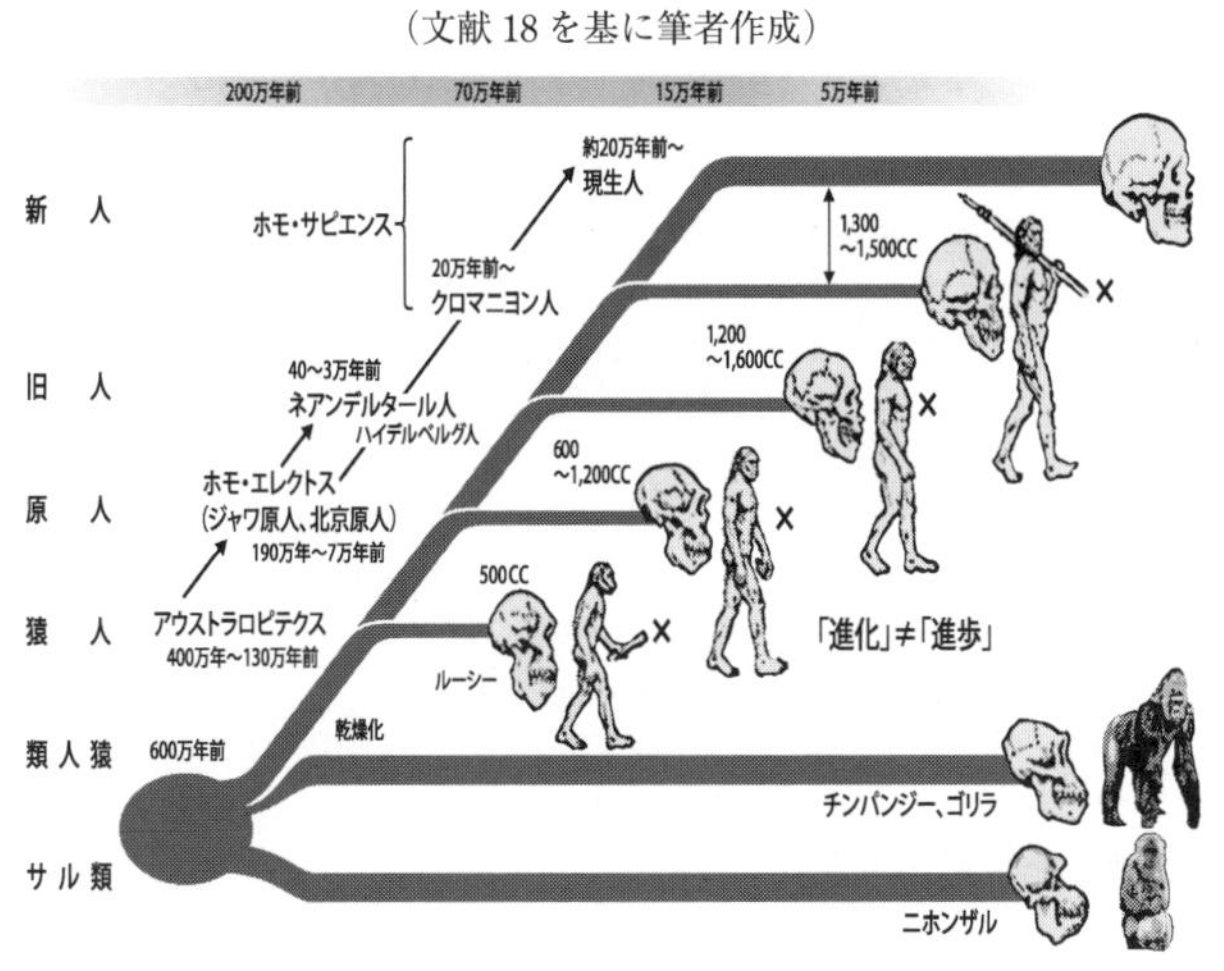

起こったかという主な理由はプレートテクトニクス説（例えば、ルイス・ダートネル[17]）によると、グレート・リフト・バレーの隆起やヒマラヤ・チベットの隆起が大気の循環を変化させ、同時に、氷床の発達による地球の寒冷化が東アフリカの密林植生をサバンナ植生に変化させたためであると説明されている。密林の果実が得られなくなり樹上生活が苦しくなった猿の一種が二足歩行に進化し熱帯乾燥草原（サバンナ）に誕生した動物の狩猟によって獲物を得る食性に変化したといわれている。安成が「ヒマラヤの上昇と人類の進化」[19]で示した**図表15**によると、今から約五〇〇万年前頃から地球は次第に寒冷化し、約三五〇万年前頃から四万一〇〇〇年サイクルで激しく気温が変動し、四〇万年前頃から気温変動は一〇万年サイクルでさらに大きく変動するようになった。この激しい気候変動はグレート・リフト・バレーの隆起と連動しており、地球は氷期に突入し、熱帯雨林であったリフト・バレーの乾燥化を招き密林はサバンナに変化し、それに適応して人類の進化を促したのではないかと推測されている。

なお、現生人類より早く進化を遂げたクロマニヨン人は現生人類と共存していた時期があり、交配もあったことが遺伝子情報からわかっているが、なぜ絶滅に至ったかその理由はわかっていない。これらの人類の進化はその頭蓋骨の容量の差となって顕著に表れている。人類は、新人になると進んだ認知能力、すなわち、知覚・記憶・推論・問題解決などの知的活動を行う能力（言語能

図表 15　過去 550 万年の地球の平均気温と人類の進化の関係
（変動図は文献 19 による）

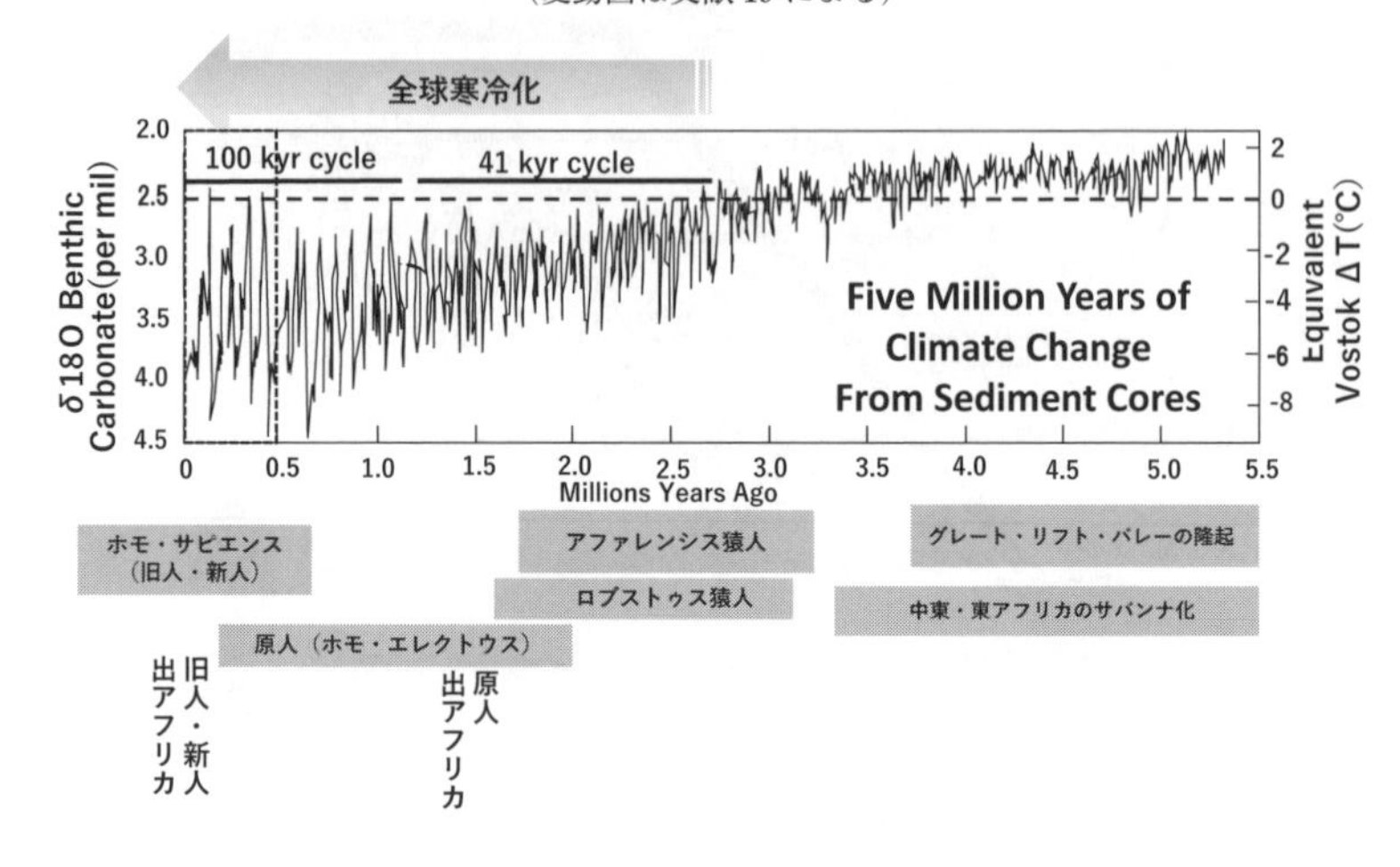

図表 16　人類の頭蓋骨の発達

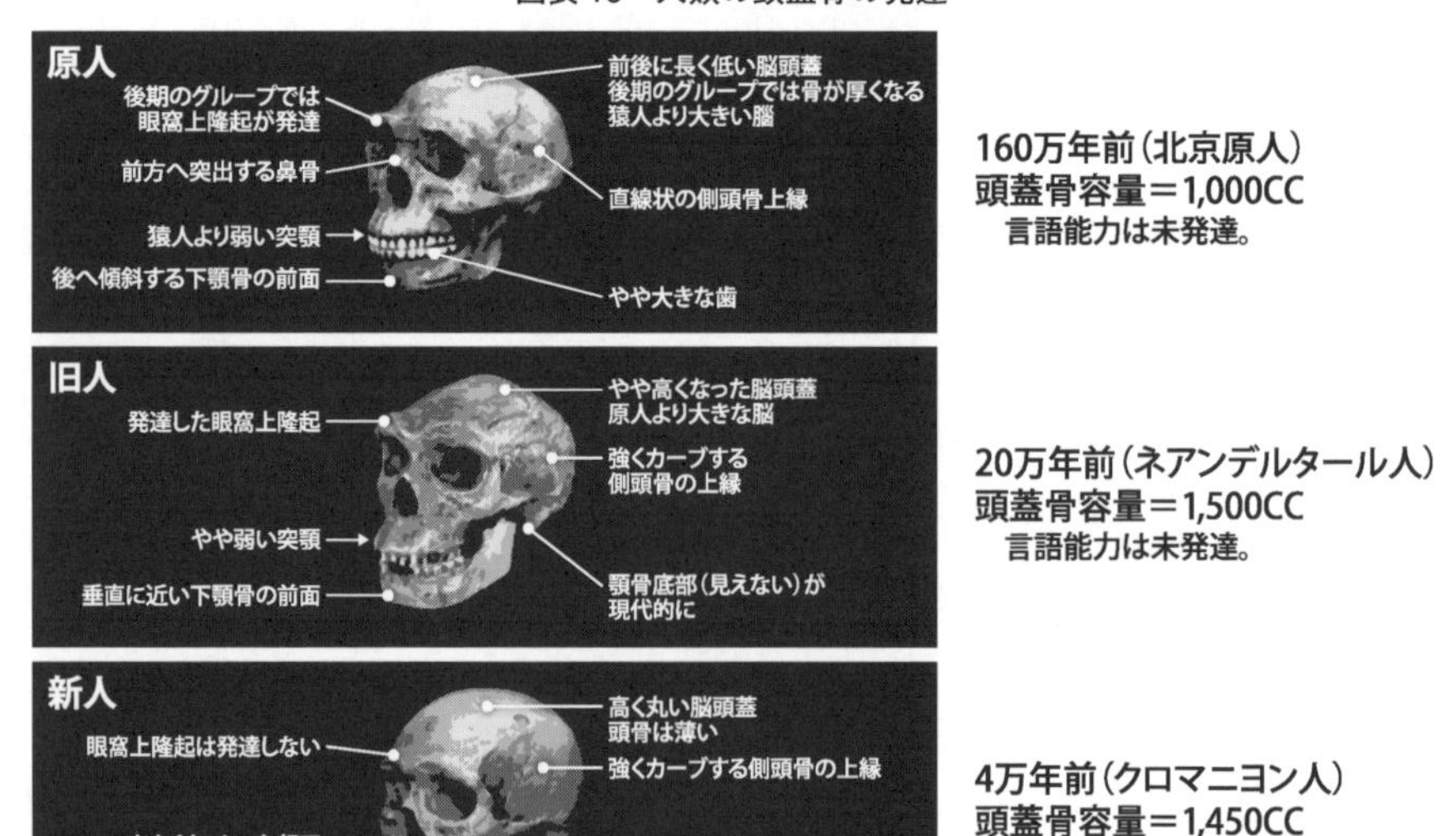

力）をさらに発達させた。**図表16**に示したように、原人の平均頭蓋骨容量は約一〇〇〇CCで言語能力も備えており、火の使用と旧石器を発明した。これに対し、旧人のネアンデルタール人の平均頭蓋骨容量は一四〇〇CCであり言語能力はさらに発達し、火の使用、新石器を発明するに至った。原人から進化した新人類（ホモ・サピエンス）であるクロマニヨン人や現生人の平均頭蓋骨容量は一四五〇CCと旧人とそれほど変わらなかったが大脳皮質の発達によって言語能力がさらに上昇し、火の使用はもとより精巧な石器や各種道具を作り出す能力を備えていた。約一〇万年～七万年前に出アフリカを果たして世界に拡散した新人や現生人（新人）は、一万二〇〇〇年前頃には農耕を開始し、人類のいわゆる四大文明を開化させた。四大文明がなぜその地で開化したか、その理由は後述する。

いずれにしても、結果的には前述のプレートテクトニクス理論によるグレート・リフト・バレーの急激な環境変化のサイクルが環境に順応できる形に猿から猿人・原人・旧人・新人と次第に頭脳を発達させ二足歩行哺乳類に進化させた、という説が現在のところダーウィンの進化論に照らしても矛盾しないと思われる。遺伝子がどのような条件下

図表17　狩猟・採集時代の原人・旧人・新人の生活イメージ（①は群馬県自然史博物館展示より作成、③は高根沢町立図書館アーカイブスより作成）

①原人の生活（旧石器時代：130万年～50万年前頃）

氷河期と共に密林はサバンナに変化。小動物や大型動物が増える。原人はこれらを狩猟した。

②旧人の生活（旧石器時代：50万年～12万年前頃）

③新人の狩猟生活（新石器時代：1～2万年前）

で突然変異を起こすかという謎については、今後の分子生物学の分野で明らかにされるかもしれないが、現在では未知である。参考までに原人・旧人・新人の狩猟・採集時代の生活想像図を図表17に示した。彼らはいずれも出アフリカを果たすまでは、チンパンジーやゴリラの集団と向き合いながら、川や湖畔の傍を基地として周辺で狩猟や採取をし、食糧が減れば移動を繰り返す、といった生活様式であった。原人の時代からすでに火と道具の使用を発明しており、夜は主として洞窟の中で生活した。すでに触れたように、原人・旧人・新人と知能を発達させたホモ・サピエンスは、さらなる過去の体験がデータとして蓄積されると、その活用によって「文明」を作り出していくのである。

III

人類の出アフリカと文明誕生の条件

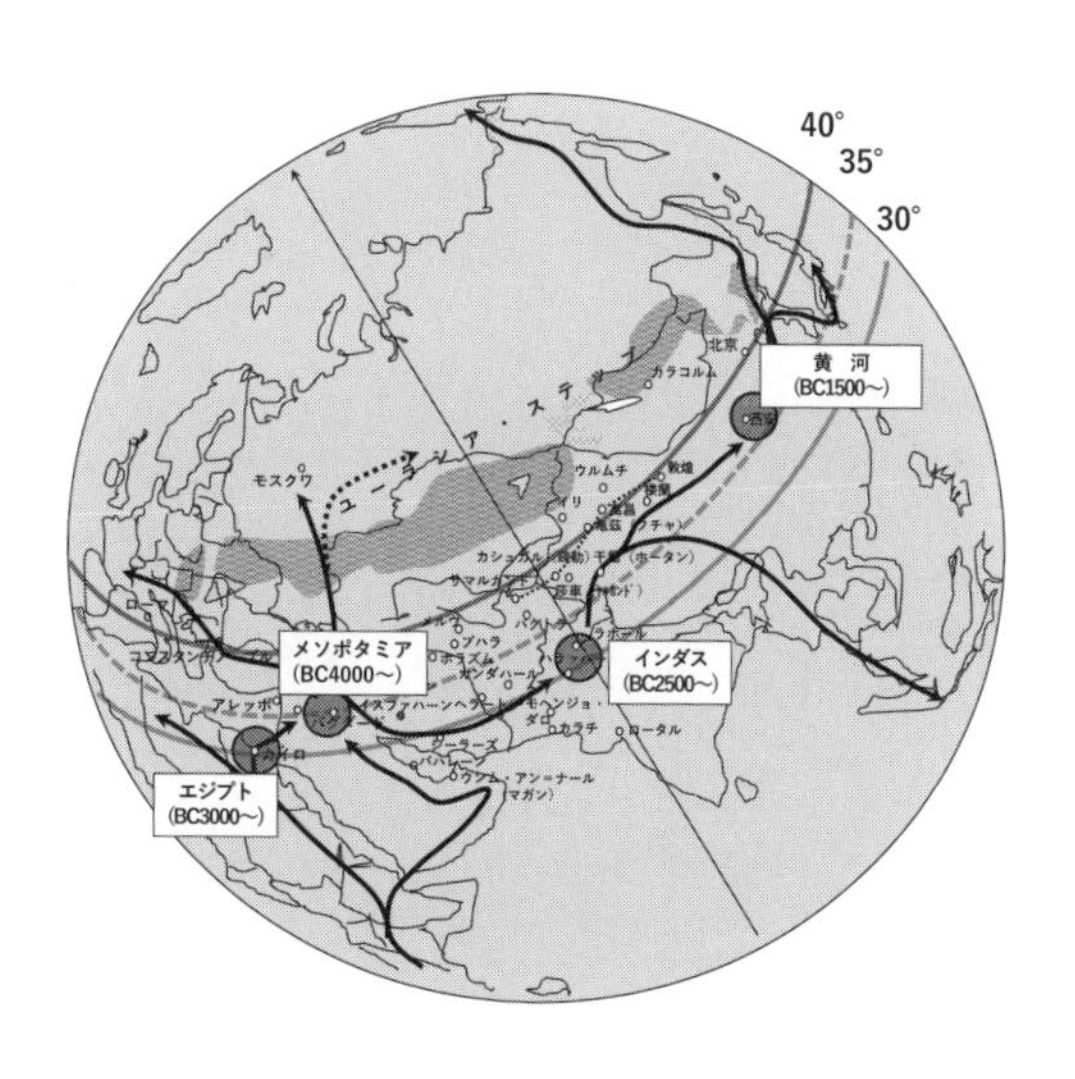

III

[illegible]

図表 18　人類の出アフリカの軌跡（文献 17 を基に筆者作成）

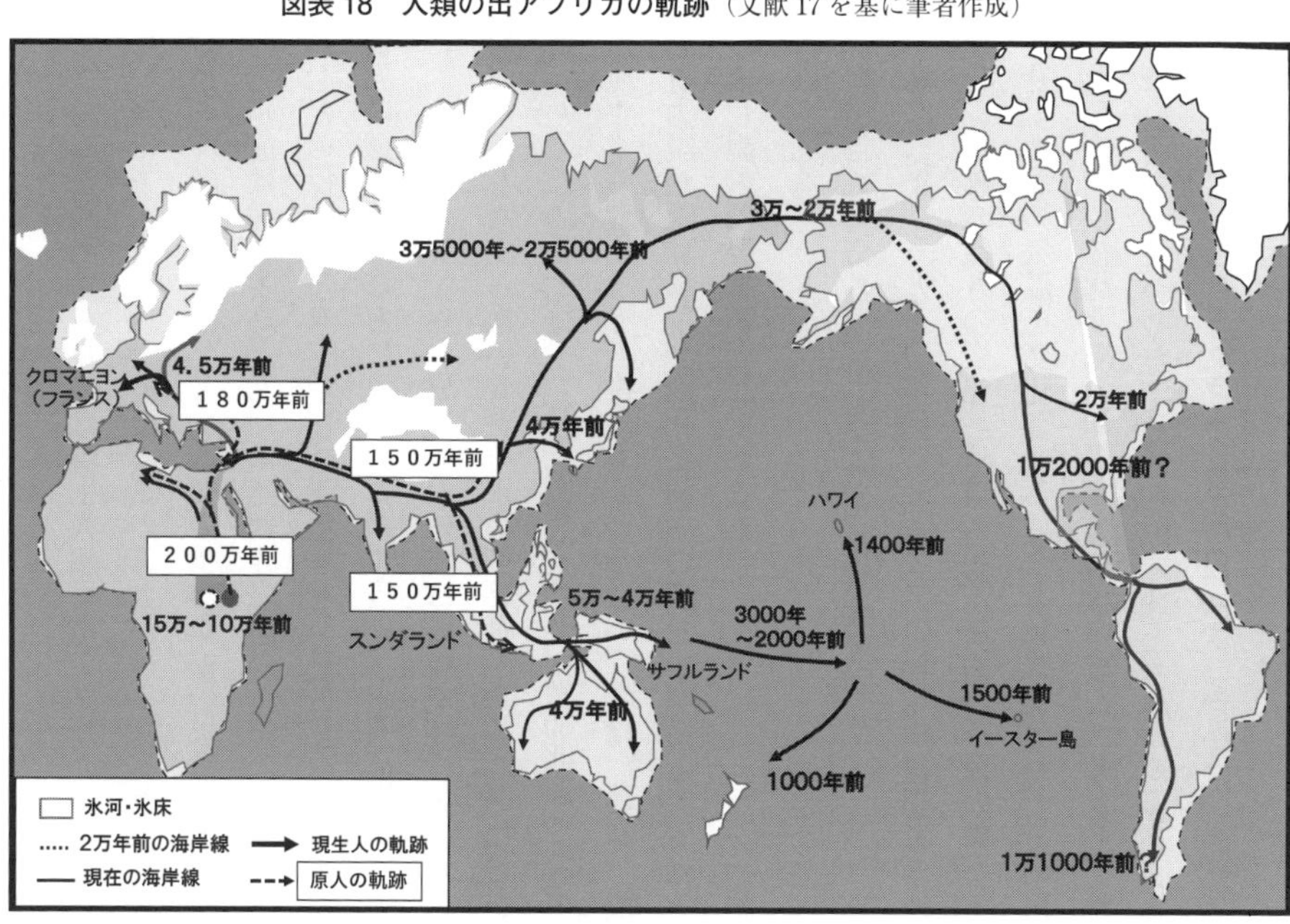

（1）人類はなぜアフリカを離れたか？

前章で触れたように、アフリカ東部のグレート・リフト・バレー（ヴィクトリア湖周辺から紅海に至る亀裂）で約四〇〇万年〜三〇〇万年前に、類人猿から進化した猿人（アウストラロピテクス）が誕生した。彼らの遺骨はアフリカ以外で発見されていないので、少なくともアフリカから他の大陸に分散する前に絶滅したものと考えられる。**図表18**に示すようなルートを経て約一九〇万年前に同地で猿人から進化した原人（ホモ・エレクトス）は約一八〇万年前に出アフリカを果たし、南ヨーロッパ、ジャワ島（当時はスンダランドという陸地でマレー半島と陸続きだった）、中国などに拡散したがやはり絶滅した。約四〇万年前に同じくグレート・リフト・バレーで原人から進化した旧人（ネアンデルタール人）は出アフリカを果たしヨーロッパに拡散したが、やはり絶滅した。約二〇万年前にアフリカにとどまっていた原人から進化を遂げた最初のホモ・サピエンスであるクロマニヨン人はヨーロッパとアジアに拡散し一時期、現生人類と共存していたが最終的には絶滅した。約二〇万年〜一五万年前にグレート・リフト・バレーで原人からさらに進化した現生人類（ホモ・サピエンス・サピエンス）は一〇万年～七万年前に出アフリカを果たし年間五〇〇メートルの速度で全世界に拡散した。原人や旧人さらには現生人類が出アフリカを果たした頃、地球は寒冷化の最中であり、現在よりも海水面は一〇〇メートル近く低かった。このことがベーリング海峡を陸橋化し、スンダ海峡（現在のマレー半島とインドネシア付近の海峡）を陸橋化して人類の世界規模の拡散を可能ならしめた。同じように、現生人類が日本列島に到達した約四万年前は朝鮮半島と九州は陸続きであった。これらの陸橋を利用して現生人類が南米最南端のマゼラン海峡まで到達したのは、約一万一〇〇〇年前頃とされている。現生人類は、出アフリカから約六万年～七万年の時間をかけて、全世界に拡散したことになる。このように、原人、旧人、新人が世界に拡散していった根本的な理由は何であろうか？単に「未知の世界」への好奇心だけでは居住範囲を広げていく動機とはなりにくい。狩猟・採集生活は、ある場所で食料が不足したから次の食料を求めて移動する。このことを永遠に繰り返すことによって、少しずつ居住範囲を広げていった。この根本は、「食の問題」、「人口増加問題」である。現在社会における政治的迫害や戦争以外で大量に移民が発生する理由は今も古代も変わらない。では、なぜ、故郷のアフリカで生活ができなくなったのであろうか？その有力説が地球環境の変化と植生の変化を唱える説である。このことを理解するために、最近提唱されている地球環境変化説の概要を紹介しておこう。

（2）ミランコヴィッチサイクルと気候変動

一九二〇年～一九三〇年代にセルビアの地球物理学者ミルティン・ミランコヴィッチが唱えた説で地球の公転軌道の変化、地軸の傾きの変化、地球の歳差運動の三種の異なる周期運動（**図表19**）が地球面に照射する太陽光の量を変化させ、地球の気温を変化させることを数式化した。その後、彼の計算は極の氷床や海洋底のボーリング調査から得られた酸素同位体比からその説が裏づけられた。しかし、地球の複雑な地形による風向や海流が気候に影響することまでは説明できなかったがそれらの地球上の条件を考慮した安成ら[19]が地球の地形変化の影響を気候モデルに取り込んだＣＧＣＭ（Computed Global Climate Model）を駆使しヒマラヤ・チベット高地の隆起が全地球に重大な影響を及ぼすことを明らかにしている。

図表 19　ミランコヴィッチサイクル

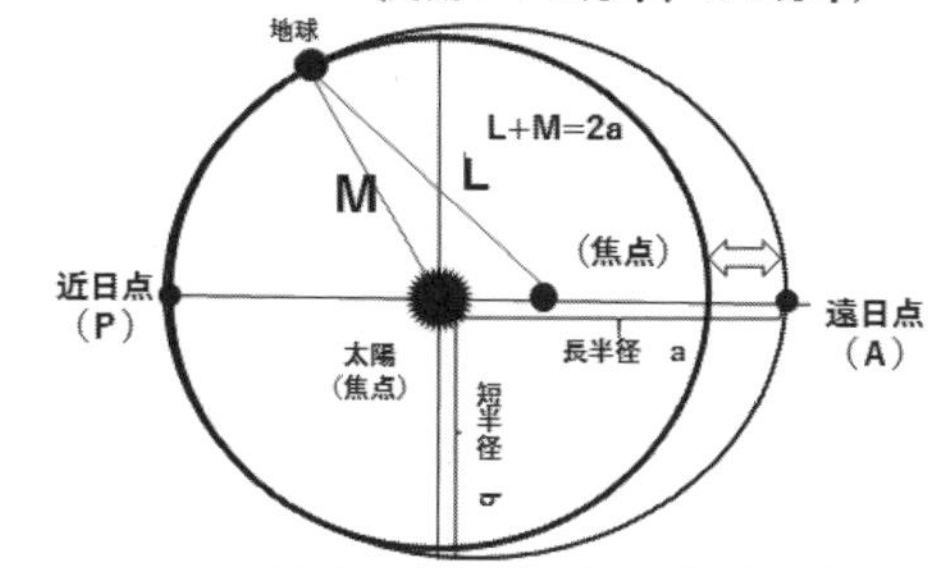

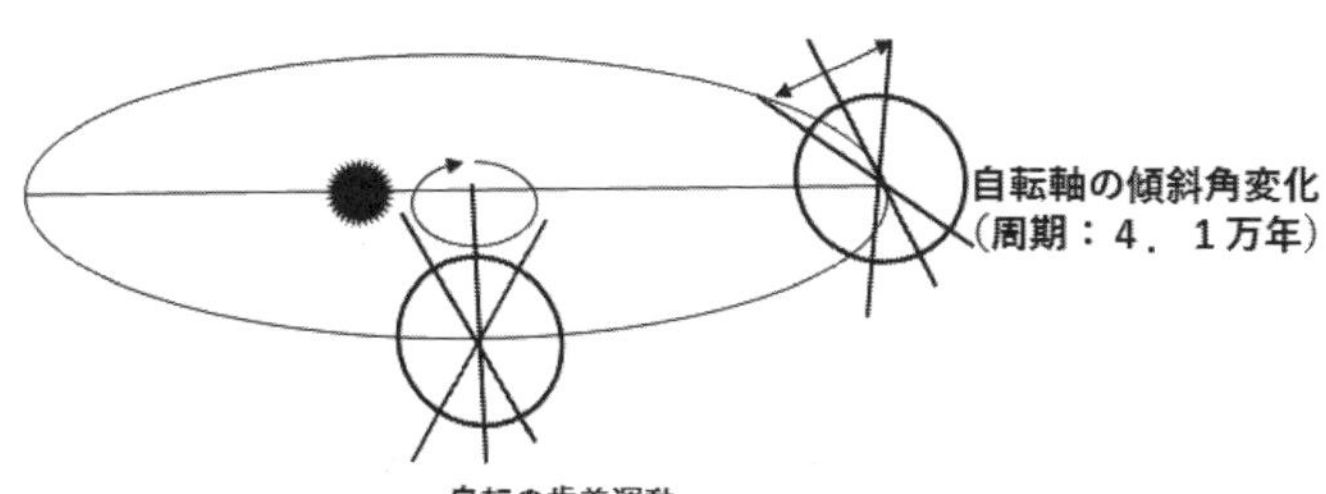

図表 20　ミランコヴィッチサイクルの計算例（文献 20 による）

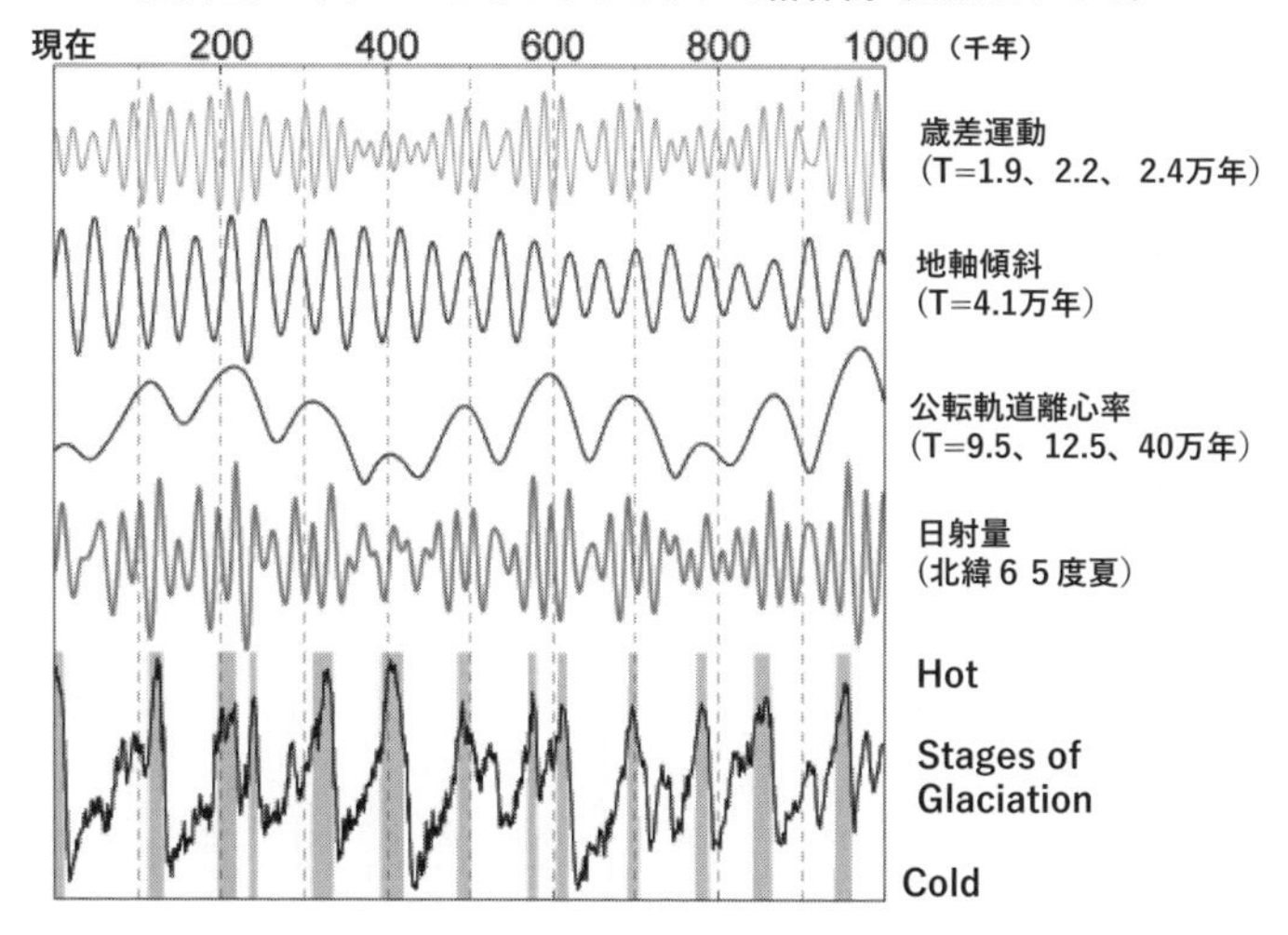

図表 21　過去 6500万年間の気温変化

（文献 21 による、図表下のコメントは筆者作成）

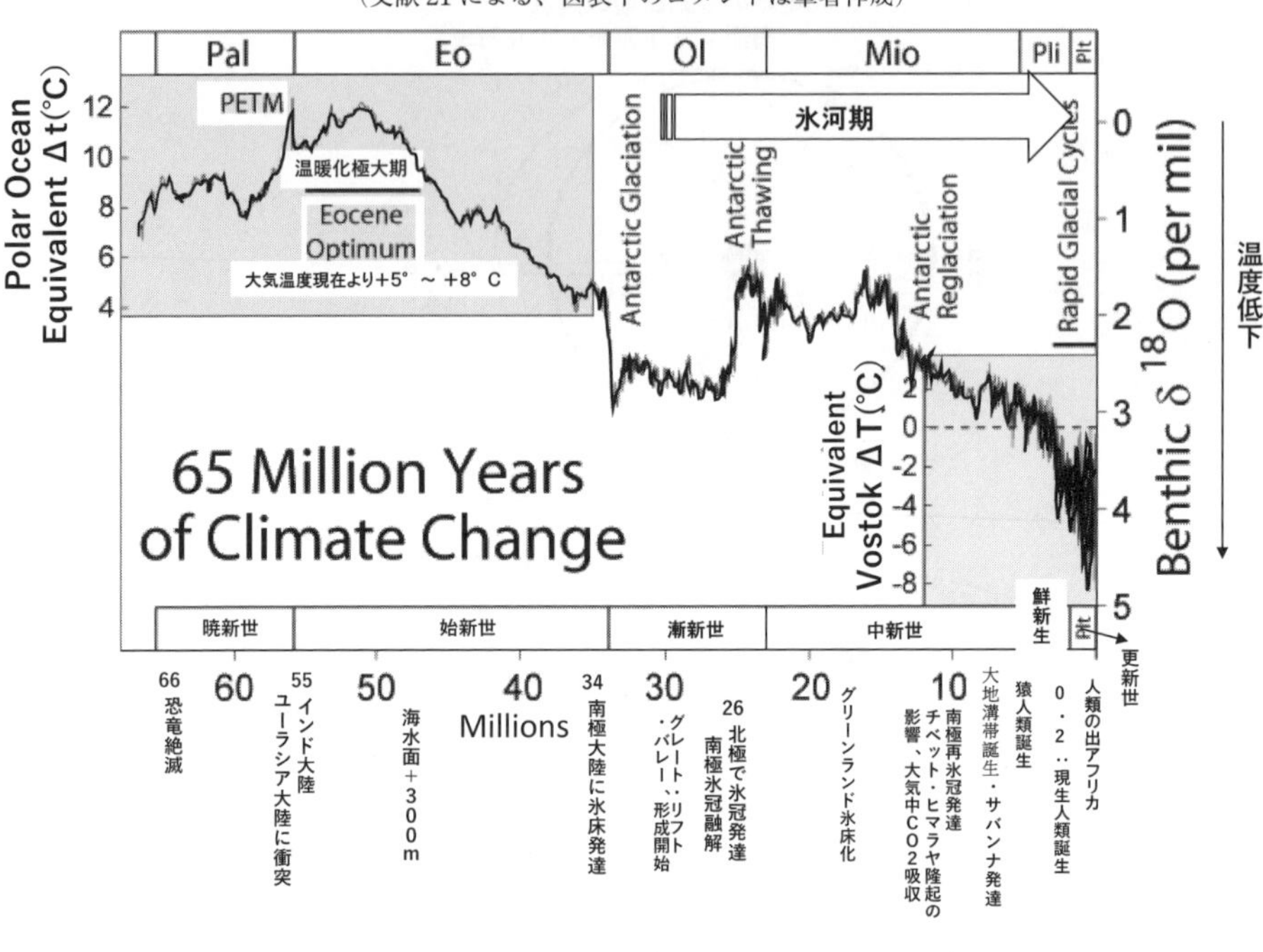

これらの研究は未だ決定的な気候変動を説明するに至っていないが有力な説であることは間違いない。**図表20**にミランコヴィッチサイクルによる日射量変動と氷期・間氷期の周期計算例を示した。これを見ると過去一〇〇万年に一三回の温暖化・寒冷化がサイクリックに発生していた様子が理解される。さらに、一九七〇年代に、海洋底のボーリング調査が行われるようになり、採取されたサンプルに遺された微生物（有孔虫）化石の酸素同位体比δ^{18}O（気温が高いと数値が下がる）から気候変動の周期がわかるようになって、少なくとも過去の気候変動は確実にわかっている。**図表21**は過去六五〇〇万年にわたる地球の気温変動を示したもので、恐竜が絶滅した六六〇〇万年前直後から地球は熱くなり、地球の平均大気温度は現在より五℃～八℃高く、海水面も現在より三〇〇メートルは高かった。その後、寒冷化に転じ、三四〇〇万年前頃から南極大陸に氷床が発達し、地球気温は低下を続け氷期に突入した。図表中に示したように、一〇〇〇万年前にはヒマラヤ山脈が二〇〇〇メートル近くになっているときで（安成[19]）季節風に大きな影響を及ぼし寒冷化を加速させる

図表22　2万5000年前〜2万2000年前の氷床の様子
（文献17を基に筆者作成）

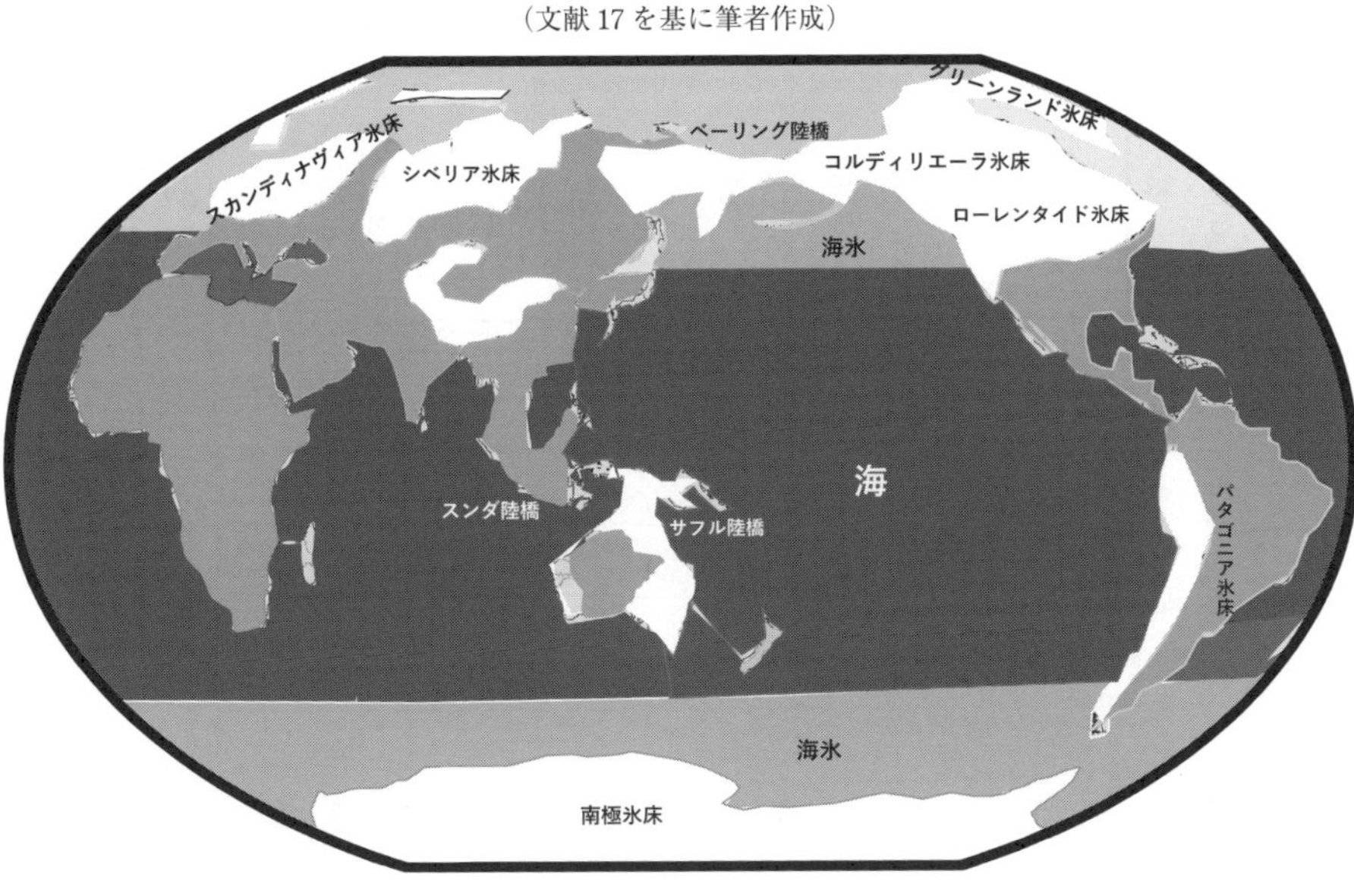

ようになった。

また、先述のグレート・リフト・バレーが急激に隆起した時期と重なり、雲霧の多い熱帯雨林は急速に乾燥化し、熱帯サバンナが広がった。

さらに、猿類から分化し人類が誕生した時期を含む約五〇〇万年前からの気温変化を拡大した前出の図表15から、急激な気温変化を引き金にゴリラやチンパンジーなどのサルから二足歩行の猿人が分化し、原人、旧人、新人と進化していった頃の気温変化がわかる。では、なぜ、寒冷化が猿人の進化を促したのであろうか？　すでに触れたように、この寒冷化は、東アフリカやアラビア半島（それまで森林に覆われていた）を湿潤なサバンナに変え、熱帯雨林の減少をもたらした。そして同時にガゼル、シカ、ヤギ、オーロックスやライオン、トラ、ヒョウ、ゾウなど多くの哺乳類を繁殖させた。これらの草食・肉食動物を餌にするには二足歩行で道具を使え、認知能力が高い人類が最も有利になる。これらの動物は密林が減少しサバンナが拡大するとともに、アフリカからアラビア、ユーラシアへと拡散した。また、すでに述べたように人類が出アフリカを遂げた頃は、現在の東アフリカやアラビア半島、中央アジアは比較的湿潤で広大な草原（ステップ）が広がり、そこには多様な動物が繁殖していた

図表23　約10万年前からの気温変化
（文献19による）

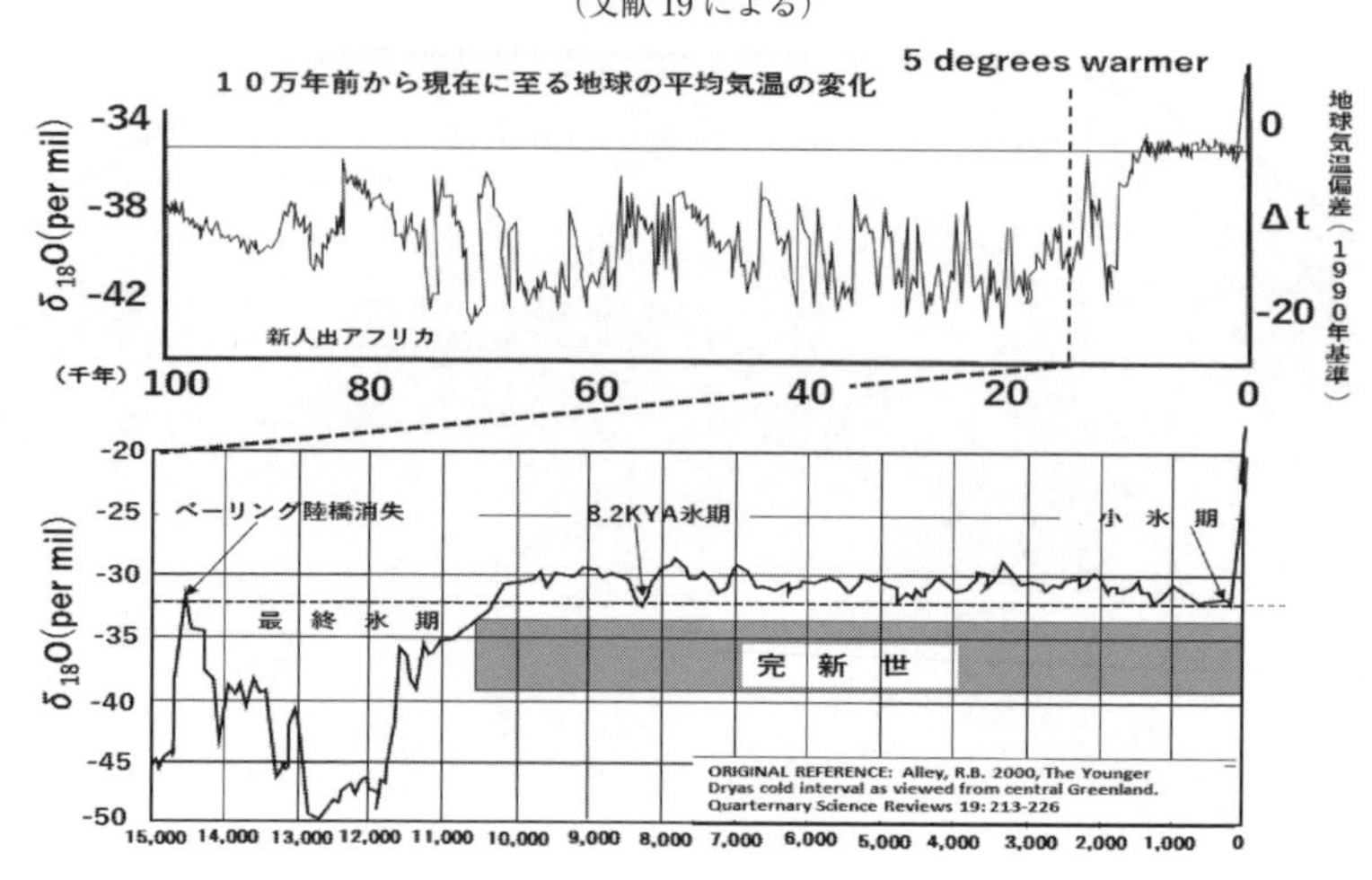

ことが狩猟を中心に生業としていた人類の生存を助けたと言われる。まとめれば、寒冷化がもたらした植生の変化が人類の進化を促すと同時に、餌を求める狩猟中心の人類に出アフリカを促したと考えられる。**図表22**は今から約二万五〇〇〇年〜二万二〇〇〇年前における地球上の氷床の様子を示したものである。図から想像できるように、北極、南極だけでなく大陸の半分は分厚い氷床（約四キロメートルの厚さがあったという）に覆われ、極近くの海は海氷に覆われており、海水準面は現在より一〇〇メートルも下がっていた。ユーラシアと北米はベーリング陸橋でつながり、太平洋とインド洋はスンダ陸橋で寸断されており、ニューギニアもオーストラリア大陸とサフル陸橋でつながっていた。このような冷えた地球環境の中に広がった草原でマンモスや小動物の狩りをし、野生植物を採集して人類はあちこちに散在して生きていた。

出アフリカを果たし、このような氷床で覆われた以外の地表の隅々に拡散した人類は移動しながら狩猟や野生植物の採集生活で数十万年も暮らしてきた。しかし、そこに突然襲ってきたのは急激な温暖化であった。それまでの地球の歴史で繰り返されてきた温暖化・寒冷化のサイクルで最後の氷期（紀元前一万五〇〇〇年〜紀元前一万二〇〇〇年頃）が終わり地球は暖かくなり始めたのだ。**図表23**に示すように、今から一万二〇〇〇年〜一万一〇〇〇年前頃から地球の平均気温は五℃も高くなった。温暖化で融け出した氷床の水により海水面は一挙に一〇〇メートルほど上昇した。日本史では「縄文海進」として知られている時期であり、地質学的な年代区分では現在の「完新世」に入った時代である。サハラやアラビアが砂漠化していくのはこの時期からである。しかし、同時に、レヴァント地方やナイル河畔に麦類を繁殖させ、天水農業が可能になった。また、ヒマラヤ・チベット高原から流れ出した河川が中国や東南アジアの河口付近に広大な沖積平野を作り出し、稲を繁殖させた。これらの地域で人類は、当初の野生種の採集から人口増加に対応するために天水農業から灌漑農業を発達させ、定住生活を開始し、ついに、都市文明を生み出すに至るのである。

（3）文明発生地の地理的特性と比較優位性

新人が約一〇万年～七万年前の氷期に出アフリカを果たし世界に広がって狩猟・採集生活を始めてから八万年～七万年経過すると氷期は終わり、現在から約一万二〇〇〇年前頃から地球が温暖化に転じたことはすでに述べた。温暖化が始まると氷床はどんどん後退し北緯三五度線付近は乾燥化が進んで広大な砂漠を含む乾燥地帯となった。また、氷期直後から発達していった森林もどんどん北上してユーラシア大陸の北緯四五度周辺のベルト地帯には広大なユーラシアステップが広がった。森林の北上とともに、狩猟の対象になっていた動物も少なくなった。その代わり豊富な野生小麦が繁茂した。小麦があれば人類はもはや移動狩猟生活を繰り返す必要がなくなった。子供や老人を連れて移動生活を繰り返すより穀類を主とする定住農耕生活の方が楽に思えた。

ここで四大文明が開化した地勢を見てみると、**図表24**に示したように、すべて北緯三五度を中心に南北一〇度の帯状（以下、文明開化帯と呼ぶ）の緯度の中に含まれている。この地域は大河川（ナイル川、チグリス・ユーフラテス川、インダス川、黄河）の河川沖積平野であり、乾燥地帯に接している。河川沖積平野の存在は農耕牧畜に適しており定住する条件があった。従来は、この条件が文明開化を可能ならしめたというゴードン・チャイルドの説が支持されていた。ゴードン・チャイルドの提唱による人類社会の変化モデルの骨子は、新石器革命と名付けられる人類史上最初の大革命にあった。新石器革命は農業革命とも呼ばれ農耕牧畜の発明によって定住生活が可能となり、やがて土器の製作が始まった。このことは従来の打製石器と異なり新石器時代の石器は磨製石器であり、木を倒し、住居用木

図表 24　四大文明と新人の足跡

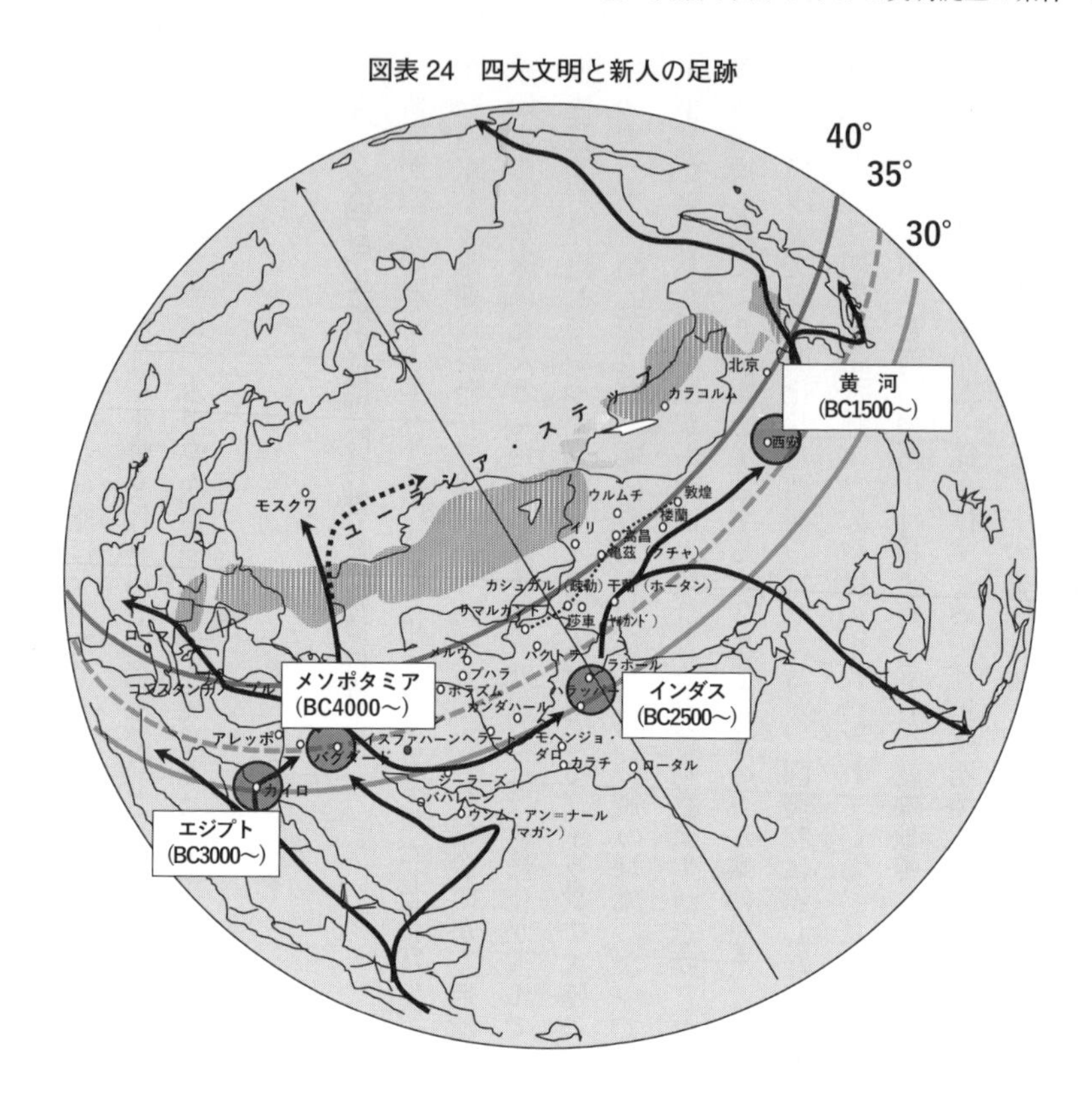

材を作成するための石斧が発明されていることにより可能となった。そして、集住が進み農耕余剰生産物が生み出され、都市や神殿が建設され、「都市文明」が生まれた、という説明である。

しかし、最近、この見解に対する反証が見つかっており、必ずしもゴードン・チャイルドの定義した発展過程が成り立たない例が出されている。その一つが、トルコ南東部のギョクリテペ遺跡である。この遺跡では狩猟採集民が建設（紀元前一万年～紀元前八〇〇〇年頃）したとみられる神殿・住居跡が見つかった。しかし、ここではゴードン・チャイルドの定義するような文明は開化しなかった。また、日本の縄文時代には狩猟採集時代にもかかわらず、すでに定住が始まっていた。このことは必ずしも定住農耕生活への移行が文明を生む必要十分条件ではないことを意味している。先に触れたように、新人は出アフリカを遂げた後、世界に

図表 25　世界の定住農耕開始時期

（文献 11 を基に筆者作成）

図表 26　主要な穀物類の原産地

（各種文献より筆者作成）

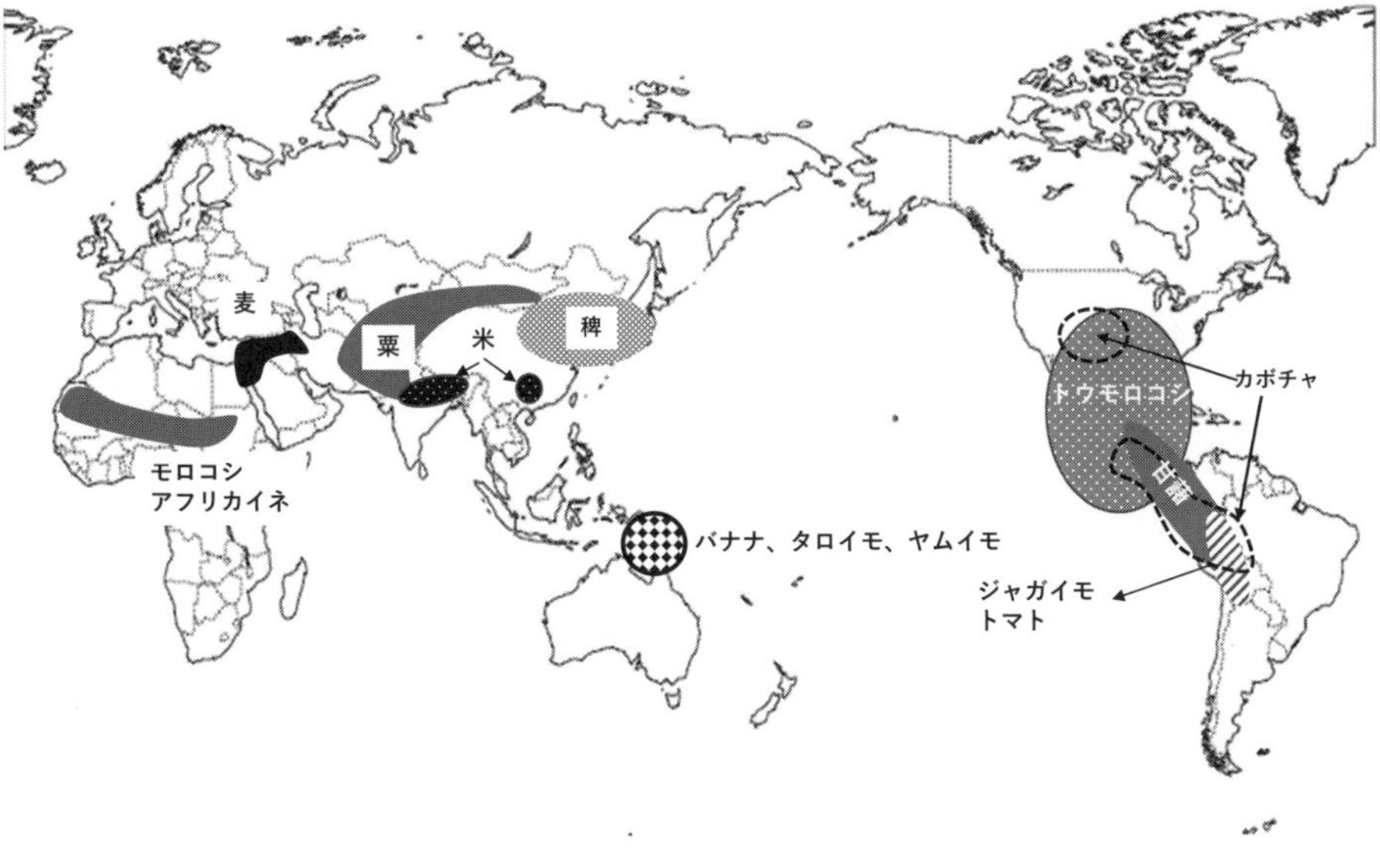

麦
粟
米
稗
モロコシ
アフリカイネ
バナナ、タロイモ、ヤムイモ
カボチャ
トウモロコシ
甘藷
ジャガイモ
トマト

図表 27　主な野菜の原産地
（文献 22 を基に筆者作成）

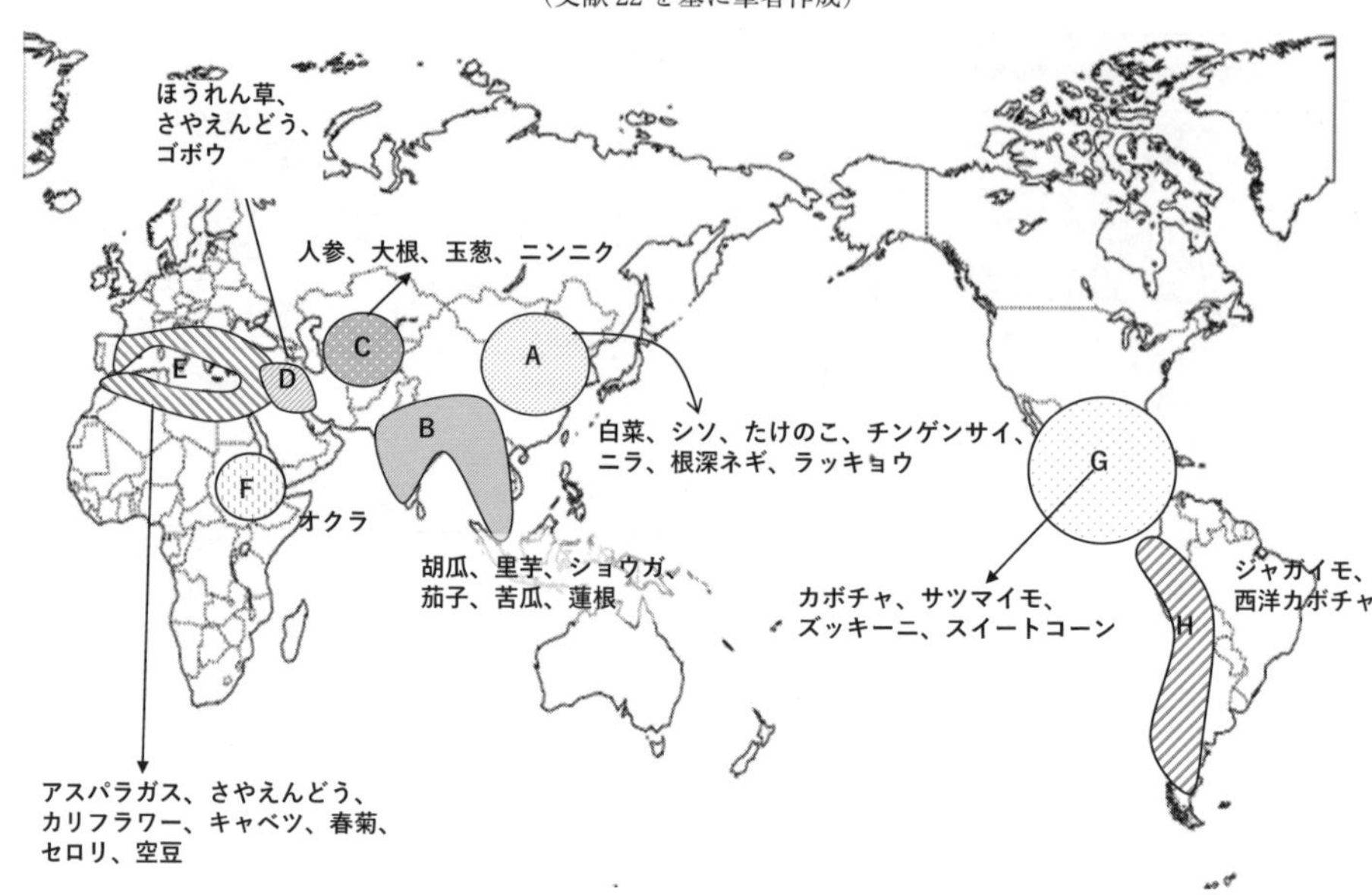

拡散していった。そして、それぞれの集団がそれぞれの居住地で同じ温暖化という地球規模の環境変化を迎えたのである。地球の植生は変わり、それに伴って狩猟対象としていた動物も次第に少なくなった。したがって、後述するように、人類は狩猟生活から穀物を自ら育てる農耕を発明せざるをえなかった。

図表25は、四大文明を含む世界のいくつかの地域で定住農耕が始まった時期と栽培食物の種類を示している。この図から、人類の定住農耕は、ほぼ同じ時期に地球のあちこちで独立して開始されていたことがわかる。このことは定住農耕地帯が他地域と比べて文明開化の比較優位性を示すものではないことを示している。それでは、四大文明地帯の比較優位な条件とは何であったのだろうか？　その解の一つが**図表26**に示されている。

この図は主要な穀物の原産地を示したものであるが一見してこの緯度帯には人類が食料としてきた穀類が豊富に自生していたことがわかる。もちろん図表25で示したように、栽培に足る自生食物で定住を可能とした地域は四大文明発生地以外にもあった。それよりも現代でも多くの人口を養っている大麦や小麦がレヴァント地方には豊富に自生していた。インダス・ガンジ

図表28　繊維材料の原産地
（文献23を基に筆者作成）

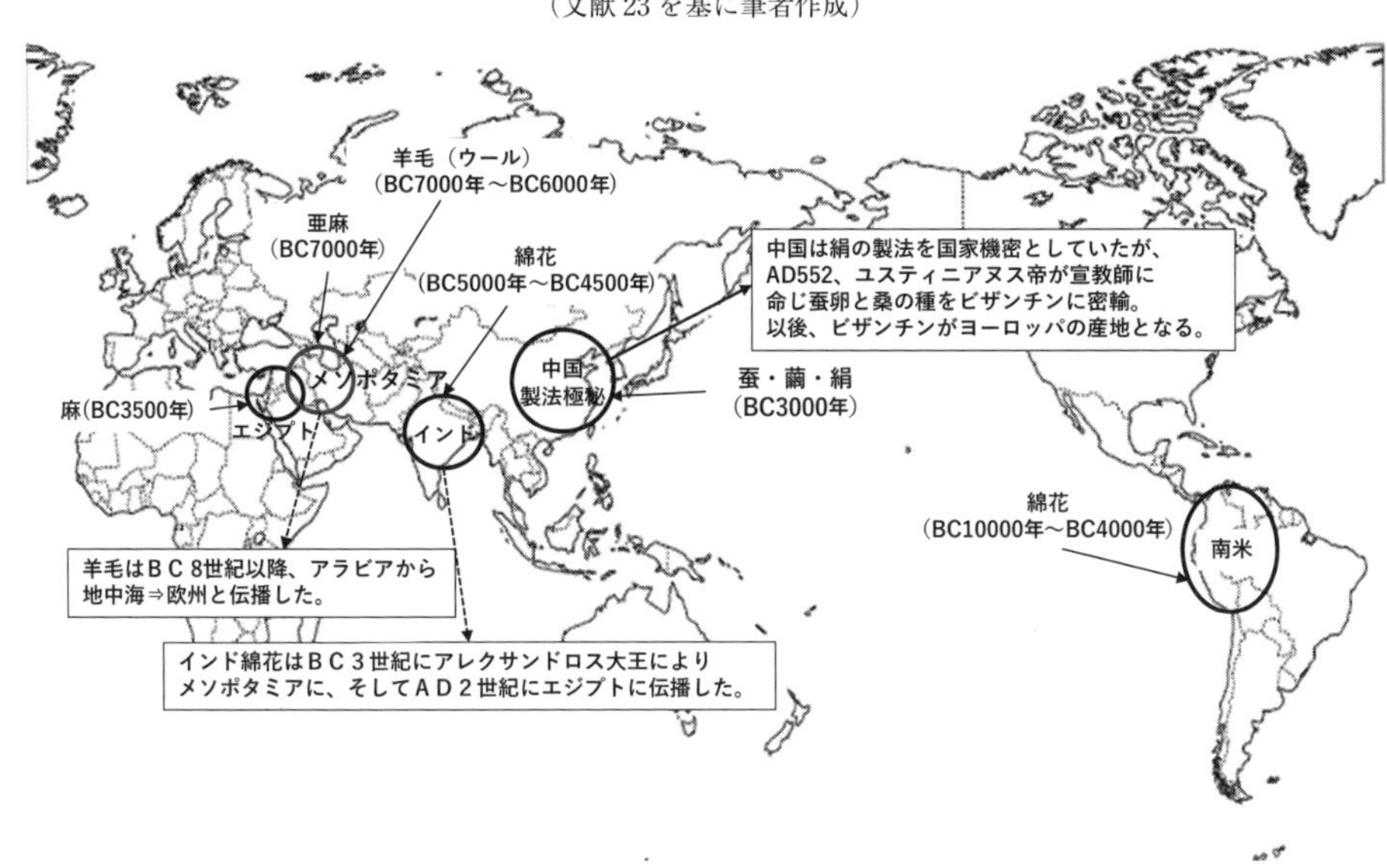

スの沖積平野と中国江南には大量の人口を養える稲が自生していたし、中央アジアのオアシスや黄河周辺には広範囲に稗や粟がこれも豊富に自生していた。文明開化の必要条件としての豊富な野生穀物の自生は、定住人口の増大を支える最も基礎的な要素である。ヨーロッパでは大航海時代にトウモロコシやジャガイモが中南米から移植されて以降、大規模人口を養えるようになり経済力を貯えることができるようになったことは周知の事実である。

また文明開化地のさらなる豊かな食生活を支えるためには、二次的な野菜が必要であるが、**図表27**に示すように、この点でも文明開化帯は、現在でもわれわれが食べている多種の野菜の原産地でもあり、他地域に比べて文明開化を促す比較優位性を持っていた。また、人類の生存の条件として古来、衣食住といわれるが、氷期にはもっぱら狩猟で得られた動物の獣皮を衣料としていたが動物の減少とともにそれも困難になった。人類は火を使うことを覚えていたので、寒さは防げたという説もあるが、火を持って始終動くことは不可能で何らかの防寒・防暑のための衣料は生活にとって不可欠であろう。そのような視点から文明開化地帯を眺めてみよう。

図表28を見てわかるように、文明開化帯には他地域に

図表 29　家畜化動物の生息地
（文献 24 を基に筆者作成）

は自生していない繊維材料を提供できる綿花、亜麻、麻が自生していたし、中国江南では絹糸を生産する蚕が繁殖していた。

さて、文明開化帯の最後の比較優位性は家畜化動物の多様性である。**図表29**をご覧いただきたい。メソポタミアには牛、羊、ヤギ、豚の野生種（イノシシ）が生息していたし、隣接するイラン高原にはフタコブラクダ、アラビア半島にはヒトコブラクダがいた。ナイル川上流域に接するサバンナはロバの生息地であった。インダス川流域にはセブ牛や水牛、揚子江周辺には沼沢水牛、黄河台地には豚がいた。これらの動物は家畜化される以前は狩猟対象の食用動物であった。家畜化の年代は種類によって場所によって異なるが、ブライアン・フェイガン「人類と家畜の世界史」[24]によると、一万五〇〇〇年前頃、ユーラシア大陸で犬が家畜化、紀元前一万年頃、南西アジアの複数の場所でヤギ、豚、羊が家畜化された。また、南西アジアの複数の場所と北アフリカで紀元前九〇〇〇年頃に牛が家畜化され、紀元前六〇〇〇年頃には牛や小型の家畜が温帯ヨーロッパに広がった。さらに、紀元前四五〇〇年頃（推定）、ロバが北アフリカと南西アジアで家畜化された。馬の家畜化はデイヴィッド・W・アンソニー「馬・車輪・言語」[25]によれば遺跡や墳墓に残された馬の歯の化石分析からそれまでの説と全く異なる結論を導いた。それは馬の歯の摩耗度合いが野生馬と家畜化された馬とは異なる（ハミをつけられた歯は摩耗度が違う）という実験事実を基に再検討して導き出した結論で、それによると、紀元前四五〇〇年頃、現在のウクライナ地方で最初に家畜化されたという。また、ラクダについては、今村薫[26]の研究によると、ヒトコブラクダは三〇〇〇年以上前にアラビア半島南東部で、フタコブラクダはほぼ同時期にイラン北東部のバクトリア地方で、家畜化された。このように、文明開化帯は食料と同時に、後に貴重な畜力を提供する動物に恵まれていた。

以上、文明開化帯には他地域に比べて、ここで列挙したような比較優位な要因が揃っていた。また後に述べるように、ロバや牛、馬、ラクダが家畜化できたことは、生産・輸送に畜力を利用する上できわめて有利となり、この地帯の文明開化を推し進める原動力となったことを強調しておきたい。

図表30　40万年前と推定されるテラ・アマタ遺跡の復元住居（フランス・ニース）
（文献28による）

（4）定住農耕の開始（新石器革命）

すでに一部触れたように、二足歩行に進化した人類は人類特有の道具を発明し生活に役立てる知恵を持っていた。二五〇万年～一五万年前は前期旧石器時代と呼ばれ、猿人や原人の時代であった。旧人や現生人類が誕生した以降の一五万年～三万五〇〇〇年前は中期旧石器時代、約三万五〇〇〇年～一万年前は後期旧石器時代と呼ばれている。旧石器時代の人類は礫（つぶて）を打ち砕いた打製石器を作り出し、剥片（はくへん）でナイフや、スクレーパー、錐（きり）、鏃（やじり）など目的を限定した道具も作り出していた。後期旧石器時代には、釣り針や網なども作り出されていた。このような道具に加え、すでに原人の時代から人類は火の使用を覚え調理をすることによって食料源の幅を拡大するとともに寒い中緯度地域での生活も可能になった。マンモス、トナカイ、馬、サイなどの野生動物の狩猟や野生植物を採集しながら移動を続ける人類は、動物を仕留めるための大型の槍や仕留めた動物を棒きれに固定して肩に担いで居住地に戻るといった生活をしており、移動集団の単位はほぼ家族を中心とする血縁集団であった。狩猟対象の動物が周辺に豊富に存在しているときは水辺にこれらの集団は個々に洞窟を住まいとした。また、約四〇万年前のテラ・アマタ遺跡では植物で作った円錐住居（図表30）による集落を形成していた。また、北京南西五〇キロメートル付近で発掘された周口店（しゅうこうてん）遺跡（四〇万年～二〇万年前）では北京原人の食べ残した動物の骨が大量に見つかった。それらにはトラ、オオカミ、クマ、野牛、ゾウ、馬、羊、毛犀、パンダ、そして鹿など多様な動物の骨が含まれていた。これらの例から、狩猟採集生活の時代でも一時的にしろ、定住をして生活していたことがわかる。このように、原人や旧人そして農耕を開始するまでの新人は行き着いた地域に生息する多種多様な動物を食料とし、それらが減ってくると移動を繰り返した。したがって、偶然に移動中の集団が水辺で定住する他の集団と出会うことがあったと推察され、その集団同士で食料や道具の交換などがあったと思われる。人類最初の交易はこのような形態だったと思われる。また、北米南西部では紀元前八〇〇〇年頃に植物繊維で編んだ籠が作られ運搬具や貯蔵具、調理具として利用されていた（前出11）。

やがて先に述べたように約一万二〇〇〇年前頃から地球の温暖化が始まり、氷床は融け出しサバンナやステップから森林が取って代わることになる。森林は一年間に一〇〇メートルほどの速度で北上したとも推定されている。森林が拡大するとそれまで食料の中心であった大型動物は減少した。その代わりに河川や湖に棲む魚介類や河川デルタ地域に豊富に繁殖する穀類などを主な食糧とするようになった。また、比較的乾燥した一定地域の土地の草木を主食とする羊やヤギ、オーロックス（牛の祖先）、ロバ、ラクダなどが狩猟の対象になった。北米大陸に渡った現生人類は、当時、北米で生息していた野生馬やラクダを獲りつくして絶滅に追いやった。わずかなラクダはアフリカとアラビアの乾燥地帯で生き延び、野生馬はユーラシアのステップで生き延びた。やがてこれらはいずれも家畜化されるようになった。こうして人類は移動生活をやめて定住生活に入った。この頃から人類は新石器を発明したので、ゴードン・チャイルドは人類の定住生活開始を「新石器革命」と呼んだが、「革命」ほどドラスティックではなく、何千年もかけての定住化であり、革命と呼称するには批判がある。

世界最古の食糧生産生活に入ったのはレヴァント地方で、紀元前一万五〇〇〇年～紀元前八五〇〇年頃といわれており、人々は麦類を採集するための効果的な道具を考え出していた。わずかに曲がった骨に、長さ一センチ前後の薄い細石刃をはめこんだ鎌である。鋭いフリント（火打石）の石刃は、堅い麦の穂先をすばやく切ることができた。収穫した穀物は地下に掘った貯蔵穴に保存することもあった。この時期の遺跡の住居跡の内外に多種類の石器が出土した。ナイフ、スクレーパー、彫刻刀、石鎌の刃など打製石器に加えて石臼、石杵、石皿、摺石、石鉢などがあり、狩猟と穀類の採集を生業としていたことがわかる。また、漁網と錘（おもり）と思われる礫（つぶて）に溝をつけた石錘（せきすい）や、骨製の釣り針なども見つかっているので、湖の魚も食料としていたことがわかっている。このような新しい道具を考え出した時代は新石器時代と呼ばれている。

このように現生人類は、一言でいえば、「自分たちの周辺の環境変化に適応するために生活様式を変えていった」といえるが、後世から考えると「移動採集狩猟生活でも特に追い詰められたわけでもないのに、なぜ、朝早くから田畑に出かけて腰が痛くなるほど雑草を刈り、水をやり、また、家畜の餌までも心配し世話をやく、といった重労働の生活を選んだのか？」という疑問が湧く。実際、農耕生活を始める前の人々の平均的な暮らしは、移動採集生活といえどもそれなりに安定して毎日「労働」に明け暮れることはせずに暮らせた。にもかかわらず、なぜ、定住農耕生活を選んだのか、その事情についてユヴァル・ノア・ハラリがその著「サピエンス全史」(27)において述べている内容を要約すると以下のようになる。

「農耕はある日、突然、一斉に始まったものではない。あるグループが刈り取った野生の小麦の実が居住地に帰る途中であちこちに落としていたのが、翌年、実を結んでいることに気が付いた。さらに、水があるところではより実りが多いことに気が付いた。そして、動物を狩る片手間に小麦を自分たちで育てた。男たちは狩りに出て、女たちが麦を見守った。そしてグループのリーダーが提案した。毎年、小麦をここで大規模に育てれば、餓えることはないし、貯えもできる。老人や子供たちを背負って遠くへ移住しなくても、ここで定住できる。そうしようではないか、こうして、次第に多くのグループが真似をしだし、大きなグループが協働で集落を組んで生活するようになった。この生活は何世代も続き、いつの間にか狩猟採集生活を知っているものはいなくなった。子供は増え、何年かに一度は飢饉が襲う、他の集団から襲われる、という危険があったが、今さら、昔の移動狩猟採集生活には戻れな

図表31　チャタル・ヒュユク
（紀元前7500年頃の新石器時代集落復元模型）
（文献28による）

図表32　チャタル・ヒュユクの聖堂
（文献28による）

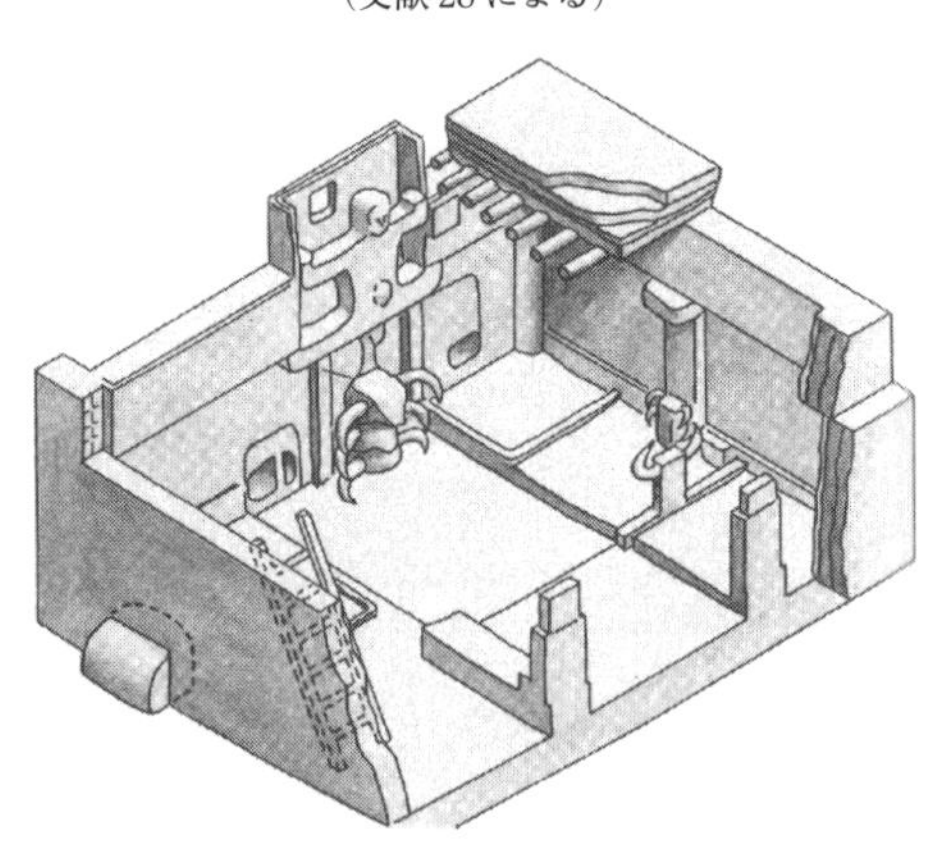

日乾煉瓦の壁に着く漆喰を塗り、一部に突起を造り牛の角をはめ込んでいる。入口が長く、天井の穴に梯子をかけて出入りした。

かった。」

ユヴァル・ノア・ハラリはこのことを人類が陥った「贅沢の罠」と呼んでいる。その後も人類は多様な「贅沢の罠」にはまっていった。

　こうして、紀元前八五〇〇年を過ぎると、集落は大きくなり、三ヘクタールを超える居住地も出現した。ヨルダン川のイェリコでは、紀元前七六〇〇年頃には、その広がりが四ヘクタールに達していた。紀元前六五〇〇年頃になると、レヴァント地方では、イェリコ、ベイダ、ムンハタなどに大きな集落が発達した。集落は半地下式の家屋や、地上に柱を立てた円形の家屋で、家と家との間に貯蔵穴を掘ったりしていたが、やがて長方形の半地下式家屋に変わり、漆喰で壁や床を固めるようになった。また、トルコのアナトリア高原のチャユヌでは、基礎の部分に石を積んだ粘土壁の家屋が築かれた集落跡も見つかっている。

　紀元前六〇〇〇年前後から、イラク北東部、レヴァント、アナトリアに広まった初期の食料生産民の間に土器が普及していった。アナトリア高原のチャタル・ヒュユク遺跡（図表31、図表32）では、建物は日乾煉瓦と木材を用い、二五平方メートルの長方形の部屋をならべており、仕切りの厚い壁があるだけで、廊下も出入口もない。出入りは天井にあけた穴をつたって梯子で行っていたらしい。この遺跡ではまた、神殿跡も見つかっており氏族の神を祀っていたことがわかる。

紀元前五五〇〇年頃には、山麓の方へと農耕地が広がっていった。イラク北部からバグダードあたりまでのチグリス川の流域や、今日のシリアに入ったユーフラテス川の上流地方にこうした集落が広がっていった。集落は壁をめぐらして防御を固める一方、家屋は同じ場所で何度も作り替えられていき、埋葬は床下に行った。すでに小規模な灌漑が行われており、二種の小麦、二種の大麦、パン小麦、亜麻などが栽培された。この頃のイェリコの遺跡から、すでにトルコ～紅海にわたる広範囲の交易ネットワークが存在したことがわかっている。こうした山麓部の発展が著しい頃、一部の農耕民が南部メソポタミアの平野に進出をはじめた。この進出によって成立した文化を「ウバイド文化」と呼び、エリドゥの考古学上の歴史的発展過程の出発とされている。ウバイド期は紀元前五三〇〇年～紀元前三五〇〇年頃とされ、ウルク期（紀元前三五〇〇年～紀元前三一〇〇年頃）と続く。およそ一八〇〇年続いたウバイド期にメソポタミア南部の環境に適応した生活様式は確立し、それとともに社会的な階級分化や農業や建築の技術上の大きな進歩を遂げた。ウバイド期末期（紀元前三五〇〇年頃）には土器は轆轤（ろくろ）を用いて作られるようになった（エジプトでもこの頃、轆轤が利用されている）。土器製造の工人がこうして誕生した。もともとメソポタミアの平野は土地が低く平坦で、チグリスとユーフラテスの二つの川は雪融け水を溢れさせる。居住地は洪水の危険を考慮して選ばれ、古い居住地の上に新しい家屋を建てて次第に居住面を周囲の土地よりも高くしていった。畑は塩害のリスクも高く、また洪水や水利、土地の肥沃度などを考慮しながら耕作を続ける必要があった。頻繁に畑を移すことも必要で、居住地と耕作地の選定は集団や個人にとって死活問題であり、所有権をめぐる紛争もたびたび発生したと思われる。こうした土地の権利、集中的な居住、増大する人口がメソポタミア農耕民に社会組織の発達を促した。厳しい気候、予測できない洪水や降雨あるいは旱魃（かんばつ）など自分たちに制御できない恐怖が自然を動かす神への信仰を醸成した。こうした状況が神殿を建てて神を祀る祭祀を発達させ、やがて専門の神官を生み出し、権力の集中を生み出したのである。メソポタミアには森林も、石も、金属もない。作物を別にすれば、上質の粘土以外に資源は何もない。こうした状況が土器製造技術を発達させ、余剰穀物を生産してこれを輸出して貴重な資源を輸入に頼る以外なかった。そして、これらの交易を取り扱う専門の集団も必要になった。こうした条件がメソポタミア都市の広域交易を発達させた（各年代の交易品については第V章で詳述する）。こうしてウルク中期（紀元前三四〇〇年～紀元前三三〇〇年頃）には南部メソポタミアで都市が誕生していった。やがて南部メソポタミアの人々は次第にユーフラテス川沿いに植民を行い多くの都市を建設していった。

一方、インド亜大陸で最初の継続的定住地が紀元前七〇〇〇年から紀元前五〇〇〇年頃まで存在したことが、ピラク、メヘルガル、ナウシャローの遺跡発掘調査で明らかとなった。これらの文化はメヘルガル文化と呼ばれており、メヘルガルの銅器時代の人々は、アフガニスタン北部、イラン北部、中央アジア南部の文化とも交流を持っていた。考古学者はメヘルガルの年代をいくつかに分けている。メヘルガル一期は紀元前七〇〇〇年から紀元前五五〇〇年までを指し、土器を伴わない新石器時代である。この地域での初期の農業は半遊牧民が行ったもので、小麦や大麦を栽培する傍らで羊やヤギや牛を飼っていた。泥製の住居群は四つの区画に分けられている。多数の埋葬跡も見つかっており、副葬品として籠、石器、骨器、ビーズ、腕輪、ペンダントなどがあり、時折動物の生贄（いけにえ）も見つかっている。一般に男性の方が副葬品は多い。装飾品としては、貝殻（海のもの）、石灰岩、トルコ石、ラピスラズリ、砂岩、磨いた銅などが使われており、女性や動物の原始的な像も見つかっている。海の貝殻や付近では産出しないラピスラズリ（アフガニスタン北東部で産する）が見つかっていることから、それらの地域と交流があったことがわかる。副葬品として石斧が一つ見つかっており、最も地表に近いところからも石斧がいくつか見つかっている。これらの石斧は南アジアでは最古のものである。メヘルガル文化に引き続き、紀元前三六〇〇年頃より、インダス川流域にすでに高度なインダス文明が栄えていた。パンジャブ地方のハラッパー、シンド地方のモヘンジョ・ダロなどの遺跡が知られるほか、沿岸部のロータルでは造船が行われていた痕跡が見られ、メソポタミアと交流していた。これらの遺跡は、焼き煉瓦を用いて街路や用水路、浴場などを建造し、一定の都市計画に基づいて建設されていることを特徴としていたが、紀元前二〇〇〇年頃から衰退へと向かった。紀元前一五〇〇年頃から印欧語族のアーリア人が北西部から侵入してインダス文明に代わり、彼らはガンジス川流域にも進出しその後のインド文明を作り出していくことになった。

東の中国へ進出した現生人類は、紀元前一万二〇〇〇年頃、長江中流域で狩猟採取生活から稲作を始めたと言われ、紀元前五〇〇〇年頃には稲作中心の定住農耕生活を始めた。また、黄河流域では、紀元前六〇〇〇年～紀元前四〇〇〇年頃から稗や粟などの雑穀類の栽培や豚などの家畜を中心とする定住生活が開始され、やがて、自然神や祖先神を祀る集落（邑）を形成し、南の長江文明を次第に吸収していった。邑は次第に大きくなり、都市に発展し、各都市は邑制国家になっていった。邑制国家を最初に統一した領域国家は紀元前一六〇〇年頃に興った殷（商）とされているが、殷王朝が支配する領域は半径二〇キロほどの小規模な範囲だった。当時は、黄河流域を含めて多くの邑制国家が王を奉じて散在していた。

Ⅳ 都市と商人の誕生

The Bazaar of Athens by Edward Dodwell, 1821

（1）交易の定義と形態

国語辞書によると「交易とは、互いに品物の交換や売買をすること」と定義されている。品物の交換や売買は、それを行う場所（市場）や品物を運搬する手段を必ずしも前提としたものではなく、本書では小さな集団同士の物々交換や貨幣（または代替物）を介在する売買に限定せず、広く、モノの行き来を交易として定義する。したがって、本書ではモノの流れ（物流）を「交易」と同義語として使用している。

人類が定住農耕生活を開始した頃にはすでに遠隔地との交易は始まっていた。その証拠に武蔵野台地の野川遺跡（約二万年前の旧石器時代）で伊豆諸島の神津島産の黒曜石が発見された。神津島から本州に渡るには海洋航海が必要である。小田静夫は「黒曜石分析から解明された新・海上の道−列島最古の旧石器文化を探る（4）」[29]で、約四万年前に「スンダランド」に住み着いた人類が「海洋漁労民」として発展し、約三万年前頃に筏船（竹材、丸太材、動物の浮き袋）や丸木船を開発して黒潮海域を北上した、と推察している。この推定については二万年前に丸木船を作る道具はなかった、筏船では流れの速い黒潮を横断するのは困難という批判もあるが、手段はともかく、神津島から本州の間で接触があったことは確かである。

一方、地中海では、山田昌功「地中海地域の黒曜石研究概要」[30]によると、紀元前六〇〇〇年頃の遺跡の中にクレタ島産の黒曜石がイタリアや南フランスの諸地域で見つかっていることから海洋交易があったと推定している。また、航海には葦船や丸木船が利用されていたとしている。

このような交易はどのような形で行われていたのだろうか？　カール・ポランニー「経済の文明史」[31]によると、交易の形態は三つに分類されている（例：は筆者）。

1．贈与交易（互酬経済）（例：Guest & Host の関係、Patron & Client の関係）
　儀礼的贈物の交換（例：朝貢貿易、臣従貢納貿易など）
　厳しく国家が管理する場合は「管理交易」でもあり、随行者商人の大規模な私的交易も含まれていたので「市場交易」の側面もある。

2．管理交易（再配分経済）

国家または国家から特許を得られた団体が行う交易（例：勘合貿易、朱印貿易など）

3．市場交易（市場経済）

当事者同士間で自由に行う交易

これらの三形態は経済形態からの定義であるが、グリァスン「沈黙交易−異文化接触の原初的メカニズム序説」(32)は沈黙交易の研究から市場交易形態として以下のような分類を提案している。

1．姿を見せぬ交易（Invisible trade）・・沈黙交易
2．姿を見せる交易（Visible trade）・・対人物品交換
3．客人の招請（Guest friendship）・・イスラムの習慣
4．姿を見せる仲介者付の交易（Middleman trade）
5．集積所（Depo）
6．中立的な交易
7．武装市場（Armed market）
8．定市場（Regular market）

都市文明が形成されるまでの定住農耕集落間の交易は対人物々（物品）交換であり、沈黙交易とは一定の交換場所で交易をする双方が接触をせずに交互に品物を置き、双方ともに相手の品物（種類・量とも）に満足したときに取引が成立する形態で、日本ではアイヌの交易がそれにあたる。有史前の交易の形態は沈黙交易か対人物々交換の交易が中心だったと考えられる。いずれもグリァスンの定義する市場交易の一形態である。

(2) 都市と商人の誕生

イギリスの考古学者ゴードン・チャイルド（前出1）によれば、人類は約一万年前、西アジアにおいて第一の大きな社会、経済上の変革（定住農耕生活）を成し遂げた後、紀元前三〇〇〇年半ば頃にメソポタミアやエジプト・ナイル川下流域で、少し遅れてインダス川や中国・黄河流域で、第二の大変革を経験したという。第二の変革とは国家と都市文明

図表33　紀元前3000年紀までの西アジアの都市国家
（文献33を基に筆者作成）

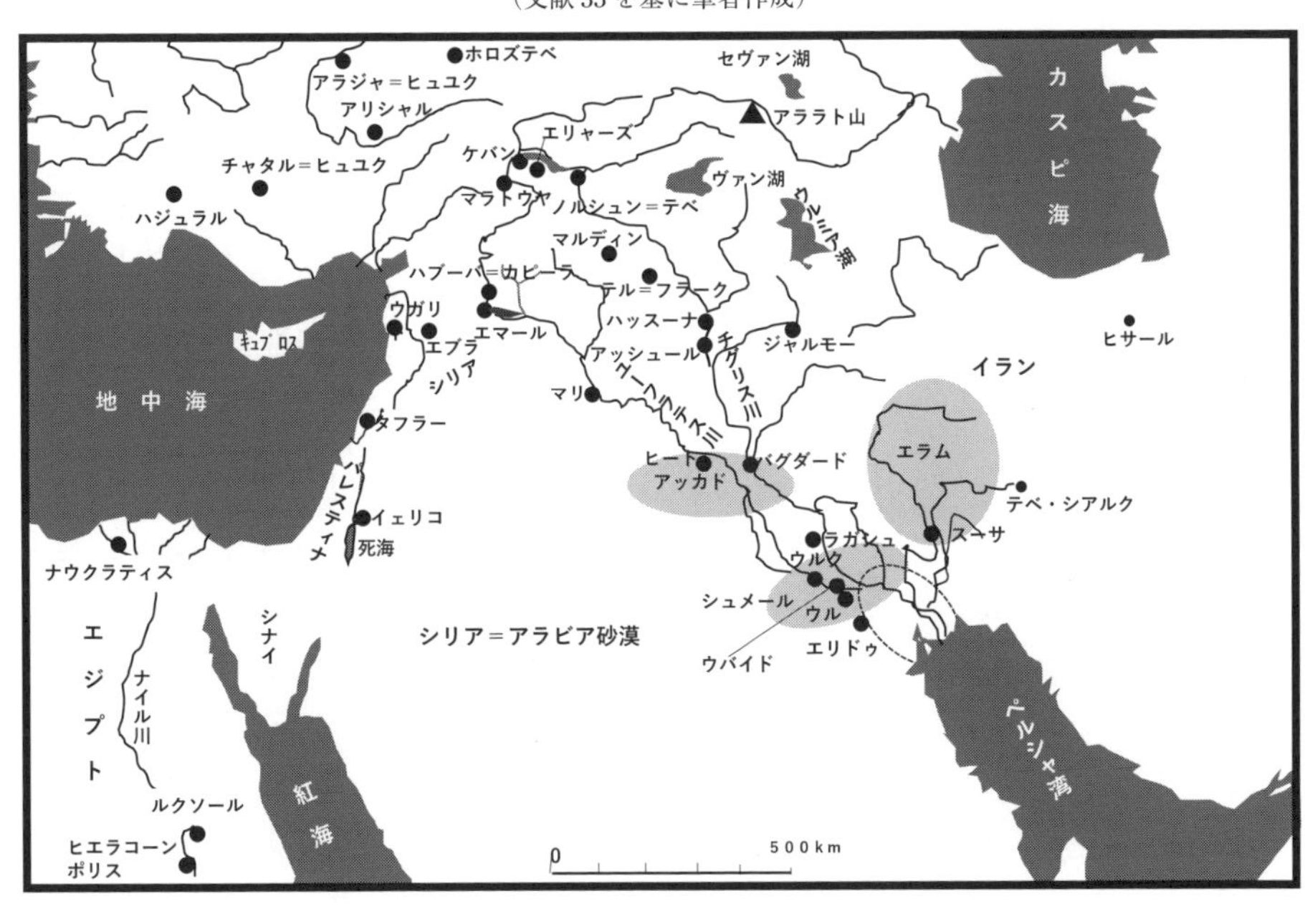

が成立したことを指している。チャイルドは、先述したように、前者を「新石器革命」、後者を「都市革命」と呼んだ。しかしながら、チャイルドが指摘した都市はある日突如として出現したのではなく、定住農耕生活を始めた地域から集落が順次形成されていった。紀元前八〇〇〇年頃には、シリア、アナトリア、エジプト、メソポタミアにはあちこちに集落が形成されていった。集落地と農耕地は分離され、彼らはいずれも自然に宿る神々や祖先神を祭るために集落地の中に神殿や社稷（しゃしょく）を造り、一族の長がその祭祀を司っていた。やがて集落の人口が増えていき、祭祀を司る人たちの集団（神官）が誕生し次第に増えていった。大きな集落では、焼き物を専門とする人たち、織物を専門とする人たちなど次第に専業職が誕生していった。後述するが、神官たちは集落の土地の配分や収穫物の集中管理や分配などの行政的業務も担当するようになった。やがて、紀元前四〇〇〇年を過ぎた頃から神殿の神官は次第に力を持つようになり、**図表33**のように、チグリス・ユーフラテス川の流域には、行政機構を備えた多くの都市が誕生した。それらの最も古い都市はメソポタミアの

図表34　楔形文字の誕生過程
（文献11による）

	前四千年紀末〜三千年紀初	前三千年紀中頃	前三千年紀末	前一千年紀初
飲む				
歩く立つ				
鳥				
魚				
雄牛				

エリドゥであった。そのうちでも、紀元前三四〇〇年頃のウルクでは神官の権力集中と官僚機構が発達し、神官の長は王と称し、都市国家が誕生した。また、エリドゥ、テベ・ガウラなどでも日乾煉瓦による大神殿が建造され、円筒印章、青銅器の出現とともに遠隔地交易も開始されていたことが明らかになった。ウルクでは人類最初の粘土板による文字記録システムが成立した。こうして先に述べた文明の要件が揃ったのである。この出土した粘土板文字は象形文字であるが、後に楔形（くさびがた）文字に簡略化されていった（**図表34**）。ウルク出土の粘土板の八五%は行政・経済記録である。つまり組織を統治するために必要に迫られた記録システムであった。ここでは、組織を運営・管理するために、つまり奴隷や家畜や物品の数を数え、穀物の嵩を量り、土地面積を計算するために必要な記録システムを考え出したのである。すでに述べたが、食糧と水以外は粘土しか産出しないメソポタミアは青銅の技術がアナトリア方面から伝播してくると、どうしても農業生産性を向上させるために青銅器が必要となり、この産地まで出向いて材料を調達する必要に迫られた。神殿や王宮はこれを手に入れるための「交易人」を選び遠隔地に派遣した。こうした、いわば「公務交易人」は同時に自分たちの商品も併せて私交易も行い、次第に公的部分と私的部分が分離していき「私商人」が誕生していった。エジプト、インダス、黄河流域でも同様な経緯をたどって都市と商人が誕生している（インダス文字は未解読）。

エジプトでは、メソポタミアとほぼ同様な過程を経て、ナイル川上下流域を舞台に集落が発達し、紀元前六〇〇〇年〜紀元前五〇〇〇年頃には定住農耕牧畜生活が始まり、多くのノモス（都市集落）が誕生した（**図表35**）。やがて、紀元前三〇〇〇年頃、上エジプト（ナイル川上流域）の王メネスが上下エジプトを統一し、メソポタミアに先んじて国家（領域国家）が誕生した。同時にこの頃エジプトでは象形文字であるヒエログリフ（聖刻文字）が誕生しており、後に神官が用いる筆記用デモティーク（民衆文字）が発明されパピルスに記録された（**図表36**）。このエジプト文字は記録体がパピルスといった腐食性の植物であったために、エジプトと交易をしていたメソポタミアやシリア周辺か

図表35　先王朝・古王朝時代のノモス
（紀元前4000年～紀元前2400年頃）
（文献11を基に筆者作成）

ら出土した粘土板文書のほうに、むしろエジプトの商業記録が多く残されている。

インドのインダス川流域では紀元前二五〇〇年頃からインダス文明を興した都市国家が発達したと考えられ、後述するようにハラッパーやモヘンジョ・ダロのような都市ではメソポタミアとの交易も行われていたが紀元前一八〇〇年頃にこの文明は忽然と消滅した。消滅の原因はアーリア人の侵入説と乾燥砂漠化説があるが原因は解明されていない。文字も残されているが未だ解読されていない。このインドとの交易の様子もその多くは粘土板の記録に頼らざるをえない。

一方、中国では長江流域で稲の水耕灌漑農耕を行う定住文化が紀元前五〇〇〇年頃栄えたと言われるが、淮河を境として北方の黄河流域では紀元前六〇〇〇年～紀元前四〇〇〇年頃の新石器時代には稗や粟、麦を中心とする畑作定住農耕が開始された。多くの同族を単位とする邑が発生し、やがて大邑が小邑を統合して紀元前一五〇〇年頃に邑制国家（都市国家）を誕生させ、長江文明を吸収していった。中国では殷王朝の時代（紀元前一二〇〇年頃）に亀甲獣

図表36　ヒエログリフとデモティーク

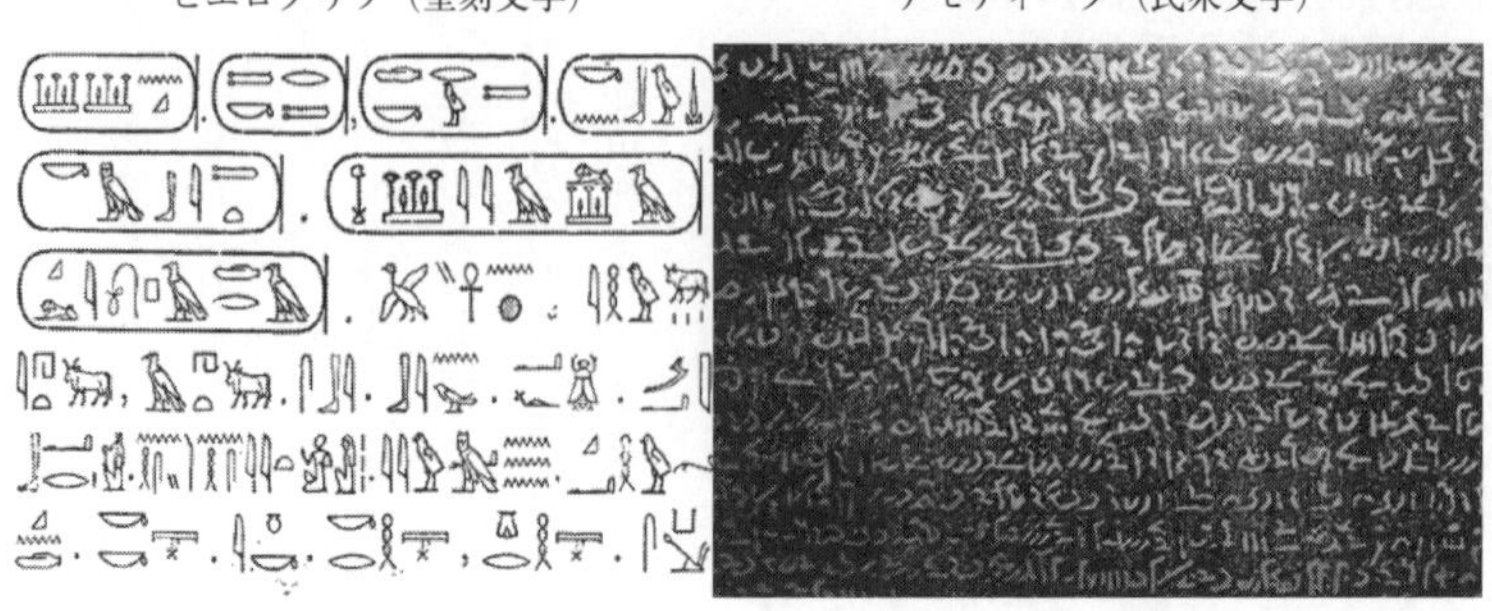

骨文字が利用されていたことが、出土した木簡からわかっている。

以上のように、定住農耕牧畜生活を始めた人類が最初は祭祀を中心に集住し、やがて、祭祀を専門とするものが神官となって権力を集中していき官僚組織を作り出し、都市（エジプトではノモス、中国では邑）を単位とする都市国家を生み出した。都市では、一定の都市計画の下で都市が整備されるようになり、神殿や宮殿とともに市場あるいは倉庫が整備された。先にメソポタミアにとって「都市と交易」は不可分の関係にあると述べた。では、この交易は誰が担ったのであろうか。このことについて、都市の誕生と商人の関係から考えよう。

以下、商人という専業者が誕生するまでのストーリーをホルスト・クレンゲル「古代オリエント商人の世界」[33]の文章から紹介しよう。

「こうして人類は、富すなわち食料の貯えを絶えず増加させていった。他方、農民や牧畜民として定住生活を送るようになると、人間はある一定地域の生態学的条件にさらに強く束縛されてくる。そこで、他の集団、他の集落との交換が次第に必要となり、経済を営むうえで交換はなくてはならない要素になった。生産物の収量が増し、同じものが継続して生産されるようになり、生産物をよりたくさん交換にまわす前提が作り出されると、その際ある特定の産物が貨幣代わりの性質をもつこともあった。（中略）こうして交換が増せば増すほど、その範囲が広がっていけばいくほど、主としてあるいは専らこの活動に専念する人も必要となってくる。そこで、品物の交換を業務とする専業の商人が現れ始めた。（中略）交換の過程は独立し、空間的に広がり、貨幣の代わりとして通用する商品がますます割り込んできた。すでに商業と呼んでよいものが成立したのである。人々は商人を自分達の食料生産の余剰物でもって養わなくてはならなかったし、その他、かれの手に渡ると商品の性格をもつものとなる交換作物を、かれに十分供給してやる必要もでてきた。」

さらにクレンゲルは、「歴史的にみれば、商人による交易は、長い時間のかかったプロセスだった」と指摘し、「都市化へのプロセスには交易が果たした役割が極めて重要であった」と述べている。しかし、これだけが都市化の条件ではない。交換生産物を増やすためには、すでに触れたように、多数の人間の労働力が必要である。それをまとめる役として祭祀を司る者が神官という専門職となり権力の集中と官僚を生み出し統治システムを作り出した。そして先に述べたエリドゥやウルクといった多くの都市国家が誕生していった。

メソポタミアの都市の形成過程では、指導者たる神官が、集住する農民の収穫する穀物を神殿に貢納させ、これを住民に再配分していた。いわば原始共産体制であった。この制度は神官と王が分離していった都市国家でも引き継がれていた。これをもってポランニーは国家管理交易（再配分経済）と呼んだ。また、シュメールの都市国家は早い時期から豊富な麦や亜麻や毛織物の余剰生産物を持っていたが、それ以外の資源は何もなかった。そうした事情から早くから遠隔地の鉱物（銅や錫、ラピスラズリなど）を入手する必要に迫られ、穀物や亜麻や毛織物の余剰貢納物と交換する交易が発達した。バビロニアではこのような遠隔地交易も王が任命する商人長（ワキル＝タムカーリー）に任されていた。商人長は必ずしも交易に出かける商人ではなく、宮廷に入る租税の一部を国家として購入すべき商品に割り当てる（予算配分）官僚であった（前出33：クレンゲル108頁）。このような経緯を見ると、遠隔地交易の需要者は当初は宮殿であり王宮であった。その発注を官僚が担っていたのである。

国家と商人と市場の関係は明石茂生[34]による研究がわかりやすい。明石は、その論文において、

「メソポタミアは対外交易を構造的に促す地理的環境にあり、交易の特化という誘因がメソポタミアに都市文明を興隆させたという考えがあり、この点から群生して出現していた都市または都市国家は交換の場を数多く形成させていたと考えることができる。実際、メソポタミア都市には市場の場所が不在なのではなく、郊外にある交易港・商館（カールム）だけでなく、城門や通り、倉庫付近においても売買がおこなわれていたと推測されている。」

と述べ、**図表37**を例示して、商人、政府、生産者の関係を、以下のように説明している。

図表37　ウル第三王朝の国家と商人の関係（紀元前21世紀頃）
（文献34による）

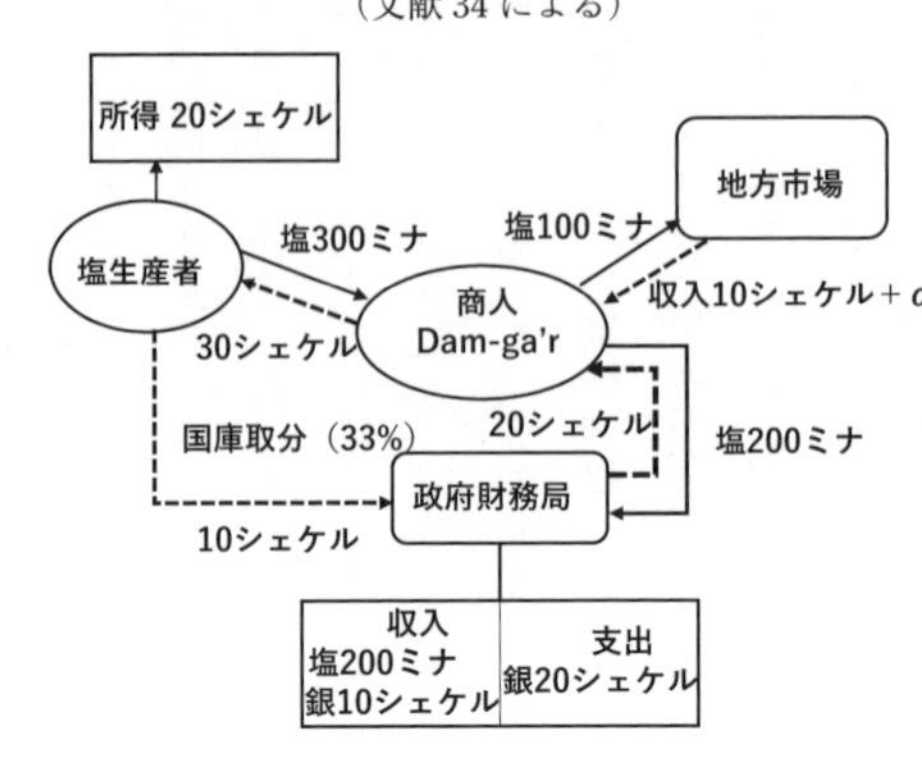

「塩生産者を例に挙げると、生産者は塩三〇〇ミナ（一五〇キログラム）を生産し、その三分の一を属州政府に割当として納入しなければならない。それを生産者は塩一〇ミナ＝銀一シェケル（「シケル」と訳される場合もある：八・三グラム）の公定価格で商人に三〇〇ミナ売却し、銀三〇シェケルを手に入れて、そのうち銀一〇シェケルを属州政府に割当分相当として納付する。残り二〇シェケルは生産者の所得となる。他方、商人は塩三〇〇ミナのうち二〇〇ミナを属州政府の使用分として納入する（実際は商人が在庫として保管し、政府の需要に応じ随時引き出される）。そのための資本は予め財務当局から銀二〇シェケルとして商人に振り込まれている。商人は残り塩一〇〇ミナを属州内市場に持ち込み市場価格で売却して銀一〇シェケル＋αを得る。商人の利益は公定価格と市場価格の差額分に対応して計上されることになる。このフロー図は商人が属州政府と取引をする公的部分と地方市場の取引に代表される私的部分を簡潔に描いているが、資金循環の点からは完結していないことに注意されたい。」

以上のように、メソポタミア商人は商人長の指示のもとで国家の財務を実際に（物品と銀で）実行すると同時に、私的利潤のための商取引行為を市場で行う二面性を持っていたことがわかる。商人の資本の一部は高利貸資本にも転換し、債務奴隷を生み出すもとにもなった。このような商人資本の存在は、少し後になるがバビロン第一王朝のハンムラビ法典（紀元前一八世紀）の規定を見れば明らかである。そこでは、

・第八八条　もし商人が大麦を貸したとき、一グルの大麦につき利子五分の一グルを受け取るべし。もし商人が銀を貸したとき、一シェケルにつき五分の一シェケルを利子として受け取るべし。

・第九四条　もし商人が大麦もしくは銀を貸し付け、貸すときに銀を小さな秤で、大麦を小さな桝で計りながら、銀を大きな秤にて、大麦を大きな桝にて受け取るときは、商人は貸し付けたものを失うべし。

など、商人の無法な高利貸し行為を禁止している。

このような文書に残っている商人は都市に在住する商人であるが、これら在市商人以外の「旅をする商人（クレンゲルの表現）」はどうなっていただろうか。われわれはここで、先述した家畜化の歴史との関係を思い起こす必要がある。運搬を担う最初の家畜はロバであった。ロバは紀元前四五〇〇年頃北アフリカと南西アジアで家畜化された。特に、イラン高原や肥沃な三日月地帯に囲まれた砂漠地帯では、当初定住して灌漑農耕牧畜生活を営んでいたものの、紀元前三〇〇〇年頃、灌漑の失敗や土壌の疲弊（塩害）により農耕をあきらめて遊牧生活に移っていった人たちが多くいた。時代が下がるとラクダを家畜化したベドウィンと呼ばれている人たちも現れた。彼らは定住農耕者と乳酪製品や羊毛を穀物と交換しつつ、遊牧生活の移動特性を生かした運送も担うようになった。やがて都市に在住する商人は、大規模な隊商を組織して旅行中の安全を図ると同時に一回の輸送による利益をできるだけ大きくしようとするようになった。遊牧民はこうして商人と同時に運送人の二役をこなしていた。やがて、幾度かの交易が繰り返されると、商人は印章を運送屋（隊商）に託し、自身は移動しなくなっていった。すなわち、商人と運送の分離である。特に遠隔地交易では旅行の途中で襲撃されるリスクを回避し、取引相手の信用を得るために王の印章や送り状の持参は大切であった。時代は少し下がるが南東トルコの都市カイセリ近くのキュルテペ遺跡から出土した粘土板（紀元前二〇〇〇年～紀元前一九〇〇年の中頃）には、

「アッシリアの商人たちは、ロバのキャラバン隊をしたてて、アッシュールから約一〇〇〇キロメートル離れたカニッシュまで錫や羊毛製品を輸送した。錫はイランから、羊毛製品はほとんどが南部バビロニアからアッシュールに運ばれてきたものである。」

という記述がなされている。また、旅をする商人は陸上だけではなかった。再びクレンゲルの文章を借りると、

「瀝青の用途は多方面にわたっていたけれども、ここではそのうちでもただひとつ、船の隙間を埋めて防水したり（瀝青を塗った船の模型がウルで発見されている）、建築で［石やレンガ］を接着する材料として使われていたことを指摘するにとどめよう。エリドゥの発掘の折に、外海を航海する能力のある船を粘土で象った模型船が発見されたが、これによって人々がすでにペルシャ湾を航行していたものと判断できる。」

とある。このペルシャ湾を航海していた人たちについて、後藤健[35]は以下のように説明している。

「メソポタミア文明の担い手たちは本質的に陸上の農耕文明に属しており、海上の交易文明に属する海洋民との棲み分けを続けている（中略）。アラビア（ペルシャ）湾のことをアラビア語ではアル＝ハリージュ、ペルシャ語ではハリージュと呼ぶ。ここに住む海洋民のことを、最近の研究者は［ハリージー］と呼ぶことがある。」

ところで、エジプト商人たちはどうであったろうか。

ナイル河谷ではすでに紀元前四〇〇〇年～紀元前三〇〇〇年頃には国家（先王朝）が形成されていたが、灌漑農業の豊かな安定した生産力を基礎としてその社会の発展は急速に進展していった。政治権力も社会の富も支配者（ファラオ）の手に集中した。しかし、このエジプトも原料らしい原料は全く産出しなかった。石は壮大な墓や神殿の建築材料として必要であって、それなら確かにナイル河谷の周辺で切り出すことができたが、しかし堅牢な材木や金属には恵まれていなかった。その上、支配階級がこの世で必要な、また、死者が死者の国へ旅する準備を整えるための威信財もそれなりに必要であった。そこで、どうしても輸入に頼らざるをえない必需品が増大した。それゆえにエジプトはすでに早くから隣接地方との関係を持ち始めていた。紀元前三〇〇〇年頃にレバノンの杉をメネス王が輸入した記録では、船によってビブロスから運ばせていたが、これらはファラオの命によって派遣された樵（きこり）たちの仕事で商人とは呼ばれていない。エジプトにメソポタミアやアナトリアと同じような商人が出現するのは紀元前一六〇〇年以降、対外膨張したときにメソポタミア国家と接するようになってからである。しかし、神官団が対外交易の利益を追求するために商業を掌握したので、私的商人による商業は発達しなかった。むしろエジプトは何度かの軍隊による大遠征を繰り返し、その際に、略奪ないしは交易を行っていた。海外輸入製品はもっぱら外国商人に頼っていた。

メソポタミアやエジプトに次ぐ第三の文明圏はインダス文明である。後述するように、紀元前三〇〇〇年頃にはメソポタミアとの交易があったことが、メソポタミアの文献から明らかにされているので、少なくとも商人や工人がいたことは間違いない。インダス文明は後に触れるように、メソポタミアでは「メルッハ」と呼ばれて高度な文明であったが、紀元前一八〇〇年頃、アーリア人によって滅ぼされたともいわれている。その後インドは先住のドラビダ族が次第に南方に追いやられ、アーリア人による支配が始まった。したがってインダス文明を興した人々の文字記録（インダス文字）が少ないために（未だ解読されていない）、都市の起源や商人の起源についてはよくわからない。しかし、紀元前七〇〇年頃にはガンジス川流域ですでに多くの都市と商人が誕生していた。山崎利男[36]によると、この頃には、都市には多くの商人や手工業者が居住するようになり、新興階級を構成するようになっていた。彼らはそれぞれシュレーニと呼ばれる自分たちの職業集団を作っていた。これはいわゆるギルドに相当する。商人の名称として注目されるのは「シュレーシュティン」と「サールタヴァーハ」である。前者は「すぐれた者」という意味で、商人の指導的な階層や金貸しを意味し、後者は「商品を運ぶ者」を指して、特に隊商を組織して遠距離の交易に従事する商人を意味している。このように、すでに紀元前八世紀には商人が誕生し、隊商を組む者も出現していた。

一方、遠く離れた黄河文明においては、邑という独自の血族・氏族を単位とする城壁を持った城が発生し、祭祀を中心に統治機構が形成され、さらに「亀甲獣骨文字」が現れるのは、紀元前一二〇〇年頃の殷王朝の頃である。この頃は、まだ商業は発達しておらず、遠方の軍事拠点むけの物資供給や物資流通拠点（湯沐の邑と称された）が置かれていた程度で商人の活躍は見られなかった。メソポタミアの都市国家やエジプトのノモスに相当するのが中国の邑（都市）の連合や序列を基にした邑制国家で、殷王朝であり、周王朝であった。殷を滅ぼした周も次第に地方の王侯が力を蓄えたことで衰退し、いわゆる春秋戦国時代に突入した。春秋時代（紀元前四五〇年頃）には鉄器の使用が普及しはじめ鉄製犂（すき）が華北一体に広がって犂耕や牛耕が盛んになり、これら鉄製の道具が手工業の発達を促し、製品を交換する場では、従来の身分制の枠を破って登場した商人層が活躍するようになった。松丸・永田著の「中国文明の成立」[37]では、周王朝後期（西周）時代の金文には、すでに商人が出現していたことを示す証拠として、商人同士の奴隷売買に関する裁判記録が残されていることから、奴隷以外の商品も扱っていたと推測される。

このように、中国での商人も邑制国家の出現と同時に誕生していたことがわかる。さらに商業が発達するにつれて、後の秦帝国の半両銭に代表される環銭をはじめとして、斉・燕ではナイフ形の刀銭、趙・魏ではショベルの形をとる布貨、楚では蟻鼻銭などの各種の銅銭がつくられて普及した。商工業の発展は都市の発展を促すことになり、「戦国七雄」の首都の中には市場（市肆）や工坊を設置する経済都市も現れた。その代表は斉の国都臨淄であり、人口約三〇万人であった。

以上のように、いずれの文明にも交易を担う専門職としての商人は都市の発生と同時に見られる。

それではそもそも「交易」はなぜ必要なのであろうか。先に触れたように、「交易」は人類が定住を選択したときからの宿命である。定住は移動を困難にするのに加えて定住地の身近には塩などの生命維持や生活の進化をめざすのに必要な資源がすべて存在していたとは限らないからだ。人類最古の黒曜石の交易も「資源」の偏在を克服しなければならなかった。より便利でより生産性の上がる「道具」を手に入れるためにはどうしても交易が必要になる。そして文明が進化するにしたがい、より高度な道具や奢侈品、それに自地域にない食糧に対する欲求を満たす必要に迫られた。それらを手に入れるためには交易は「欲求充足の手段」として自然発生的なのである。先にも触れたように、人類が文明を開化させた場所の立地優位は、定住に最低必要な自然の恵みが備わっていたからであるが、新しい道具や奢侈品の原材料は必ずしも定住地にすべて存在していたわけではない。したがって文明の高度化（欲望の深化）に伴い交易が必要となり、それを扱う専門職（商人）が必要になった。大抵の場合、それらを入手するためには遠方に出かけなければならない。そうすると、輸送手段が必要になり、最初は丸木船、そして定住化とともに発明された駄獣の家畜化とワゴン、そして、海上輸送手段の帆船、最後に鉄道・蒸気船・航空機など現在の動力輸送機関の発明に至った。最初の交易は国家（指定する商人）が一括して行った。それは生産物との引き換えに手に入れる物々交換が前提であり、ほとんどの歴史では、農産物、塩、鉄などの基本産物は国家の管理下にあったからである。商業が本格化し、近代工業製品が誕生して新しい輸送機器が発明されてもこの交易の本質は変わらない。しかし、製品が増え、交易範囲が広がるにしたがって、交易に介在する専門職は次第に増えていった。

フランスの経済学者であり優れた思想家でもあるジャック・アタリ(38)も指摘するように、商業あるいは交易は個人間であれ、国家間であれ「利己の追求」が本質にある。とはいえ、生産者の利己の追求は同時に「利他」的行為でもある。なぜならば、自分の生産物は可能な限りそれを需要する人々（消費者）の欲求を満たさない限り繰り返しこれを行うことはできなくなる（市場から退場せざるをえなくなる）からである。したがって利己の追求が利他の追求と重なる、という理屈になる。しかし、このような需要と供給が公正に市場で取引されるためには、法や権力といった監視の制度が必要になる。いつの時代にも「モラルハザード」が存在する。だからこそ、商業が始まって以来、権力が監視するか、同業組合（ギルド）が監視する仕組みができてきた。同業組合や国家がこの「利他の原則」を破るとき交易は存在しえなくなる。「交易の歴史的展開」については第V章で詳述するので、ここでは商人と都市、都市と市場についてのみ解説するにとどめる。

（3）都市と市場の誕生

カール・ポランニー（前出31）はメソポタミアの粘土板に遺された記録を基に、市場制度が発達する起源として、対外市場と地域市場（対内市場）の二つを挙げた。対外市場は貿易など共同体の外部からの財の獲得に関係し、地域市場は共同体での食料の分配に関係している。地域市場は、さらに二つの形態に分かれる。第一は物資を中央に集めて分配する形態で、灌漑型の国家に顕著に見られる。第二は地域の食料を販売する形態で、古代ギリシャの小農経済や叢林型経済に顕著に見られる。また、都市を単位として交易をする場合、多種多様な産物を交換する一定の場所の設定が必要であり、その管理体制も必要となってくる。すなわち、市場と市制、それを管理する市吏がなくてはならない。少なくとも古代の都市国家や領域国家では、都市計画の中に市場または国家管理倉庫が設計されていた。これについても、ホルスト・クレンゲル（前出33、115頁）は、バビロニアの都市遺跡を見る限り、考古学者が調べてみても市が立つような広場は確認できない、としつつも、市の可能性について以下のように述べている。

「しかし、そうだからといって、特定の大通りや都市の城門に市が立つこともなかったとはいえない。今日でもそうだが、大聖堂の周辺で小売商人たちが出店を広げては、とくに野菜、塩、魚、土器それに布などその土地でできる産物を売っていたと思われるし、範囲こそ限られていても輸入品が店に並ぶこともあったろう。たとえば金細工師の店が多数知られているが、そこでは今日の東洋のバザールの宝石商通りで見られる商いにも比べられるような取引が展開していたかもしれない。違いはただ、客はたいていの場合とまではいかなくてもしばしば、農産物で代金を支払っていたことだけだ。これに対し、遠隔地貿易の中心はいわゆるカールムつまり「波止場」「停泊地」にあった。これは河川や運河の傍らに、あるいは遠隔地貿易に使われる重要な街道に面していた。したがって、しばしば町の郊外の地区に設けられていたことになる。」

このような市の形態はアケメネス朝ペルシャ時代の城郭都市にも見られ、正門から反対側の城門に至る長い道路に沿って一五キロメートルにも及ぶ市（バザール）が開かれていたと文献に残っている。この後、このバザールの形態はフェニキアの植民商業都市にも受け継がれ、現在のイラン・イラク・トルコ・エジプト・チュニジア・モロッコなどイスラム諸国に行くと都市計画に組み込まれた大規模なバザールとして生き残っている。

後のギリシャやローマ、中国の漢代以降の時代にはさらに進んで市の場所（市のための広場）は都市機能の一環として計画的に建造されるようになってきた。特にギリシャのアテネでは、市場は重要な街区を占めるようになってきた。ギリシャではアゴラ（集会や市のための公共広場）周辺にStoaと呼ばれる列柱廊下があり、後に転じてストア（店）を意味するようになった（**図表38**）。また、アテネでは、輸出入品を扱う外国貿易は国家によって管理されており、外港の倉庫（エンポリューム）にて取引が行われ、そこでは関税がかけられた。このような広場はローマ時代にも引き継がれフォルム（Form）と呼ばれる広場で市が開かれた。

一方、先に触れたように、中国で商人としての身分が登場するのは周王朝後期からで、春秋戦国時代には「戦国七雄」の各首邑には市場（市津）や工坊があり賑わったと文献にある。少し時代が後になるが、漢代には、周辺の遊牧民族との交易も活発になり、後漢時代には商品経済の発展とともに、辺境との交易を緩和することにより、周辺民族や海外との交易は発展することになった。周辺民族の匈奴、鮮卑などの少数民族との交易では、「合市」「胡市」を通じて、あるいは西域各地との交易が活発化した。やがて、これらの交易ルートがシルクロードと呼ばれる元となるのである。また、東南部の会稽、交趾、西南部の永昌、益州はすでに対外交易の基地となっていた。

漢代の都市と市の関係について、明石茂生(39)による叙述がわかりやすいので引用する。

「帝国内に都会ならびに各郡県に市場が設置され、それらは三層ないし四層構造の市場圏を形成していた。国である長安都（京師、後漢代には洛陽）周辺には、全国の物産が集積し売買される京畿市場が形成され、それはまた関中地区の市場圏をも包含していた。京畿市場の下には区域ごと、交通の要所に中心となる都会があって、区域性の市場圏を形成していた。（中略）これら区域性市場の下に、各郡治、県治所在地内に設立された郡治県治市場がある。租税のみならず、地方の物産が集積・販売される官営の市場であった。市場には市令、長、丞などの市の上級官吏

図表38　紀元前5世紀頃のアテネ

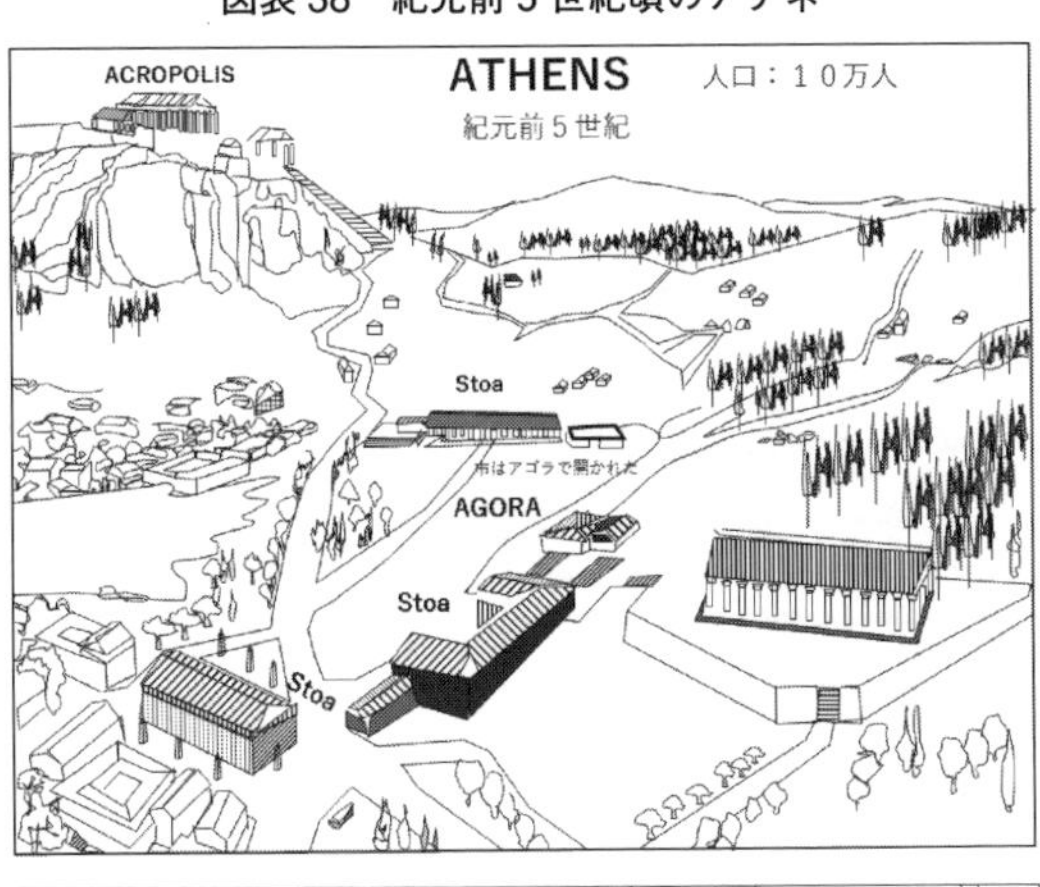

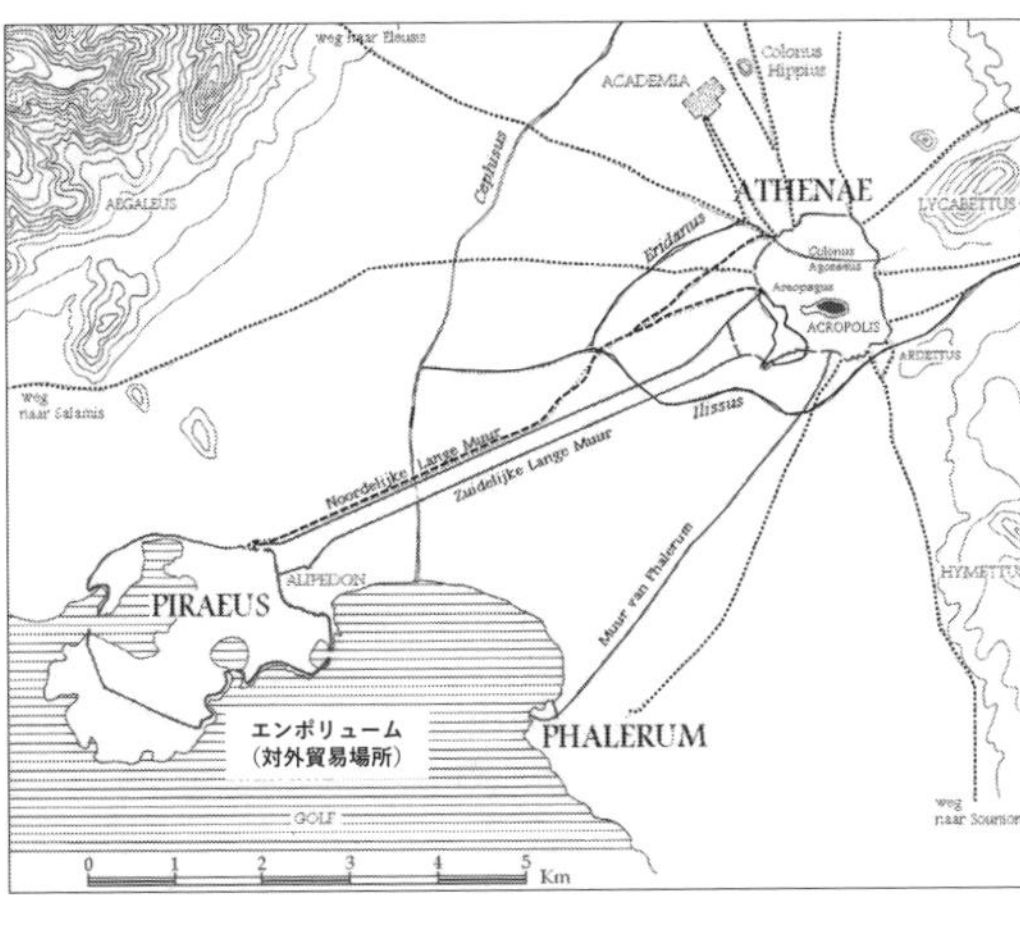

がおり、その下に市吏（市掾、市嗇夫）がいて、市場で売買される商品の品質、度量衡、市税、市場秩序の管理を行っていた。一級の郡・県（大県）には複数以上の市場が存在しており、（中略）さらにこれら都市内部の常設市だけでなく、都市の近郊にも「小市」、郷や里の農村部には「郷市」「里市」があり、農村と都市を中継するような形で農産物や商品が売買されていた。さらに農村部には会日を定めて開かれる定期市が交通の要所において立っていた。常設市は市吏の管理に置かれていたのであるが、郊外や農村部においても治安の関係から亭吏による監視の対象になっていたと考えられている。この他にも軍（中央・地方常備兵）が駐屯する基地には武官・兵卒を相手とする「軍市」が開かれていた。」

このような都市街区の市吏の規制は長安（**図表39**）[40]を模して建設された日本の平城京・平安京（**図表40**）[39]にも導入され、その一部は現在でも残っている。平城京・平安京には西市と東市が設置されたが、これは長安の計画をそのまま真似た設計であった。ちなみに後年、唐に留学した空海が滞在したのは西市の近くの西明寺である。

佐藤武俊[41]によると、唐代長安の主要な市は、東市と西市であった。前者は隋の大興城の都會市、後者は利人市を受け継いだものである。すでに触れたように、先秦時代

図表 39　漢～唐の長安（紀元前 202 年～紀元 907 年）[40]

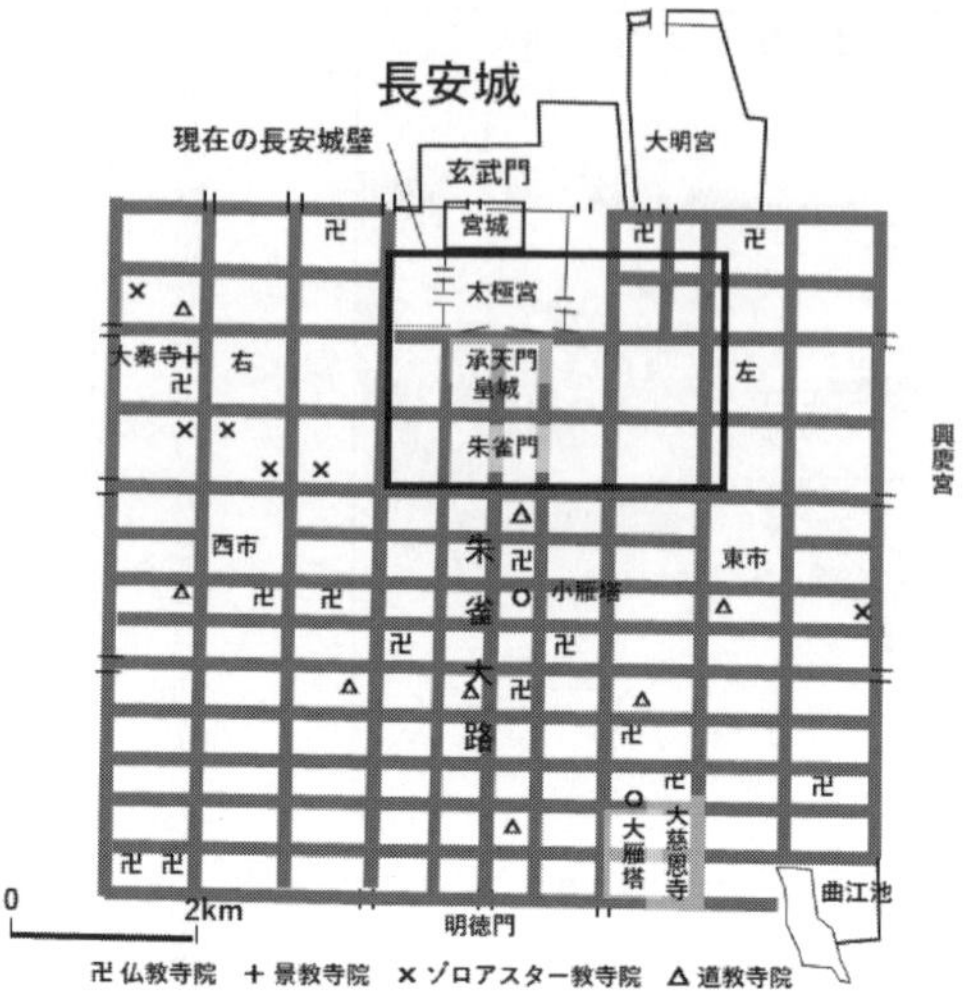

長安城
現在の長安城壁
玄武門
大明宮
宮城
太極宮
大秦寺
右
承天門
皇城
朱雀門
左
興慶宮
西市
東市
朱雀大路
小雁塔
大雁塔
大慈恩寺
曲江池
明徳門
0
2km
卍 仏教寺院　＋ 景教寺院　× ゾロアスター教寺院　△ 道教寺院

長安では東西 2 箇所に市が設けられ、西の利人市は民間の商人による市場として特に賑わった。長安はシルクロードの終着点で、西方からの品々と旅人が集まる国際都市だった。漢代までは「市制」によって都市内の商業は規制され、夜間営業は認められなかった。「行」は「同業人」の街区を意味していた。唐代以降、商業は自由化されたが商人はギルドをつくり、営業権を独占した。これ以降ギルドが「行」と言われるようになった。日本の「座」に相当する。

図表 40　平城京（紀元 710 年～紀元 793 年）（文献 39 を基に筆者作成）

秋篠寺
松林苑
市は「市司」及び「市人」(認可商人)によって管理
人口:10万人(AD710年)
西大寺
平城宮
朱雀門
法華寺
東大寺
興福寺
春日大社
元興寺
新薬師寺
薬師寺
大安寺
西市
東市
0
1km
羅城門

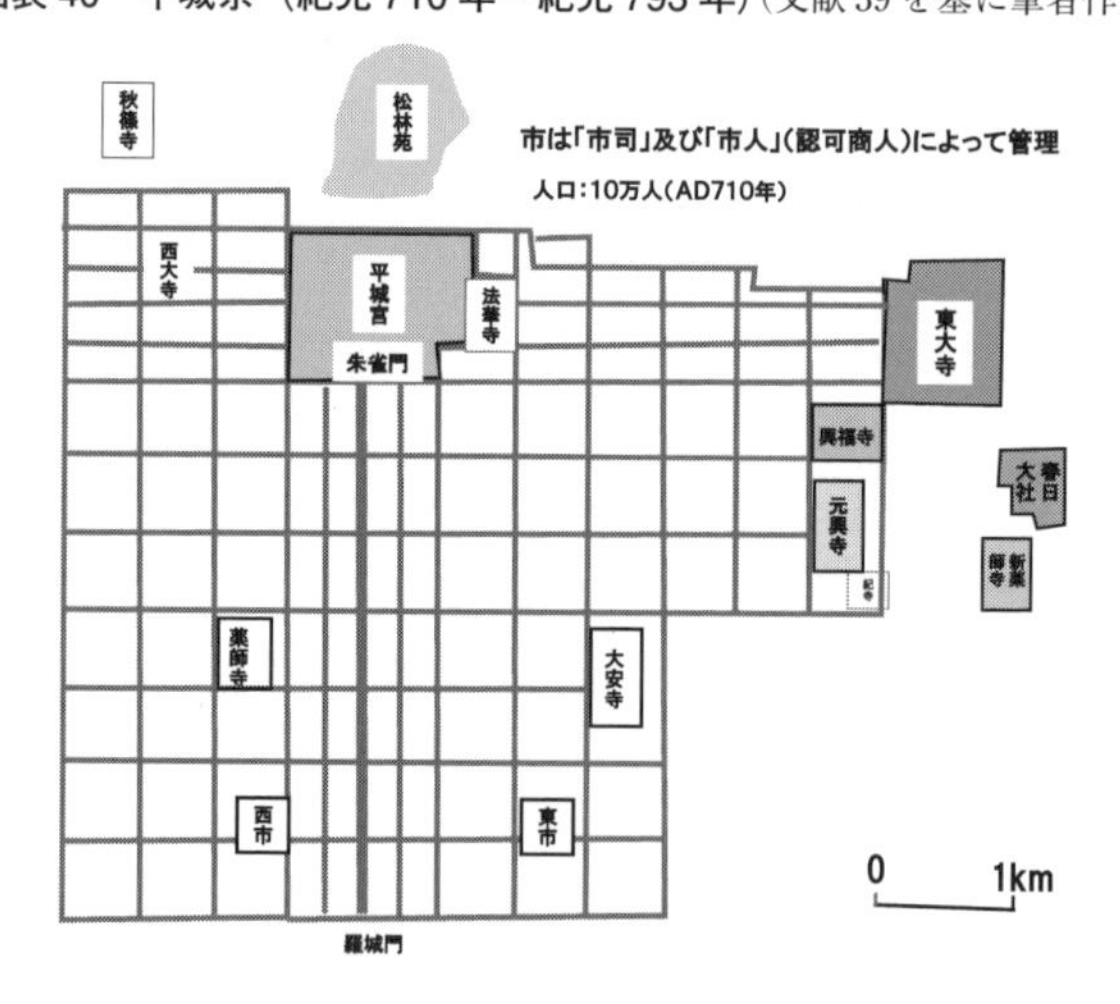

から唐代にかけて主要都市の商業は市と呼ばれる一定の場所で国家の管理の下に行われたが、唐代の中葉以後、この市制は次第に崩れ、宋代に入ると、都市の商業は必ずしも一定の場所に限定されなくなった。また都市の商人たちは「行」と呼ばれる相互扶助的な機能を有する団体、つまりギルドを結成するに至った。ここで、「行」は同業組合をあらわすが、都市の市では「行」は同業者が集まる「区画」を意味していたことに注意を要する。

以上のように、洋の東西を問わず都市または国家と市場交易は不可分の関係にあり、今日もそうだが、為政者が国家を運営するために市場はきわめて重要であることから、大なり小なりの規制や監視を行っている。

V

交易の歴史的変遷と文明

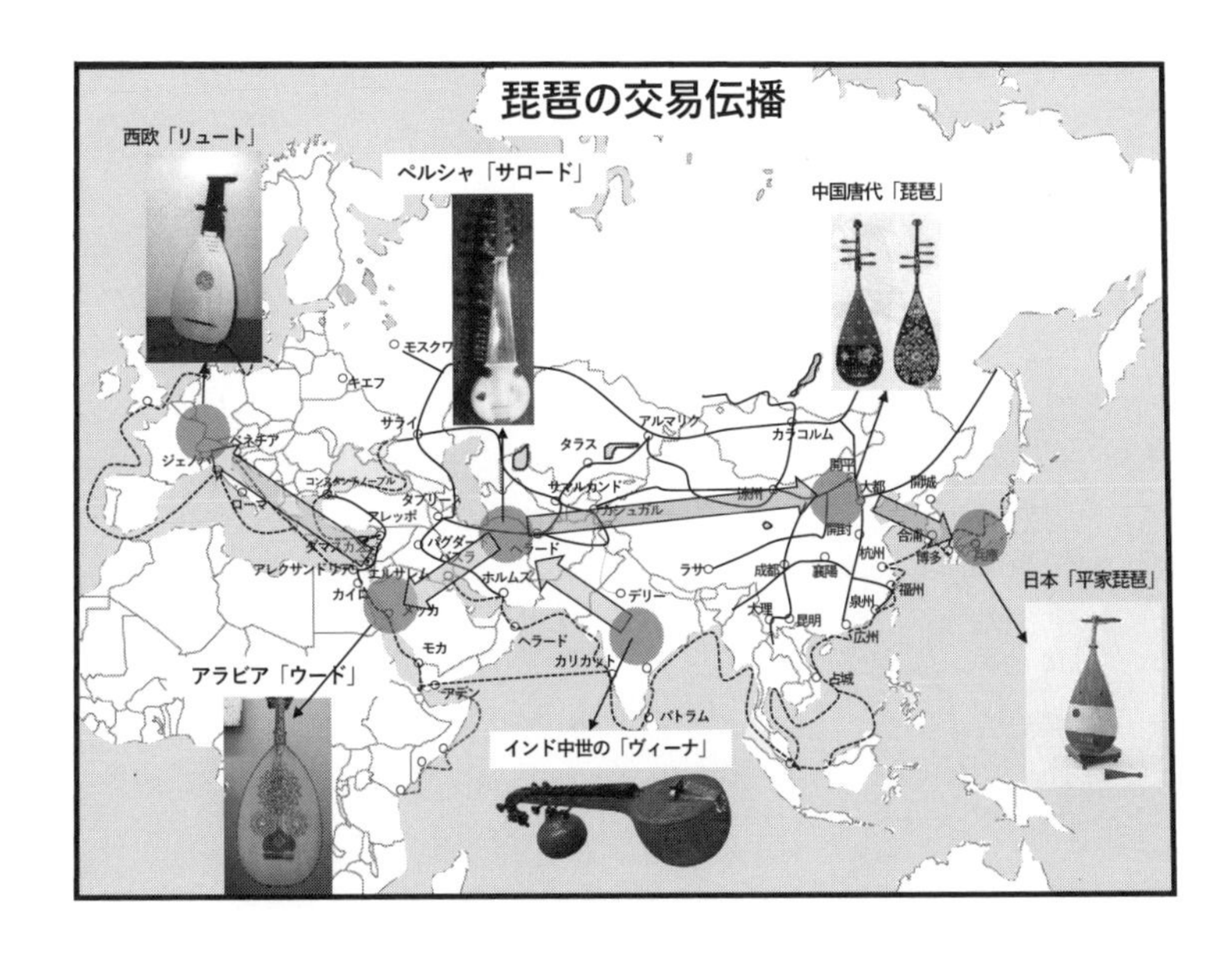

5・1　交易史の時代区分と視点

世界の交易物流の歴史を考える上で重要なことは、歴史をどのような視点で理解するか、である。われわれが教わった歴史区分にはいくつかの視点がある。最も普遍的であるのは地質年代である。これはすでに第Ⅱ章でも触れたが地球の地殻構成後に堆積した地質の層を年代基準としたもので、陸上で展開された人類史とは異なり地質学による歴史基準で普遍的である。問題は人類の歩んだ歴史をどのように捉えるかである。

第一の区分は考古学分野の区分で、デンマークの考古学者クリスチャン・ユルゲンセン・トムセンが一八三六年に著した「Legetraad til nordisk Oldkyndighed（北方古代文化入門）」[42]によって提唱した三時期法（三時代区分法）である。この区分法は彼の弟子であるJ．J．A．ヴォーソーの度重なる発掘によって実証された。この考えは、人類が使った道具の材質の発見、製作、利用という原理に立脚していた。

①石器時代、②青銅器時代、③鉄器時代

という区分である（後掲図表42）。この時代区分は後にイギリスの考古学者ジョン・ラボック（Sir John Lubbock 1834–1913）によって一八六五年に石器時代が二つに分割された。絶滅動物と打製石器を使っていた時代を旧石器時代（Palaeolithic Period）、現生動物の存在と磨製石器を使うようになった時代を新石器時代（Neolithic Period）と二つにする提案である。地質時代でいうと前者が更新世に属し、後者が完新世に属する。さらに、その後の調査・研究の進展により、旧石器時代を、その時期に活躍した人類の種（原人、旧人、新人）の区分により、現在では前期旧石器時代・中期旧石器時代・後期旧石器時代の三期に分けられている。

第二の歴史区分はわれわれがなじんできた西洋における時代区分で、

①古代、②中世、③近世、④近代

という区分である。この区分法の起源は、ルネッサンスの人文主義者たちが、古代ギリシャ〜ローマ時代を理想とし、ルネッサンスはその古代文明の再生であり、その間の中世を古代の文明が中断された暗黒時代と捉えたのがそもそもの始まりであった。今日では、中世を「暗黒時代」と捉える歴史学者は皆無であるが、当時においては、このようにして栄光のギリシャ～ローマの時代を「古代」、暗黒時代の「中世」、そしてルネッサンスの時代を「近代」とする三区分法が用いられるようになった。ルネッサンス以降もこの三区分法は用いられ続け、つい最近までヨーロッパの時代区分はこの三区分が一般的であった。しかし、歴史学の研究が進展する中で、中世と近代の間に「近世」を挟む提案がなされた。これは広く歴史学者に受け入れられ、先に述べた四時代区分が一般的に用いられるようになっている。

しかし、序文でも述べたように、このような時代区分は西洋中心史観、キリスト教中心史観に偏っており、決して「世界史の時代区分」ではないとの批判が起こっており、再考の機運が高まっている。これらの時代区分が西洋を中心として首肯されてきた背景には、マルクスが提唱した生産体制の変遷に着目したマルクス史観がある。周知のように、マルクスの時代は西欧で産業革命が進行し、資本家が労働者（プロレタリアート）を搾取していた時代であり、マルクスが理想とした社会主義に至る過程を「生産過程」の変化として捉えた唯物史観がもてはやされた。マルクスは、社会の変化は生産過程の変化に対応するとして、

1. 生産力の発展段階に対応する生産関係の総体が社会の土台である。
2. この土台の上に法律的・政治的上部構造が立つ。土台が上部構造を制約する。
3. 生産力が発展すると、ある段階で古い生産関係は発展の桎梏（しっこく）に変わる。そのとき社会革命の時期が始まり、上部構造が変革される。
4. 生産関係の歴史的段階にはアジア的、古代的、封建的、近代ブルジョア的生産関係がある。
5. 近代ブルジョア的生産関係は最後の敵対的生産関係である。発展する生産力は敵対を解決する諸条件を作り出す。それゆえ、資本主義社会をもって人間社会の前史は終わる。

と考えた。このようなマルクス史観の影響も受けて、日本の内藤湖南を始祖とした京都学派の宮崎市定(43)は西欧と中国、日本を並列して**図表41**のような区分を提案した。図には筆者が、唯物論に基づくマルクス史観も合わせ挿入している。宮崎の（そして現在も）一般に使われる歴史時代区分は社会の統治体制に視点を置いた区分で、マルクスの史観は生産経済体制に視点を置いた時代区分といえる。図から理解されるように、西欧・日本・中国の三者の歴史展

図表41　歴史の時代区分

（宮崎市定による時代区分を参考に筆者作成）

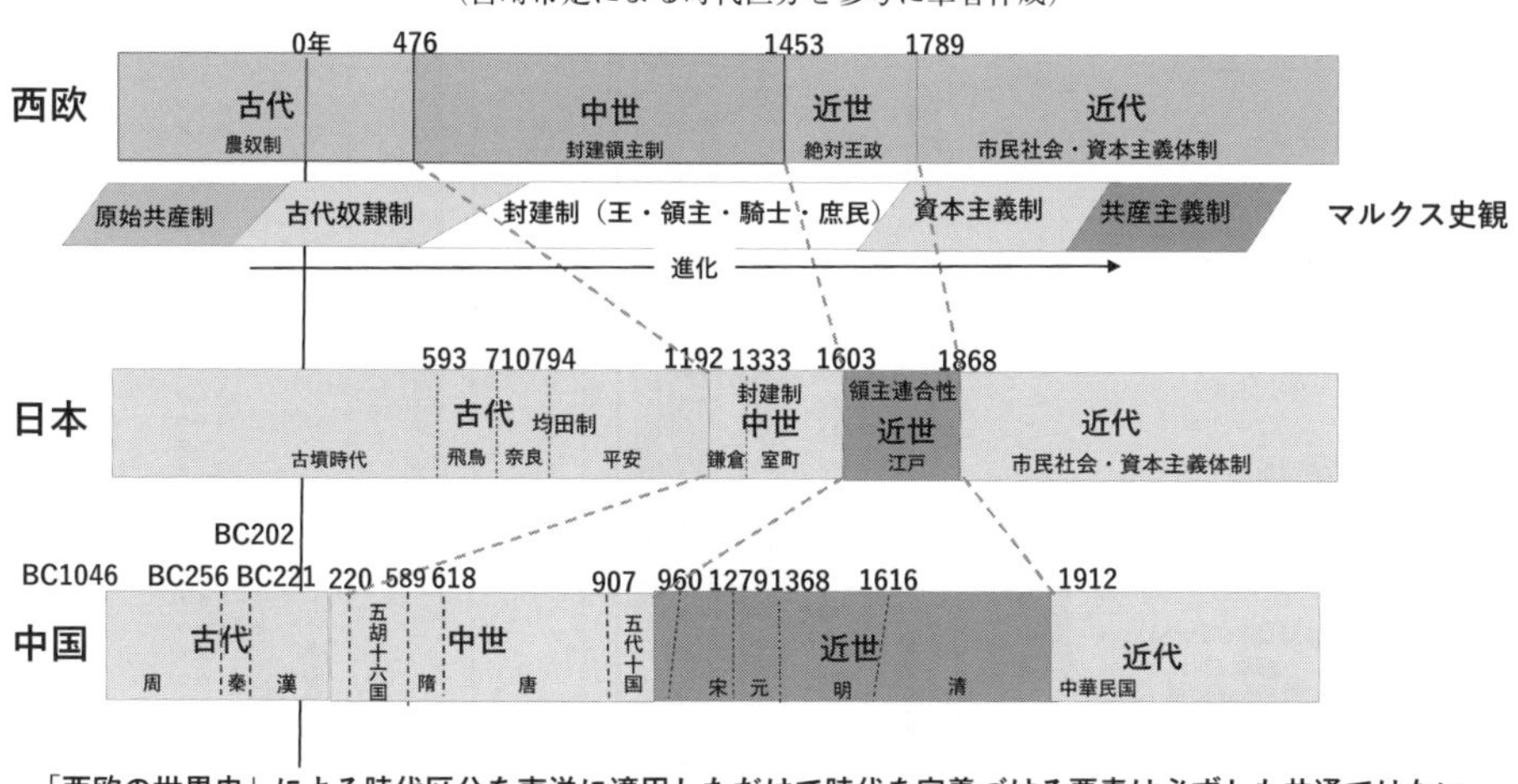

「西欧の世界史」による時代区分を東洋に適用しただけで時代を定義づける要素は必ずしも共通ではない。

開だけ見ても四時代区分には無理がある。例えば、同じ古代でも、ギリシャ・ローマで見られた農奴制は中国・日本はもとよりアジアでは見られなかった。

一方、森安（前出10）は世界史の時代区分として以下のように提案している。

① 農業革命（第一次農業革命、遅れて家畜革命）
　約一万一〇〇〇年前より
② 四大文明の登場（第二次農業革命、車輪革命）
　約五五〇〇年前（紀元前三五〇〇年頃）より
③ 鉄器革命（遅れて第三次農業革命、馬車戦車の登場）
　約四〇〇〇年前（紀元前二〇〇〇年頃）より
④ 遊牧騎馬民族の登場
　約三〇〇〇年前（紀元前一〇〇〇年頃）より
⑤ 中央ユーラシア型国家優勢時代
　約一〇〇〇年前（紀元一〇〇〇年頃）より
⑥ 火薬革命と海路によるグローバル化
　約五〇〇年前（紀元一五〇〇年頃）より
⑦ 産業革命と鉄道・蒸気船（外燃機関の登場）
　約二〇〇年前（紀元一八〇〇年頃）より
⑧ 自動車と航空機（内燃機関の登場）
　約一〇〇年前（紀元一九〇〇年頃）より

この森安の時代区分の特徴は④と⑤にあり、特に、中央ユーラ

図表 42　人類の歴史と輸送革命の時代区分（文献 83 を基に筆者作成）

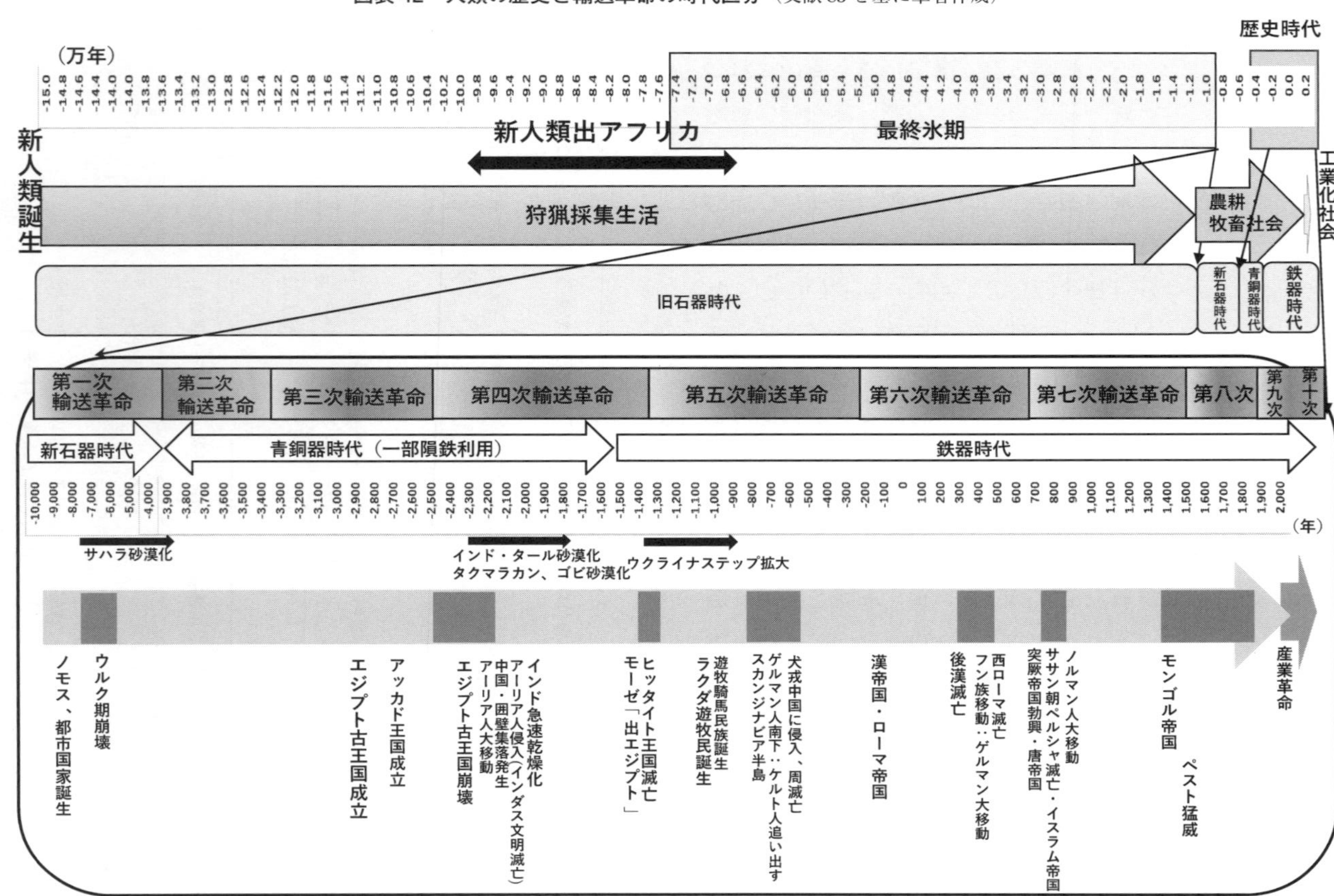

シアの遊牧騎馬民族の歴史上の存在を強調するためにこの時期を創設した。あとの時代区分は定住農耕牧畜時代に入った以降の生産・運輸交通技術の革新を時代転換の基準に置いており、④、⑤が政治的基準であるのに対し、一貫した区分として理解し難いが、社会・経済が大きく転換した歴史区分としては首肯できる。

一方、中川徹[44]は、自然観や思考法だけでなく、人間の生活様式や生産方法のような人間の生き様に直接関わることまで含めて「相（phase）」という概念で捉え、歴史的変転は「革命（revolution）」による相の転換によるという歴史観を次のように提案している。

①　人類革命（Anthropological Revolution）　紀元前二〇〇万年頃
②　農業革命（Agricultural Revolution）　紀元前一万年頃
③　都市革命（Urban Revolution）　紀元前三五〇〇年頃
④　精神革命（Spiritual Revolution）　紀元前五〇〇年～紀元前三〇〇年頃
⑤　科学革命（Scientific Revolution）　紀元一五〇〇年～紀元一六〇〇年頃
⑥　産業革命（Industrial Revolution）　紀元一七五〇年頃
⑦　技術革命（Technological Revolution）　紀元一八五〇年～一九〇〇年頃

しかし、このような中川の時代区分は、あまりにも進化論の影響を受けすぎており、実際の歴史は「相の転換」といった側面のみ強調すると、前後の時空間的な連続性が歴史として見えなくなってしまう。いずれにしてもこれらは、（1）定住する人間を中心にして、（2）マルクスをはじめとする西洋文明を指標として考える発展史観、の影響から脱して歴史を世界規模で考える視点から描こうとすることが検討されてはいるが、西洋中心主義から逃れて一貫した基準を設置することにはあまり成功していない。

しからば、このようなさまざまな時代区分は、歴史的視座を「交易（モノとヒトの移動）」に移してみるとどう変わるのであろうか。内容は後に詳述するが、結論から言えば、筆者は「交易」視点から以下のような歴史時代区分を提案した。

①　第一次輸送革命（丸木船の発明）　紀元前九〇〇〇年頃～紀元前四〇〇〇年頃

図表 43　時代区分別主要事項と歴史年代（筆者作成）

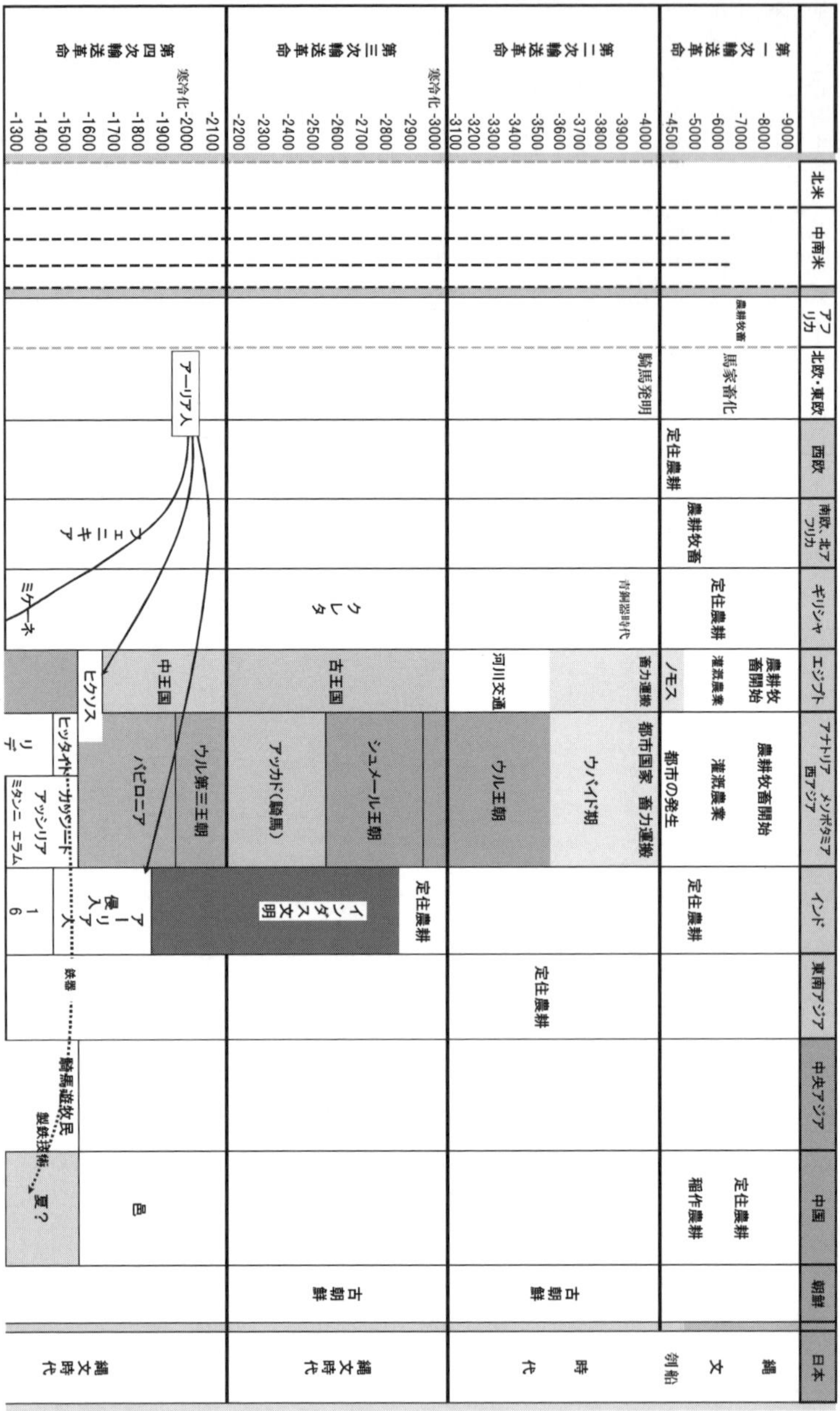

	北米	中南米	アフリカ	北欧・東欧	西欧	南欧、北アフリカ	ギリシャ	エジプト	アナトリア　メソポタミア 西アジア	インド	東南アジア	中央アジア	中国	朝鮮	日本
第一次輸送革命 -9000 -8000 -7000 -6000 -5000 -4500			農耕牧畜	馬家畜化	定住農耕	農耕牧畜	定住農耕	農耕牧畜開始 灌漑農業 ノモス	農耕牧畜開始 灌漑農業 都市の発生	定住農耕			定住農耕 稲作農耕		縄文 刳船
第二次輸送革命 -4000 -3900 -3800 -3700 -3600 -3500 -3400 -3300 -3200 -3100				騎馬発明			青銅器時代	畜力運搬 河川交通	都市国家　畜力運搬 ウバイド期 ウル王朝		定住農耕			古朝鮮	時代
第三次輸送革命 寒冷化 -3000 -2900 -2800 -2700 -2600 -2500 -2400 -2300 -2200							クレタ	古王国	シュメール王朝 アッカド（騎馬）	定住農耕 インダス文明				古朝鮮	縄文時代
第四次輸送革命 -2100 寒冷化 -2000 -1900 -1800 -1700 -1600 -1500 -1400 -1300				アーリア人		フェニキア	ミケーネ	中王国 ヒクソス	ウル第三王朝 バビロニア ヒッタイト カッシード アッシリア リデ ミタンニ エラム	アーリア人侵入 16	鉄器	騎馬遊牧民 製鉄技術	邑 夏？		縄文時代

第五次輸送革命
寒冷化
-1200 -1100 -1000 -900 -800 -700 -600 -500 -400 -300 -330 -200

第六次輸送革命
寒冷化
-100 0 100 200 300 400 500 600

第七次輸送革命
寒冷化
温暖化
663 700 800 900 1000 1100 1200 1300

小氷期
第八次輸送革命
1400 1500 1600 1700

第九次輸送革命
1800 1900

第十次輸送革命
2000

アメリカ
英仏

中南米
テオティワカン都市、マヤ文明
アステカ
インカ
スペイン

アフリカ
仏領・英領

ロシア
スキタイ
ノルマンヴァイキング
ハンザ同盟
モスクワ大公国
ロシア帝国

西ローマ帝国
西ゴート
東ゴート
後ウマイア朝
イスラム帝国
フランク王国
ポルトガル
スペイン
神聖ローマ帝国
独・仏

カルタゴ（BC814建設）
カルタゴ
ローマ帝国（大秦国）
ゲルマン移動
東ローマ帝国
イスラームアラビア科学の発展
イタリア港市
モンゴル帝国
伊ルネサンス
伊・仏領モロッコ

ドーリア人
ギリシャ・ポリス連立
ギリシャ植民活動開始
ペルシャ戦争
アレクサンドロス
ビザンチン帝国
によるユーラシアのグローバル化成立
オスマン帝国
ギリシャ

新王国
ゾロアスター教
アケメネス朝ペルシャ（駅伝制）
プトレマイオス
キリスト教
エジプト

イア
ダビデ王
ソロモン王
アッシリア
メディア・リデイア
新バビロニア
セレウコス朝シリア
パルチア（安息国）
安敦AD166
ササン朝ペルシャ
製紙法
火薬・羅針盤・印刷術
石炭・コークス
セルジュックトルコ
ティムール帝国
サファビー朝
トルコ
イラク
イラン

都市国家
仏教
マガダ王国
BC317マウリヤ朝
アショカ王
BC268～
大夏・大月氏・バクトリア
クシャーナ朝
アーンドラ朝
グプタ朝
バルナダ朝
分裂時代
ガズニ朝
デリー朝
ムガール帝国
英領インド
インド

港市
林邑
扶南
シュリーヴィジャヤ王国
真臘
大理
マジャパヒト
アユタヤ
仏領
安南
ASEAN諸国

スキタイ
鮮卑
月氏
烏孫
匈奴
柔然
突厥
東突厥
西突厥
西夏
西遼
スタン国
スタン諸国

狄
犬戎
匈奴
衛青
霍去病
三国時代
火薬発明
五胡十六国
北魏
吐蕃
金

殷王朝
磁石発明
周王朝
春秋時代
戦国時代
秦（馳道整備）
BC206～
張騫BC113
漢帝国
製紙法（蔡倫）
印刷技術発明
晋
隋
唐帝国
五代十国
宋
南宋
元
明
清
中国

（衛氏朝鮮）
楽浪郡
高句麗
高・百・伽・新
百済・伽耶
新羅
渤海
高麗
李氏朝鮮
日本帝国
南北朝鮮

水稲
海上交流
弥生時代
青銅器
鉄器
文字（？）
奴国
馬
古墳時代
飛鳥時代
仏教
製紙法
印刷術
奈良時代
密教
平安時代
禅宗
鎌倉
室町
戦国
江戸
明治・大正
昭和～令和

②　第二次輸送革命（車輪の発明とロバの家畜化）　紀元前四〇〇〇年頃～紀元前三〇〇〇年頃
③　第三次輸送革命（木造帆船と騎馬の発明）　紀元前三〇〇〇年頃～紀元前二一〇〇年頃
④　第四次輸送革命（チャリオットの発明とロバの隊商）　紀元前二一〇〇年頃～紀元前一二〇〇年頃
⑤　第五次輸送革命（遊牧騎馬民族とラクダの隊商の発生）　紀元前一二〇〇年頃～紀元前一〇〇年頃
⑥　第六次輸送革命（シルクロードの夜明けとインド洋航路の発見）　紀元前一〇〇年頃～紀元六〇〇年頃
⑦　第七次輸送革命（ジャンク船の登場と海陸シルクロードの完成）　紀元六〇〇年頃～紀元一四〇〇年頃
⑧　第八次輸送革命（キャラベル船の開発と大航海時代）　紀元一四〇〇年頃～紀元一八〇〇年頃
⑨　第九次輸送革命（動力輸送機関の登場と産業革命）　紀元一八〇〇年頃～紀元一九六〇年頃
⑩　第十次輸送革命（コンテナの発明）　紀元一九六〇年頃～現在

右記の歴史時代区分は主として輸送手段の技術革命や交通インフラの整備の有無を中心に区分されている。これらの運輸交通の革新によって物流や人流、ひいては文明そのものが大きな影響を受けている。ある場所からある場所へ移動する手段に技術革新が起こると､交易が可能な範囲と運搬可能な物品が変化する。この交易の変化によって、定住者にもたらされる富も変化し、その富が時には権力の安定化の一助にもつながっていく。逆に時には広汎な移動が可能になったことによって敵からの侵略を受け既存の政治体制が滅びることもある。交易はこのように、移動するだけでなく、定住する者にも大きな影響を与えながら発展してきた。交易手段が発展し、新たな交易範囲を獲得し富を得ることを通じて歴史が作られていった。文明の発展にとって、輸送手段の技術的な発展が不可避に重要になることが本書を読み進めれば理解されるであろう。

読者の理解を助けるために、**図表42**は現生人類の出アフリカから現在に至るまでの輸送革命を時系列で示した。**図表43**は輸送革命の時代区分ごとの主要な地域帝国と歴史上の出来事を合わせて整理したものである。

以下、それぞれの時代区分ごとに交易の変遷をたどりながら可能な限り文明との関係を記述する。

5・2　第一次輸送革命：丸木船の発明
（紀元前9000年頃～紀元前4000年頃）

先に図表18で示したように、現生人類は最終氷期が始まる頃に前後して出アフリカを果たした後、世界に拡散した。彼らがベーリング陸橋を渡り南米の最南端に到着した紀元前一万一〇〇〇年頃にはすでに氷期が終わろうとしていた。それより遥か前に、彼らの一部はインドネシアに到達し、紀元前四万五〇〇〇年頃、スンダランドとサフルランドの間の海峡を渡海してオーストラリア大陸に渡り、狩猟採集生活を行っていた。この渡海した民族はオーストラリア大陸に足を踏み入れた最初の人類であった。ユヴァル・ノア・ハラリはその著（前出27）において、彼らについて、次のように述べている。

「人類によるオーストラリア大陸への初の旅は、歴史上屈指の重要な出来事で、少なくともコロンブスによるアメリカへの航海や、アポロ一一号による月面着陸に匹敵する。それどころか、大型の陸上哺乳動物がアフロ・ユーラシア大陸からオーストラリア大陸へ渡るのに成功したのは、このときが初めてだ。」

残念ながら遺跡からは丸木船や筏などの遺物は何も発

先史時代に丸木船（刳船）での交流があった地域

見されていないが、海峡を行き来していたらしいことは確実視されている。彼らの一部はその後も海を渡り、周辺の島々に移住していることも遺跡から知られているし、台湾・南西諸島を経て日本列島にまで移住してきたことも知られている。先に触れた神津島の黒曜石を関東地方にもたらしたのは、日本列島に移住してきた彼らの一部かもしれない。後年、独自のアウトリガー付きの丸木船を作り出して広く海上交易を行っていたことから見て、農耕民としてよりはむしろ漁労に長けた海洋民として、彼ら独自の文化を花咲かせた。文字が発明されなかったのと、後の海面上昇で当時の陸域が水没してしまった所為で、船の遺構も残されていないが、人類の歴史から見て、河川や海洋を往来して交易を行うために丸木船と櫂を発明したのは彼らが最初で、第一次輸送革命ともいえる。これらの丸木船による輸送革命はユーラシア大陸の東側が先行した。

日本列島には約四万年〜三万五〇〇〇年前頃に、当時陸続きであったユーラシア大陸から朝鮮半島を経てナウマンゾウやオオツノシカを追ってきた新人の集団や、樺太方面からマンモスやヘラジカを追ってきた新人の一部が住み着き移動しながら狩猟採取生活を送っていた。この時代は日本の歴史区分では旧石器時代と呼ばれているが、やがて縄文時代（紀元前一万六〇〇〇年〜紀元前四〇〇〇年頃）に入り土器の製造が始まった。この頃に日本海を渡り大陸と交易していた証拠として、島根大学構内遺跡から紀元前五〇〇〇年頃の刳船（くりぶね）が出土している。さらに千葉県市川市雷下遺跡からは紀元前五五〇〇年頃と推定される刳船が出土しており、西川吉光「海民の日本史Ⅰ」(45)によれば、太平洋沿岸域での海上交易や陸との河川を利用した交易があったことが判明している。さらに彼は、遥かフィリピンあたりから丸木船で渡海してきた集団もある、という可能性を指摘している。このことは、先に触れた小田静夫(29)の見解と同じである。この南方からの渡海説は、当時はまだ船を作る技術がない、と反論されたが、この点について、西川は考古学の発見により、外海洋の丸木船を製作する技術はすでに持っていた、と以下のように反論している。

「一九九二年〜一九九三年に行われた鹿児島県南さつま市栫ノ原（かこいのはら）遺跡の発掘調査では、縄文時代草創期（約一万二〇〇〇年前）の遺構、遺物が多数発見された。その中に、断面が円筒形で全面が磨製され、刃部が丸ノミ状に窪んだ磨製石斧が確認された。この栫ノ原型丸ノミ形石斧は、沖縄、奄美、九州と分布地域が限定されており、沖縄本島から奄美諸島を経て南九州、さらに九州西岸部へと、黒潮の流れる方向に沿ってこの丸木舟製造工具が伝播したことが推測できる。栫ノ原型丸ノミ形石斧は、後の時代のものではあるが、フィリピンやグアムなど東南アジアから太平洋の島々に分布する円筒石斧と呼ばれる丸木舟製作の石製工具にも酷似している。最近の研究では、黒潮の出発点であるフィリピン諸島から台湾、琉球列島、九州、四国、本州中央部、そして、南に向かって伊豆諸島から小笠原諸島、マリアナ諸島、さらにヤップ、パラオ諸島へと北西太平洋を囲む黒潮圏とも呼べる環状の島嶼地域に、円筒片刃石斧が広く分布していることが明らかになりつつある。（中略）一万二〇〇〇年前頃、長江流域から東シナ海を横断し、あるいは南西諸島を経由して、さらには南太平洋から黒潮を伝って筏や丸木舟で南九州に辿り着いた海洋民がその主人公であった。彼等は、後の隼人の祖先にあたる人々であろう。隼人盾の文様とボルネオの伝統的な渦巻き紋の類似も、南九州縄文文化と南方との繋がりを推察させる。フィリピン・ルソン島沖から始まる世界最強の黒潮（日本海流）は、海のベルトコンベアーの役割を果たした。海産植物や陸上生物の拡散分布に役立っただけでなく、「海上の道」となって先史時代以来多くの南方的要素を日本にもたらしてきた。類似した石斧や土器等の存在は、黒潮海域を舞台とした海民集団の往来移動の軌跡を示すものといえる。」

現時点では、遺物としての丸木船はオランダや中国浙江省の遺跡から出土した紀元前八〇〇〇年頃と推定されているものが最古のようであるが、丸木船を利用した交易はユーラシア大陸の西側でも進展していた。すでに第Ⅲ章（4）で述べたように、ユーラシア大陸やオーストラリア大陸そして南北アメリカに拡散した人類は、定住農耕牧畜生活に入る以前は狩猟・採集を中心に移動を繰り返す生活を送っていた。そのような狩猟・採集生活の中でも豊富な食料があるときは家族や氏族単位で小規模な集落を構成する場合もあった。そのような生活の中では偶然に出会った集団同士の間で物々交換があった。

彼らの生活を大きく転換させるきっかけは地球の温暖化であった。約一万二〇〇〇年前頃から最終氷期が終わり、わずか一〇〇〇年の間に地球の平均気温が五℃ほど上昇し、海水準は一二〇メートルも上昇した。この温暖化に伴いユーラシア大陸では北部の氷床が融け出し、大量の水がカスピ海に流れ込んだ。さらに、カスピ海を溢れ出した海水は、カスピ海の海面より低かった黒海に流入し、カスピ海と黒海は一つの海となった。やがて、黒海の海水は、現在のボスポラス海峡からアドリア海に流れ出し、地中海とつながった。こうして黒海と地中海が同じ水準面となるとカスピ海が残され現在のような地形になった。このような温暖化による環境の激変は地上の植生を変え、生態系も大きく変化させた。森林の北上とともに人類が獲物にしていた動物は少なくなっていったが、穀類などの植物性食糧が繁茂するようになり、人々は定住してこれらの穀類を採集して生活するようになった。やがて、森林跡の草原には狩猟の対象であった牛、イノシシ、ヤギ、羊などの草食動物が繁殖するようになり、これらを家畜化することに成功して定住農耕牧畜生活を営むようになった。この頃、人類は石器の改良を進化させ新石器時代と呼ばれる時代に入っていた。このことから、定住農耕牧畜生活の開始が「新石器革命」と呼ばれていることはすでに述べた。

定住生活は同時にその場所にしばられることになり、定住地から遠く離れて産する黒曜石や、やや遅れて青銅器時代に入ると材料の銅や錫などを得るため、その産地に出向いて交易する必要に迫られた。この時代に黒海周辺や地中海周辺に集住する集団が丸木船を作り出した。地中海周辺の旧石器時代末（紀元前八〇〇〇年頃）のあちこちの遺跡から、サルディニア島やリバリ島産出の黒曜石が発見されており（**図表44**）、丸木船を利用した交易があったと推察されている。山田昌功「地中海地域の黒曜石研究概要」[46]によると、新石器時代中期（紀元前四〇〇〇年頃）になると地中海周辺の遺跡から出土する黒曜石の量が最も多くなりやがて紀元前三〇〇〇年紀になると消滅していったとしている。また、輸送手段について、

「ひとつは、紀元前六〇〇〇年紀の南メソポタミアとアラビア海の交易に活躍した、葦を束ね、浸水を防ぐために瀝青を塗ったボートであり、もうひとつは、ローマから北へ四〇キロほどのところにあるブラッチャーノ湖（Braciano）で発見された、新石器時代前期の刳り貫きボート（全長一一メートルほど）である。」

と述べている。このような集落間で交易をしつつ集落は発展し都市となり統治組織と分業を生み都市国家が誕生し、商人が誕生した。小アジアの東部、特にアルメニア高地からはタウルス山地を越えてメソポタミアの平野部へは黒曜石が運ばれていた。アナトリアでは紀元前六〇〇〇年〜紀元前五〇〇〇年頃には銅器や青銅器の冶金術が著しく発達していたし、バルカン地方とも交易があった。また、D. W. アンソニー[前出25]によると、ポントス・カスピ海ステップの牧畜民は紀元前四二〇〇年頃に馬を家畜化し騎乗する方法を開発していた。後に登場するオアシス路の交流圏は、すでに、新石器時代から広がっていた。彩色文様を持つ彩文土器が紀元前三五〇〇年より以前の西アジアの多くの遺

跡から発見されており、定住農耕生活の文化の高度化がわかる。これと同様の彩文土器は、中国華北地方にも出土している。紀元前二五〇〇年頃の仰韶（ぎょうしょう）文化がそれである。さらに、この彩文土器は中央アジアでも出土しており西アジアの農耕文化の中央アジアへの波及とともに東に伝播した。このことは、新石器時代に、あるいはもっとさかのぼって、原人や新人がこのルートを東進しつつ、オアシスに住み着いて農耕牧畜を始めて定住していった結果として、後のシルクロードのオアシス路の拠点が創られていったと考えてもよい。

本節初頭の挿絵は先史時代に刳船を発明して交易していたと推定されている地域を、その年代とともに示した。水上を移動する手段としては、丸太や葦を利用した筏が最初で、次いで、操作性を良くした丸木船や葦船が開発された。大きな丸太材が入手できない地域（メソポタミア・エジプト・メキシコなど）では葦やパピルスを船型に編んだ筏が利用された。推力としての道具は、最初はカヌーのように橈（パドル）であった。やがて、船体に支点を固定して漕ぐ櫂（オール）が発明された。大林太良[47]は、丸太材による刳船の種類を**図表45**のように四種類に分類してい

図表44　西地中海の黒曜石原産地と出土遺跡の関係
（文献46による）

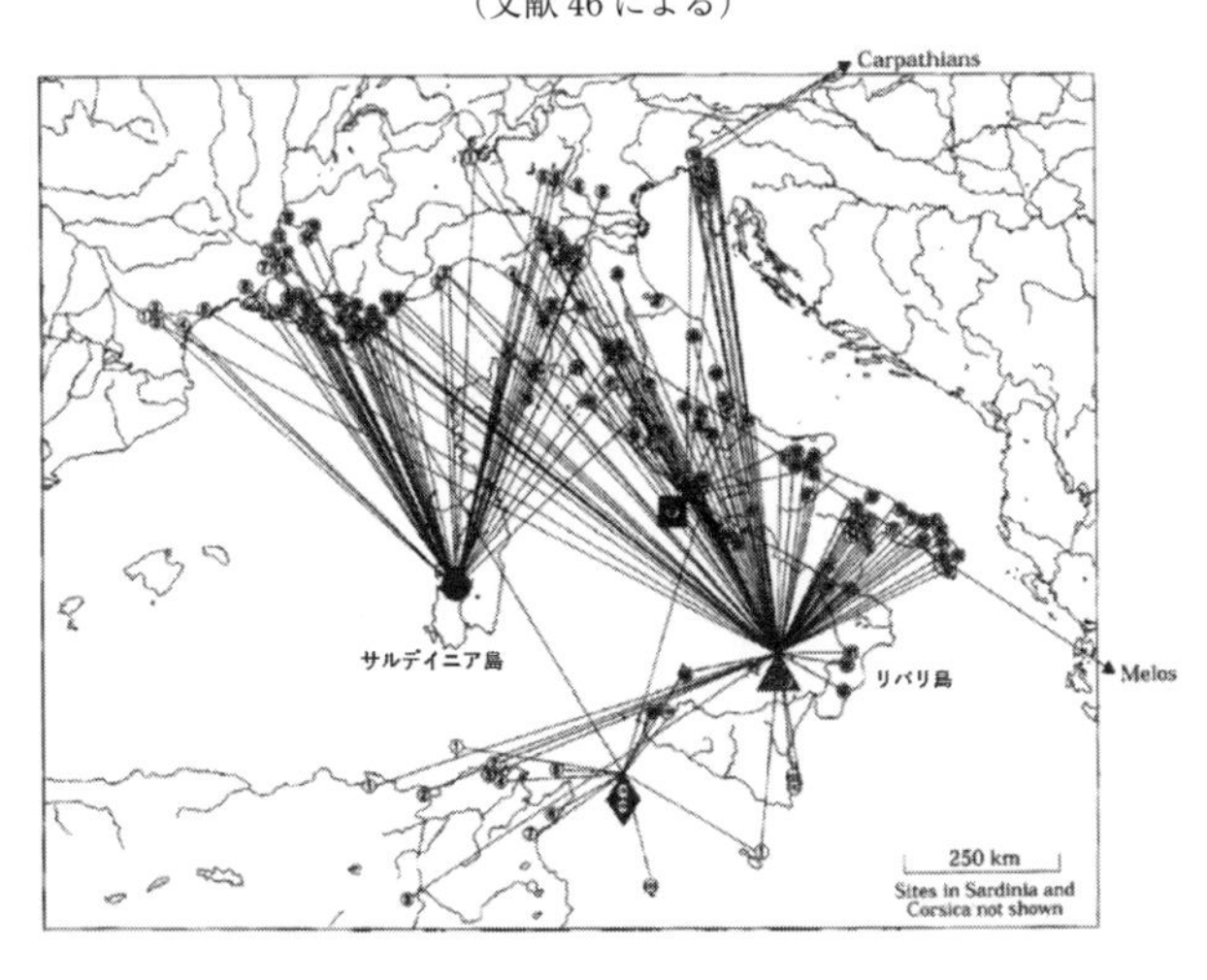

図表45　刳船の種類（文献47による）

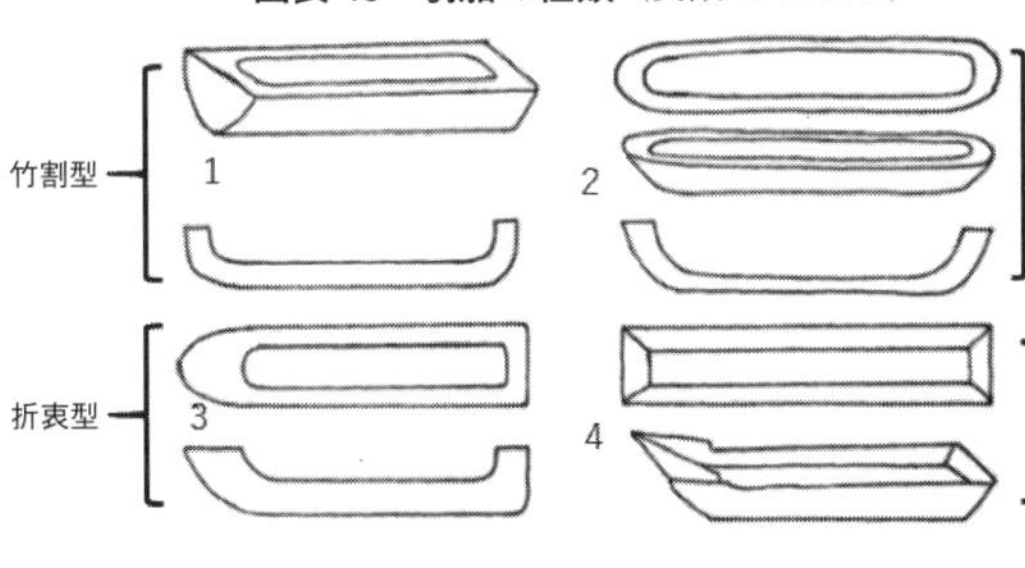

る。また、東アジアでは櫓が発明され船尾に櫓を固定して推力をえる方法が生み出された。エジプトやメソポタミアで発明された舵は大体、船体の左側に取り付けられているが、船尾に固定する方式は紀元前後に中国で発明されたという。こうして、複数の櫂と舵を装備した葦船や刳船が遠距離の航海を可能ならしめた。

5・3　第二次輸送革命：車輪の発明とロバの家畜化
（紀元前4000年頃〜紀元前3000年頃）

文明の発祥地メソポタミアでは都市国家が誕生すると同時に、その地政学上の位置から「交易」は必須条件であった。しかし彼らの居住地の地理的な特性からチグリス・ユーフラテスの両川は葦製の筏（いかだ）や、後に述べるグッファなどの革製船を利用できたが遠く内陸の交易地まで出向くのには徒歩しかなかった。しかし、幸い彼らは牛やエジプトから入ったロバを早くから家畜化していた。運送するのにこれらの駄獣を利用すればよかった。必要は発明の母といわれるが、彼らは駄獣を利用するためにワゴン用の車輪を発明した。この車輪と駄獣としてのロバの家畜化は第二次輸送革命である。

すでに第Ⅳ章（2）で述べたように、都市国家が誕生したのはメソポタミアのウルクが世界で最初であった。ウルクはやがてウルに支配されるようになる。この時代にはすでにエジプトとともに青銅器時代に入っていた。先に触れたようにメソポタミアには資源といえば、泥と葦と亜麻それに瀝青（れきせい）と豊富な麦しかなかった。灌漑農耕を開始して定住した彼らは青銅器を製作するために銅と

紀元前 4000 年紀の交易圏

図表46　メソポタミアの輸入品（紀元前4000年紀）
（文献11による）

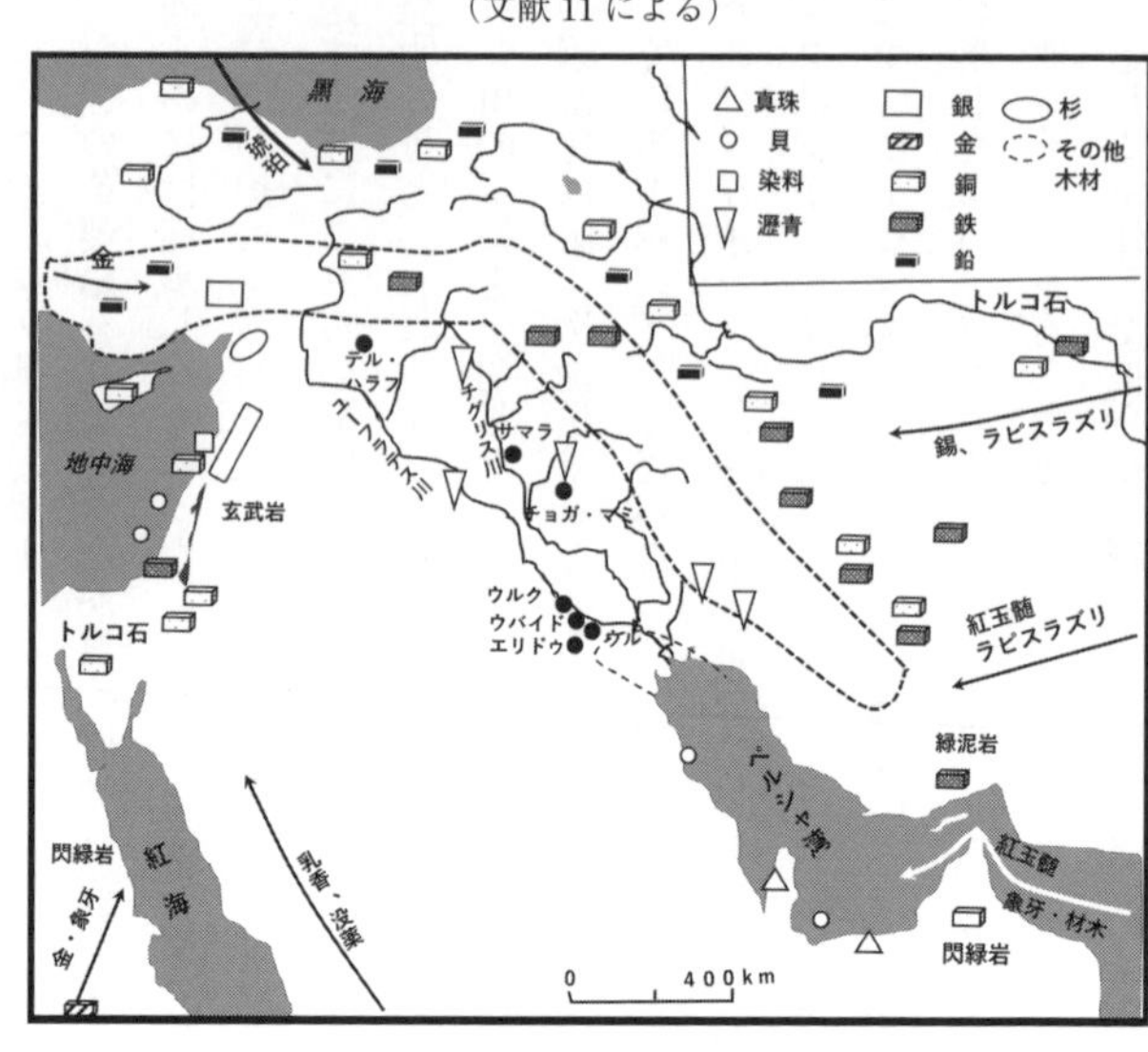

錫を、家屋や犂（すき）を作るには木材や石材も輸入しなければならなかった。図表46に示すように、銅はイラン高原、アナトリア（トルコ南西部の山岳地帯）、シリア、オマーン半島、錫はイラン北東部の山岳地帯、杉はレバノンから輸入しなければならなかった。その他、宝玉類も遠隔地からの輸入に頼らなければならなかった。メソポタミアからは、穀物、羊毛、ゴマ油、塩、瀝青などが輸出品であった。これらの遠隔地交易を担ったのがすでに述べた商人たちであった。このとき、すでに第二次輸送革命は始まっていた。メソポタミアの商人たちは陸上では牛車や牛の背に荷を積んで運んだり、河川の上流からは葦船やグッファと呼ばれる革船を利用した。メソポタミアでは駄獣としてロバが利用されるのは紀元前二五〇〇年頃以降である。ロバは第Ⅲ章(3)ですでに触れたように、紀元前四五〇〇年頃、北アフリカと南西アジアで家畜化されていた。当然、ロバも当初は乳と肉を得るために家畜化されたがやがてエジプトで駄獣として使用されるようになった。ブライアン・フェイガン（前出24）はロバの駄獣としての特性を以下のように述べている。

「ロバは足取りが軽やかで、牛よりも速く歩く。起伏のある荒地はとりわけ速い。（中略）ロバは体温が変化し易く、乾燥化への耐久性にも優れていて、二、三日に一度しか水を飲まなくても耐えるように訓練すらできた。ロバは牛にくらべて脱水症状になっても餌を消化できる。ロバは訓練するのもさほど難しくなく、とりわけ荷を運ぶことには慣れていた。」

ロバはこのような特性から貴重な資産ともみなされ、ファラオの墓にも埋葬されていた。カイロから四八〇キロほど南にあるアビドスは、紀元前三〇〇〇年頃のファラオの埋葬地であるが、王家の墓には一緒に埋葬されたロバの骨に駄獣として利用されていた特有の関節炎のあとがあり、少なくともこの頃には駄獣としてかなり利用されていたことがわかる。ロバやラクダの輸送隊は現在でもエチオピアで岩塩を運ぶのに利用されているが、道路の整備とともに三〇〇〇年以上続いてきた隊商の姿もトラックに取って代わられつつある。ロバ以外の陸上の輸送では、すでにメソポタミアの後期ウルク時代（紀元前三三〇〇年〜紀元前三一〇〇年頃）に車輪が発明され、牛に牽かせる四輪荷車（ワゴン）が登場した。この証拠は、最古の都市の一つ、ウルクのエアンナ神殿の敷地内で発見された約三九〇〇枚にのぼる粘土板文書の中に「ワゴン」の絵文字が見られることからわかった（前出25、上巻103頁）。

車輪の発明は「コロ」から転化した説と「轆轤（ろくろ）」から転化した説がある。当初の車輪は円盤状の厚板からなる一対車輪であったが、やがて薄い版木を合わせて添え木で止める車輪となり、後にはさらに発達してスポークスタイプの車輪に改良されていった。牛に荷車を牽かせるためには軛（くびき）（**図表47**）の発明も必要であったが当初はどのような形であったか詳細はわからない。牛車は歩みが遅く平地しか動けないので専ら農地への往復に肥料や道具あるいは人間を運ぶのに利用された。したがって遠隔地の陸上輸送には敷物を敷いたロバの背に、綱でつないだ二つの籠を負わせて荷物を運ぶか荷車を牽かせた。しかし、ロバが荷駄として大規模な隊商を組む必

図表47　四輪牛荷車（上）、軛（くびき）（中）、荷駄に使われたロバ（下）

図表48　エリドゥ出土の円筒印章の葦船の図（紀元前3500年～紀元前3100年頃）
（文献48による）

図表49　現在も使われているグッファ
（文献49より筆者作成）

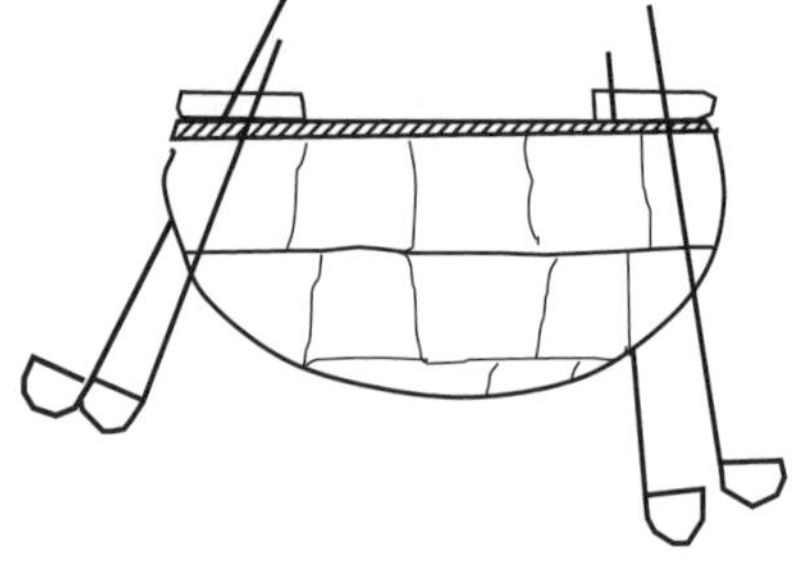

図表50　ナカダ遺跡出土の彩文土器
（文献11による）

要性が生まれるまでには、今少し時間がかかった。

一方、この頃、すでにペルシャ湾を利用した海上輸送が行われていたことがオマーン半島やバーレーンの遺跡からわかっている。彼らが以前に触れた「ハリージー」である可能性が高いが、航海に使った船の詳細は不明である。おそらく、大型の葦船を櫂で漕ぐ沿岸航行船ではないかと想像される。

チグリス・ユーフラテス川を利用した葦船はエリドゥ（図表33、46）出土の円筒印章に刻まれた絵（**図表48**）から当時の様子とともに知ることができる。葦船は瀝青を使って防水した。絵には荷物とともに羊と舵を持った船頭が描かれている。また、グッファと呼ばれる葦や竹で編んで骨組みに獣皮で巻いた円い籠型の船（**図表49**）も利用されていた。グッファは川の上流から下流の目的地まで流れに乗って下り終ると解体され、骨組みは売り払われた。このグッファは今日でもイラクで利用されている。

エジプトでは上エジプトの都市ナカダ遺跡（図表35）から発掘された紀元前三五〇〇年～紀元前三一〇〇年頃の彩文土器の文様にマストと櫂がある船のレリーフ（**図表50**）が描かれていることからナイル川での水上交通があったこ

とがわかる。しかし、メソポタミアの葦船と異なり彼らの船はパピルス船であった。絵にはマストが見られるが帆走と櫂漕が併用されたようだ。

5・4　第三次輸送革命：木造帆船と騎馬の発明（紀元前3000年頃～紀元前2100年頃）

第三次輸送革命が生じた時期は、メソポタミアでウル第二王朝が衰えはじめ、シュメール都市王朝が成立し、スーサを中心としたエラム国家が繁栄してペルシャ湾を通じてインダス文明との交易が始まった時期である。さらに、騎馬と戦車を用いたシャルル・キーン（サルゴン王）によってシュメールが統一され、アッカド帝国（紀元前二三三四年～紀元前二一五四年）が興隆した。東地中海ではクレタ・ミノア文明が勃興し、エジプト～メソポタミアの中継貿易で次第に東地中海を支配していった。

一方、エジプトでは紀元前三〇〇〇年頃、メネス王によって上下エジプトが統一され初期王朝が誕生した。初期王朝時代の様子について、「世界の歴史1」(前出11)によると、

「統一された国土を外敵から守り、それを通じて対外交易を王家の独占とするために、遠征がさかんに行われた。初代ナルメル（メネス王）は西部砂漠のリビア人および東部砂漠に、第二代アハは第一急湍およびシナイ半島に遠征隊を送っている。とくにシナイ半島の

紀元前 3000 年紀の交易圏

銅山が事実上王家の独占とされたことは、王権強化に大きく貢献したと思われる。周囲を砂漠で囲まれたエジプトにおいては、中央権力による対外交易の独占は比較的容易に達成され、それがまた王権強化にも貢献するのである。」と記述されている。やがて、第四王朝になると、ギザにクフ王、カフラー王、メンカウラー王の大ピラミッドが次々と建設され、サハラの砂漠化が進行していった時期に至る。今に残るこのような大ピラミッドの建設には石材を切り出し、加工するために大量の銅の道具が必要であった。そのためにもシナイ半島の銅や必要な材料を海陸輸送によって入手した。このように、メソポタミアでもエジプトでも強力な王権が誕生し、大規模な神殿や王墓や王宮の建設で権威を示す必要が生じるとともに、それらに必要な建設資材、あるいは、広域にわたる情報の入手によって奢侈品への欲求も高まり、王自ら遠征によって略奪（武装交易）するか、あるいは王権に権威付けられた商人に交易を行わせるか、遠隔地から貢納（貢納交易）させるかどれかを選ぶようになってきた。このような王権の発動による大規模な交易はそれまでの牛やロバによる陸上運送だけでは、とても実現できない。ここに、第三次輸送革命が起こる必然性がある。第三次輸送革命とは、木造帆船の発明および騎馬の誕生である。後述するが、騎馬は輸送とともに、戦闘力を一変させ、帝国の出現を促す原動力となった。以下、先に、帆船について説明しよう。

(1) 古代エジプトの帆船

すでに述べたように、最も原始的な船は丸太材を紐で結んだ筏である。革袋の筏や葦を材料とした筏は、それを製造するための道具はそれほど要らない。しかし、丸木船はそれに適した材木の選定にはじまり、その切り出し、そしていくつかの工具を用いた加工という、それなりに多段階な過程を経て建造される。また、丸木船のコストは大きいが、耐久性に優れていた。この丸木船は原初的な船ながら、簡単な筏に比べれば発達した船といえる。カスピ海や黒海では紀元前三二〇〇年頃、櫂で漕ぐ丸木船が使われていた。とはいえ複層化された葦船は丸木船より発達した船であり、航海船として利用された。丸木船や葦船に帆柱を固定して帆船を作ることはやさしいように思われるが、最初に出現した帆船は組立てた木造の準構造船であった。ジャン・ルージェ[49]によると、「最初の帆船はエジプトの船である。帆の使用は古王国時代（紀元前二六八六年～紀元前二一八五年）に、十分確

図表51　古代メソポタミアの船
（文献66による）

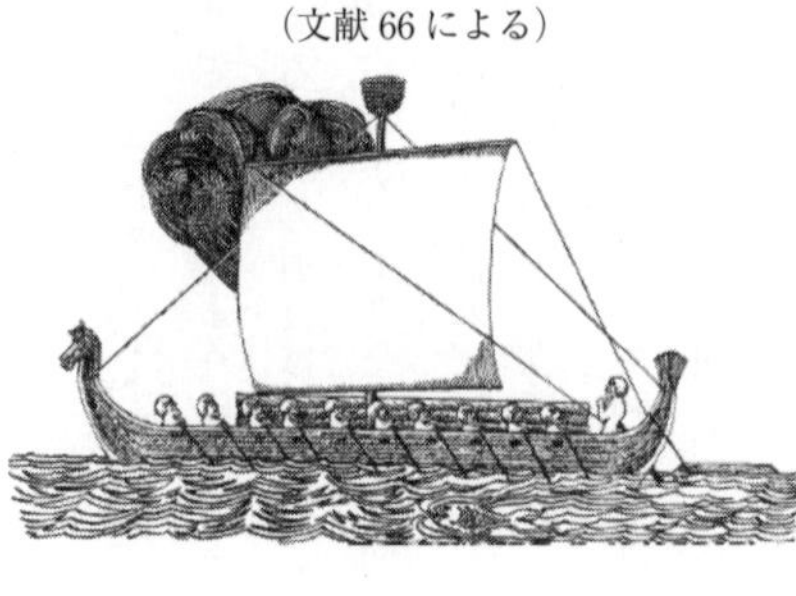

立された形で現れている。」と述べている。すなわち、最初の木造の帆船はエジプトで開発された。したがって、ノルウェーの人類学者トール・ヘイエルダールが一九四七年に葦の筏帆船のコン・ティキ号でペルーのカヤオ港から南太平洋のトゥアモトゥ諸島ラロイア環礁まで四三〇〇マイル（八千キロ弱）の航海を行って海洋横断が可能なことを立証したのと同様な船（図表51）がメソポタミアでも使われた可能性もある。しかし、それもエジプトからメソポタミアに帆が伝わった以降の時代の船と推測される。

エジプトで開発された木造船は縫合船と呼ばれ、図表52のように、船体の製作法は、①綱で縫合する方法、②ホゾ結合、の二種類があった。

この二種の外板の結合法を合わせて船体を造ったが、当時のエジプトの船は竜骨（キール）も肋骨（リブ）もない構造であり、海を航行するには波の作用で船長方向に対して、波に持ち上げられたときや波の間に落ちたときに船体の前方と後方では力が上下に反対となり、船体に大きなモーメントがかかる。それに対応するために、船体の前後部にそれぞれ綱の帯（ケーブル・ガードル）を巻いて固定するとともにそれらの帯と船体全体を締め付ける帯（トラス・ガードル）とを結合し船体の耐力を上げた。

図表53は第五王朝二代目のサフラー王のピラミッド（王墓）に描かれたレリーフであるが、図の説明に記述したように、マストは二又になっており船底にかかる力を分散している。この形式の帆船では波の静かな日の沿岸航行ぐらいしかできなかったであろう。図表54は完成したこのタイプの帆船画で帆は長い縦帆である。これらエジプトで第六王朝時代以前に使われたバイポッドマストは船の前方に備え付けられていたという特徴があった。通常この位置にマストがあると、風を受けたときの力の支点が前方過ぎて操舵が難しくなるという難点がある。しかしながら、ナイル川の流れは南から北方向に、そして風は常に北から南に吹いていた。そのため川を下る場合は流れに乗って、逆に川をさかのぼる場合にはセイリング（帆走）していたと考えられている。セイリング中は前方に直進すればよかったため、マストが前方のこの位置であっても特に問題がなかったと考えられる。後のハトシェプスト女王時代（紀元前一

図表 52　エジプトの造船法
（文献 49 による）

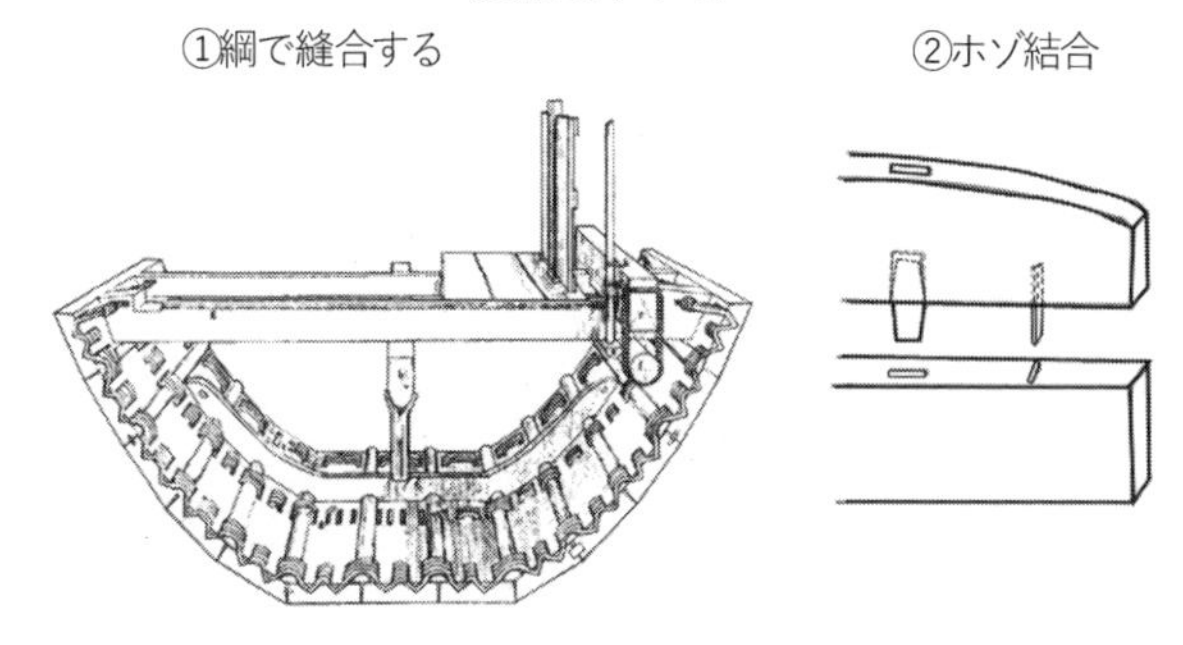

図表 53　サフラー王墓のレリーフ画（紀元前 2400 年頃）
（文献 66 による）

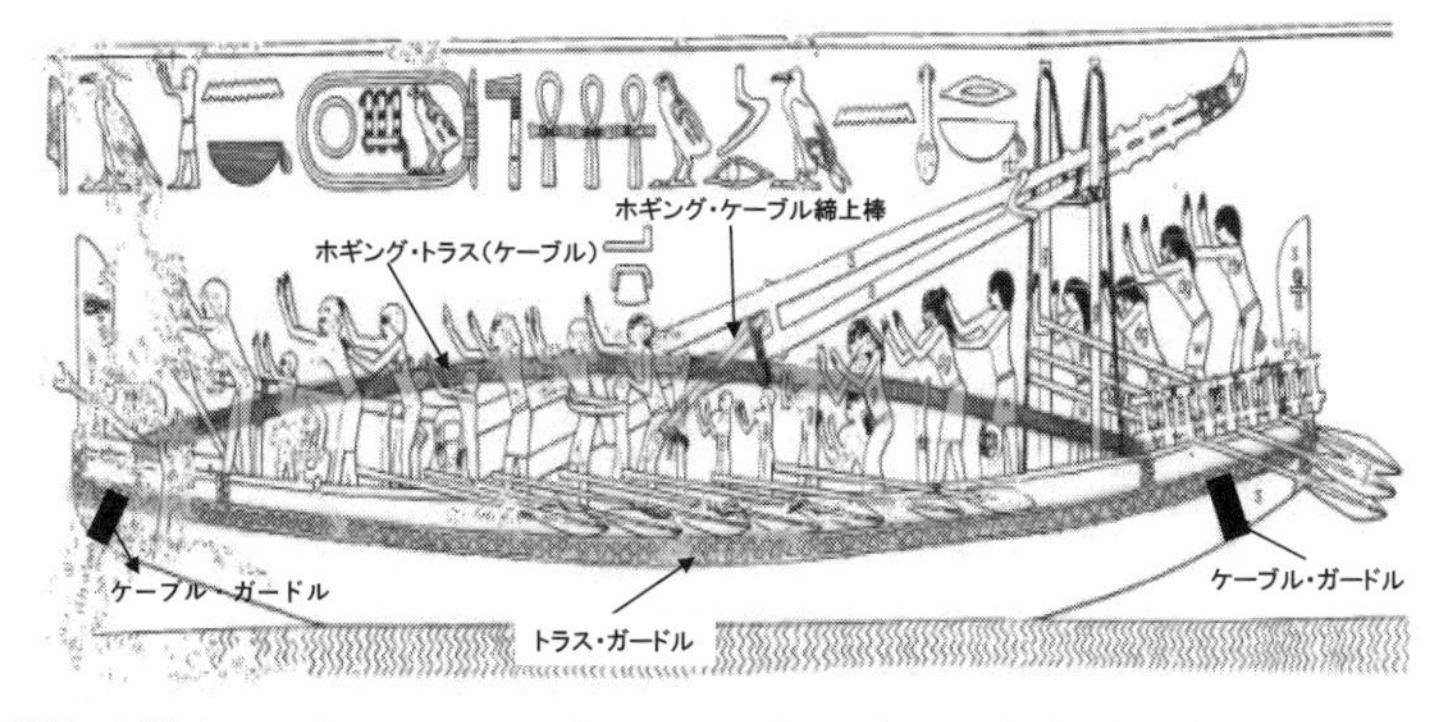

①縄の両端はケーブル・ガードル（Cable Girdle）と呼ばれる船首と船尾をそれぞれぐるりと回るように取り付けられた縄に結び付けられている。
②ホギング・トラス（図表 55 も参照）の中央には棒が通されていて、この棒をねじることによりホギング・トラスケーブルを締め上げその両端のケーブル・ガードルを介して船の両端を上に引き上げて航行中の船体方向に対する曲げによるダメージを防ぐ。
③トラス・ガードルは船の船体をぐるりとジグザグ状に張りめぐらせた縄のことで、このトラス・ガードルが船体を内側に締め付けることによって船体を補強し、船体のねじれによるダメージを防ぐ。
④レリーフ画から見て取れるもう一つの特徴はマストがバイポッド（二脚）になっている点である。古代エジプトの船にはキール（竜骨）やキールとフレーム（助骨）の上を通るキースソン（内竜骨）はなかったので、この時代の船はマストの重さを分散するためにもその支柱を二つに分けたバイポッドマストを用いていたと考えられる。

図表54　エジプト第五王朝期の墓の壁画
（文献49による）

図表55　ハトシェプスト女王の遠征時帆船
（紀元前1470年頃）（文献50による）

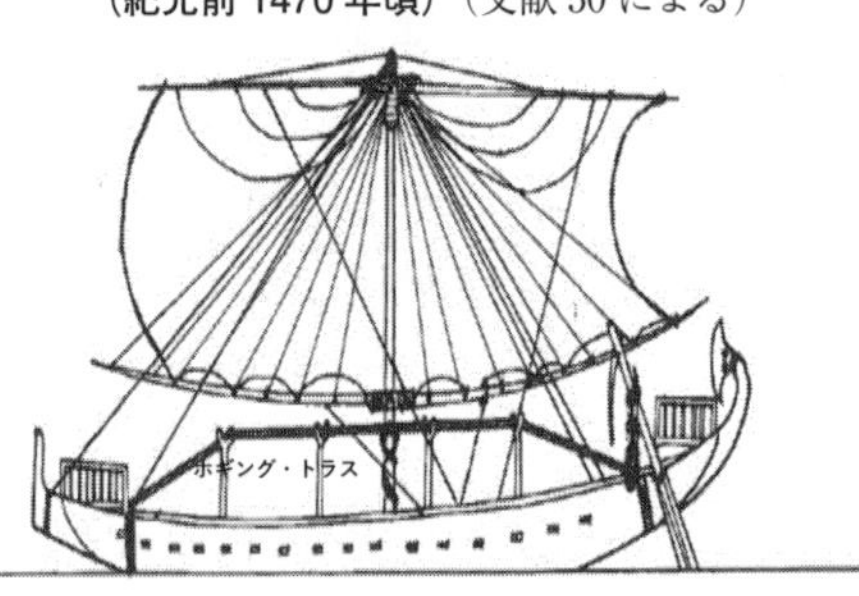

①船にはホギング・トラスが描かれているのがわかる。
②トラス・ガードルの代わりにスルー・ビームが導入され、帆も横長になっている。

四七九年頃～紀元前一四五八年頃）には**図表55**のように、船体は同じ構造であるが、帆柱は船体の中央に設置し、帆は横帆に変化し外洋航海に耐えられるように工夫されていることがわかる。

(2) クレタの帆船と地中海交易

クレタ文明も、また文明を起こした人々も古い歴史を持っていたが、残念なことにエジプト人のように多彩な船の絵画などを残していないので、その船のことはまだよくわかっていない。想像をまじえて描いた紀元前二〇〇〇年頃の帆船の絵が**図表56**である。これからも判断されるように、新石器時代から利用されていた刳船を基礎にして、側面に舟板を付けて波浪の侵入を防ぐ、いわゆる準構造船に帆柱を据え付けた構造ではないかと推察される。これらはエジプトの帆船建造技術を取り入れたものと考えられるが詳細はわからない。

この頃、クレタが東地中海の交易で果たした役割を篠原陽一は「海上交易の世界と歴史」(51)で、

「クレタ島はフェニキアへ一〇〇〇キロメートル、アナトリア南岸やギリシャ本土に三〇〇キロメートル、アレクサンドロスに六〇〇キロメートル、シチリアに九〇〇キロメートルという位置にある。生半可な距離とはいえないが、西方からの東地中海アジアに向けての橋脚（筆者註：架け橋）、あるいはギリシャ、さらに後のローマがオリエントに向かうための発進地となる。」

と述べ、クレタの東地中海における立地優位性を挙げ、紀元前二〇〇〇年頃にはミノアを中心にいわゆるミノア文明

を開化させた。彼らの交易の大半は中継交易であり、ジョルジュ・ルフランの「商業の歴史」[53]によると、「彼らはエジプトへ、オリーブ油、ブドウ酒、オリエントの香料、レバノンの木材を運んだ。彼らはそこで、ときには転売する目的で、空豆、象牙、真珠、金を買い入れた。エジプト王は彼らにデルタ地帯の縁にあるファロスに港を建設する権限をあたえた。これはエジプトの地における真の商業基地になった。」と述べているが、クレンゲル[33]によると、ミノアの宮廷に所属する工房では、特に、銅と羊毛の加工が盛んに行われ、広大な倉庫には銅の延べ棒、多量の油、穀物、イチジク、ワイン、蜜、香辛料、装身具、羊毛、織物および工具などが山積になっていたと指摘して交易の盛んな様子を述べている。これらのうち、香辛料、香料、装身具は輸入品で、それ以外に、金、象牙、その加工品といった奢侈品、さらに穀物なども輸入されていた。また、クレタのカマレス陶器はキュプロスやシリアのウガリトでも発見されており、ミノア商人が東地中海全域の交易を幅広く担っていたことが推察される。紀元前一七〇〇年頃、クレタ島はテラ（現サントリーニ）島の火山爆発と地震によって破壊されるが、すぐに再建され、紀元前一六〇〇年頃、クレタの首都のクノッソスは推定八万人の人口を擁する当時の世界最大の都市となった。その宮殿（後出図表65）に船を引き入れ、接岸させて、交易品を集散させていた。それが最盛期を迎えた頃から、好戦的なミュケナイなどギリシャ本土の都市が頭角を現し、強力な競争者となってくる。

このように、エジプトで発明された木造帆船はメソポタミアに伝播するとともに、地中海世界にも取り入れられ、クレタを筆頭に東地中海海上交易が活発化されていった。読者はやがて知るようになるが、後に、フェニキアが勃興してくると、クレタの海上交易も衰退し、地中海の覇権をめぐり、ギリシャとフェニキアの間で熾烈な競争が開始され、アケメネス朝ペルシャの勃興とともに、フェニキアはこれと同盟しギリシャと対抗した。やがてローマ帝国の成立とともに地中海交易はローマ帝国の支配下に置か

図表56　クレタの刳貫丸太帆船想像図
（文献51を基に筆者作成）

れることになる。

(3) 騎馬の発明

今から一万四〇〇〇年前から一万年前頃に大きな気候変動（温暖化）が始まったことはすでに触れた。それ以前の氷期のステップ（馬にとって好ましい環境）は、温暖化により北半球のほとんどで深い森に変わってしまった。北アメリカの馬は気候が変動するにつれて、理由は未だ解明されていないが絶滅してしまった（人類の狩猟で絶滅したという説がある）。ヨーロッパとアジアでは、野生馬の大きな群れが生き残ったのは、ユーラシア大陸の中央にあるステップだけである。少数の個体群が、ヨーロッパとアナトリア半島中部、カフカス（コーカサス）山脈の、自然に開けた限られた草地で孤立していた。馬はイラン、メソポタミアの低地や肥沃な三日月地帯からは姿を消し、これらの温暖な地域はウマ科の別の動物（オナガーとロバ）が生息するようになった。その他の地域で生息していた野生馬は人間の食料となって絶滅した。結局、最後には、人間の狩猟から守られたユーラシアステップでのみ生き残った。

ブライアン・フェイガン（前出24）によると、ウクライナのドニエプル川右岸にあるデレイフカ遺跡の墓から大量の馬の骨が発見されており、紀元前四二〇〇年頃には家畜化されていたと推論している。当然、馬も最初は食料としての狩猟対象であり家畜化したのも食料の確保のためだった。やがて、人々は家畜化された馬に騎乗することを考え出した。D．W．アンソニー（前出25）によれば、ポントス・カスピ海ステップに住む牧畜民が、紀元前四二〇〇年～紀元前四〇〇〇年頃に、革、ロープ、腱などで作った鼻革で馬に乗ることを考え出した。羊やヤギの遊牧では一人当たり一〇〇頭しか監視が行き届かないのに対し騎馬では一人で一〇〇〇頭を監視でき、労働生産性は一挙に一〇倍となり、より多くの財産を手にすることができるようになった。ポントス・カスピ海ステップで発掘されたボタイとテルセクの遊牧民集落の遺跡から、彼らが騎乗して馬を狩るのを専門とした特殊な狩猟民であったことがわかっている。

すでに述べたように、紀元前八五〇〇年頃にはチグリス・ユーフラテス川上流域やアナトリアでは農耕牧畜民が集落を形成していた。彼らはやがてポントス・カスピ海ステップの遊牧民と接触した。詳細は未解明ではあるが、ポントス・カスピ海ステップからメソポタミアやアナトリアへ騎馬の技術が伝播したのは紀元前二〇〇〇年半ばであった。

このことは、アッカドの王シャルル・キーン（サルゴン一世：紀元前二三三四年〜紀元前二二七九年）が戦闘に騎馬を用いたことが、キシュ出土のアッカドの印影やウル第三王朝のシュ・シン王のための動物購入担当アッバカラの印影など（**図表57**）に記録されていることからわかっている。しかし、鐙や鞍が発明されていなかったので、裸馬にまたがって疾走する投槍主体の軍団であった。馬を自由に操り、騎射を行うには鐙と鞍の発明が必要である。後述するが、青銅のハミが開発されたのは紀元前一三〇〇年〜紀元前一二〇〇年頃で、スキタイで革製の鞍や鐙が開発されたのは紀元前八〇〇年頃であった。スキタイを通じて中国に騎馬戦法が導入されたのは戦国時代の趙の武霊王（紀元前三〇七年）の頃だった。一方、馬に二輪車を牽引させるチャリオット（二輪戦車）はメソポタミアで開発され（後掲図表59）、その後ユーラシアステップの騎馬民族によって改良されたハブ・スポークス型の戦車が中国の殷代（紀元前一六〇〇年頃〜紀元前一〇四六年）の半ば頃に伝わっている。この証拠は、中国河南省安陽市の殷墟博物館の「車馬坑」（殷（商）代当時の実際の戦車が墓地の副葬品となっている発掘場所をそのまま展示している）からもわかる。このことから乗馬用の鞍の開発に時間がかかったこと、および騎馬軍団に使用する多数の馬の入手が当時の中国では

図表57　騎馬の開始
（文献25による）

上段：キシュ出土のアッカドの印影
（紀元前2350年〜紀元前2200年）
中段：アフガニスタンの盗掘された墓からの印影
（紀元前2100年〜紀元前1800年）
下段：ウル第三王朝のシュ・シン王の動物購入担当アッパカラの印影

参考：馬装

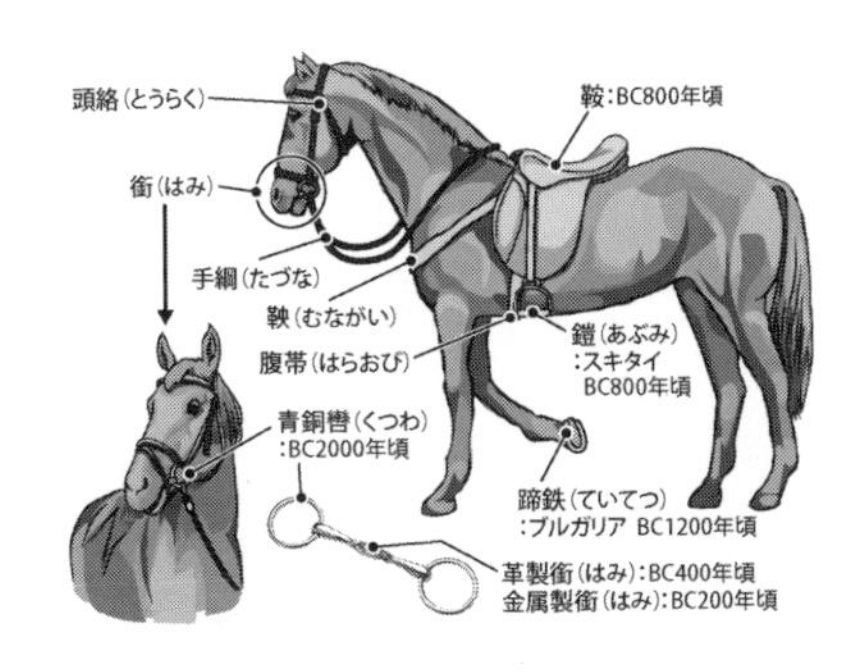

図表58　紀元前3000年紀の交易ルートと交易品
（文献33、35を基に筆者作成）

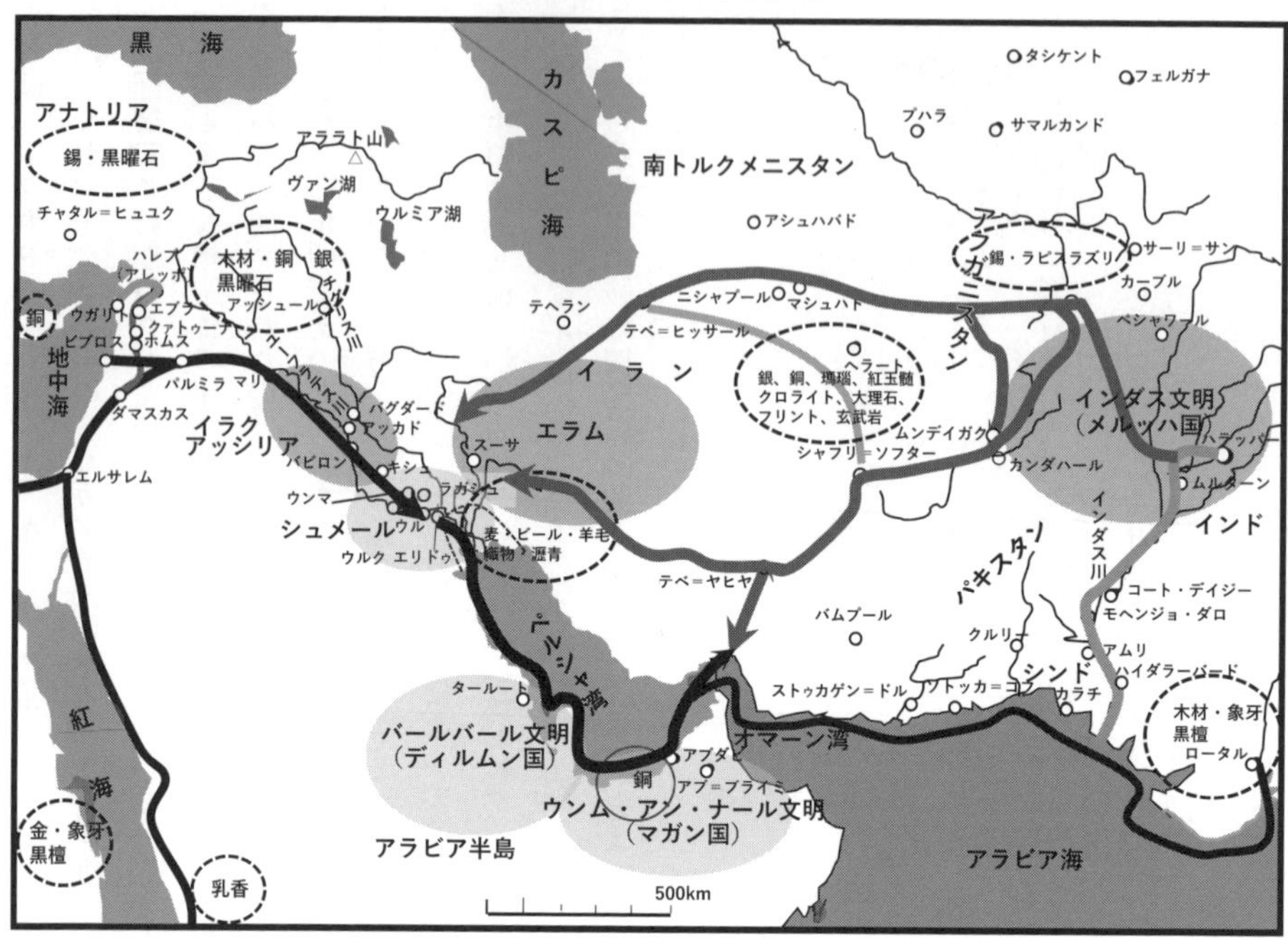

困難であったことがわかる。

(4) オリエントとインダスの交易

後藤健（前出35）によるとメソポタミアの都市国家は、紀元前三〇〇〇年頃にエラム地方の都市スーサを中心とした交易ネットワークで結ばれ**図表58**に示すように、アフガニスタンを結ぶ陸上ルートと、海路ではオマーン半島のアラビア海洋民族ハリージーによる航海ルートが利用された。後藤はこれを「原エラム文明の物流ネットワーク」と呼んでいる。

また、アラビア海の航海について、彼の叙述によれば、以下のようにまとめることができる。

① ハフィート期（筆者註：紀元前三一〇〇年〜紀元前二八〇〇年頃）のアラビア湾でどのような船が利用されたかは、残念ながら詳しく述べる材料がない。船といっても現在のような立派な船ではなく、葦や木材で造られた簡素なものであったことは想像に難くない。

② クウェートのアッサビーヤ地区にあるウバイド系のH3遺跡では、船を象った土製品

と葦の圧痕を遺す瀝青の破片が出土している。

③　バールバール（初期ディルムン：筆者註、紀元前二五〇〇年～紀元前二〇〇〇年頃）文明の首都があったバーレーン砦では、土製の船の模型が出土しているが、長さ六センチ余りしか残っていない。舳先は上がらず、マストの有無はわからない。

④　バーレーンとクウェートのファイラカ島で多く出土する「ディルムン式」石製スタンプ印章の一部には、船の形がデザインされている。それにはマストのないものも、中央部に一本のマストを立てたものもある。バーレーン砦で出土したインダス文明の土器に、焼成後、舳先が上がったタイプの船が刻線で描かれた例がある。マストや櫓（やぐら）のようなものが見られ、河川や内海用というよりも外洋であるアラビア海も航行可能な大型船であった可能性がある。

ここに列挙したように、すでにこの頃シュメール文明とインダス文明の交易が開始されていたことがわかる。アッカドのシャルル・キーン（サルゴン一世）についてニップルのエンリル神殿碑文には、「かれが三四回もの戦闘に勝ち抜き、海の縁に至るまで、あらゆる城壁を打ち壊した。また、かれはアッカドに港を構築し、メルッハの船、マガンの船、ディルムンの船を、アッカドの波止場に停泊させた。」と記されている。ここに出てくる「ディルムン」や「マガン」、「メルッハ」という地名に対応する場所がどこかということについては、長く、研究者の間で議論があったが近年の中東の遺跡発掘の進展により、ディルムンはバーレーン、マガンはオマーン半島、メルッハはインダス川流域の現在のグジャラート州のシンド周辺を指すことが明らかになった。ハラッパーからはインダス川を下り、ロータルからの船を利用してアラビア海を航海してオマーン半島に行った。インド考古学博物館には当時建設されたロータル港の復元模型があるという。

すでに触れたように、エジプトとメソポタミアには、広大な沖積平野があるものの、豊富な麦類や葦、パピルス、羊毛・織物ぐらいしか産出できなかった。このことは交易が都市や王国の体制を維持するために欠かせないということもすでに述べた。両地方ともシリアから銅や錫そしてレバノン杉を輸入しなければならなかったし、王冠や死者の仮面を飾るラピスラズリや紅玉髄は遥かアフガニスタンから調達しなければならなった。エジプトはナイルの遥か南方のヌビアから金や象牙を輸入するために、時には軍による帆船航海を利用した遠征によって手に入れた。また、銅や木材を輸入する窓口としてビブロスに大きな影響力を保持した。サハラやアラビアの砂漠越えにはロバの隊商が活躍した。

メソポタミアは遥かシンド地方から海上輸送で木材・象牙・黒檀などを輸入し、アフガニスタンからのラピスラズリはエジプトへも中継で輸出していた。また、この時代になくてはならない青銅器の材料鉱物は銅と錫であった。銅は地中海のキュプロス（キプロス：銅の元素記号Cuはこの島の名前が由来である）が一大産地であり、クレタや後のミケーネの重要な中継交易品であった。これらの海上交易で重要な役割を担っていたのが、シリア海岸のウガリトでありビブロス（交易品で有名になったパピルスが名前の由来）であった。

5・5　第四次輸送革命：チャリオットの発明とロバの隊商（紀元前2100年頃〜紀元前1200年頃）

第四次輸送革命はチャリオットの発明とロバの隊商の本格化で始まった。チャリオットそのものは軍事用戦車であるが、車輪の改良がその後のさらなる輸送革命につながった、という意味で人類の大発明なのである。

紀元前二〇〇〇年頃には、それまで定住農耕文明で繁栄を続けてきたオリエントの世界がにわかに動き出した時代となった。この頃、再び地球寒冷化が進みポントス・カスピ海ステップで遊牧騎馬をしていた遊牧民が南方に押し寄せてきた。その現象は歴史では「アーリア人の大移動」として知られている。彼らはヨーロッパ全域とインドまで侵入し、インダス文明を滅ぼしたともいわれるとともに各地に鉄器をもたらしアナトリアにヒッタイト帝国を築きエジプトとシリア争奪を繰り返した。また、彼らの一種族であるドーリア人はギリシャに侵入して根付き、後に多くのポリスを築くとともに、東地中海に植民地を広げ海洋文化を築いていった。やがて、クレタを東地中海の交易から締め出したフェニキアと地中海の交易覇権を争うようになった。そして、彼らが築いたバル

紀元前 2100 年〜紀元前 1200 年頃の交易圏
（破線は遊牧民族文化圏）

カン半島のミケーネがアナトリアの都市国家トロイ文明とともに東地中海を支配するようになり、いわゆるエーゲ文明の後段にあたるミケーネ文明を開化させた。

ヒッタイトは鉄の鋳造技術を国家機密としていたが、紀元前一二〇〇年頃「海の民」に滅ぼされ、以降、鉄器技術が世界に広まった。彼らの一部は、後に中央アジアの遊牧民となり、スキタイ文化を築きモンゴルの犬戎（けんじゅう）や匈奴（きょうど）などを通じて黄河地帯にその文化を伝播させた。

メソポタミアでは、ウル第三王朝を滅ぼした（紀元前二〇〇四年）バビロニアがメソポタミア全域を支配下に収め、ハンムラビ法典を整備し、地中海方面の交易に力を入れていたが、騎馬民族であるヒッタイトがアナトリアを支配しバビロニアの分裂を起こす引き金となった。

エジプトでは、中王国がシリアを影響下に収めていたが、アーリア系の騎馬民族ヒクソスの侵入を受け一時その支配下に入った。しかし、やがてヒッタイトが興隆してきた隙に、王国を復活させ、新王国を建設した。新王国のアメンホテプ三世（紀元前一三八六年～紀元前一三四九年）がルクソール神殿を築き、ラムセス二世（紀元前一三一四年～紀元前一二二四年）がアブ・シンベル神殿を築いている（後掲図表65）。

（1）チャリオットの誕生

騎馬が本格的に軍用に供されるのは遅れたが、それよりも戦車の開発の方が早かった。家畜化された馬は紀元前三〇〇〇年頃にメソポタミアにもたらされたが、彼らにとって馬は容易に手に入らなかった。その代わり、メソポタミアやエジプトではおとなしい小型のオナガー（野生馬の一種）が利用された。後に、エジプトやローマ、中国の各王朝でも軍馬の入手に苦労し、馬は貴重品であり、遊牧民との最大の取引商品となった。メソポタミアでは四輪牛荷車が発明されたことはすでに述べたが、彼らはこれを高速移動用の乗用車にするために、二輪カートを考え出した。**図表59**はテグ・アグラブ遺跡から出土した紀元前二七〇〇年～紀元前二五〇〇年頃の鋳造銅製模型の写しである（前出25）。図はロバかオナガーとみられる二頭の動物に牽引させた太い棒に跨いで乗る二輪車方式であるが車輪が四輪牛荷車のものより発達し、板の継ぎ足しとなって車輪を軽くして補強する形に変化している。しかし、このカートは二頭の牽引獣を操ることは難しく戦闘用には使えない。

そこで、四輪牛荷車を戦闘用に利用するために、牛に代わってオナガーに牽引されるように改良された。この四輪戦車は、一九二八年にイギリスの考古学者レオナード・ウーリーがシュメールの古代都市ウルの遺跡調査で発見したことから「ウルのスタンダード」と呼ばれている紀元前二六〇〇年頃の工芸品の図柄（**図表60**）に描かれている。この工芸品は高さ二一・六センチ、幅四九・五センチ、奥行四・五センチの横長の箱で、前後左右それぞれの面にラピスラズリ、赤色石灰岩、貝殻などを瀝青で固着したモザイクが施されている。大きな面の一方には戦車（ワゴン）と歩兵を従えたウルの王が敵を打ち負かす「戦争の場面」、その反対側の面にはヤギや羊、穀物の袋などの貢納品が運ばれ王と家臣が宴会を楽しむ平和の場面「饗宴の場面」が描かれている。大英博物館に所蔵されているシュメールの代表的な美術工芸品である。この四輪戦車は御者と弓を射る者が同乗して闘う方式である。この原初的な四輪戦車がメソポタミアからステップに伝わり、戦闘用のチャリオット（二輪戦車）が生み出された。戦車の運動性能を高めるには、車輪が軽くて制御しやすいものでなくてはならない。そのためには、板の継ぎ足し車輪は重くて回転性能が悪いので、これをハブ・スポークスに改良する必要がある。これを成し遂げたのが、紀元前二一〇〇年～紀元前一八〇〇年頃ウラルステップ南部で栄えたシンタシュタ文化である。D．W．アンソニーはその著「馬・車輪・言語」[25]の中で二輪戦車（チャリオット）について以下のように述べている。

図表59　テグ・アグラブ出土の鋳造銅製模型
（文献25による）

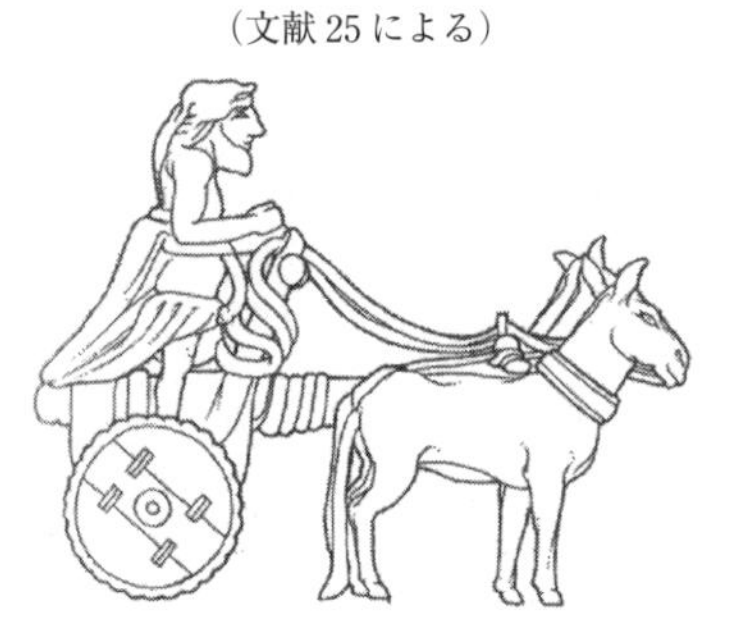

「チャリオットは、二輪のスポーク（輻）型車輪を、ハミを付けた馬に引かせ、立ったまま操縦する乗り物で、通常は襲歩（ギャロップ）で走らせる。車輪がただの円盤状であったり、御者が座って操縦したりするものはカート（二輪荷車）であり、チャリオット（二輪戦車）ではない。カートは、ワゴンと同様に作業用の乗り物だ。チャリオットは高速で走らせるために設計された最初の乗り物だった。これは陸上の交通を永久に変えた技術革新だ。スポークス型の車輪が高速を可能にした中心的な要素だった。初期のスポークス型車輪は、曲げ木の指物技術と精巧な大工仕事が生み

図表60　ウルのスタンダードに描かれた四輪戦車
（大英博物館所蔵）

図表61　エジプトのチャリオット

出した奇跡のようなものだった。輪木（リム：車輪の外縁）は木材をつなぎ合わせて完全な円にしなければならず、一本ずつ削ったスポークスを外輪のほぞ穴と、（周囲にぐるりと）ほぞ穴が穿たれた中心部のハブ（轂）に挿し込んで、これを完全に取り付ける必要があった。それらはすべて手道具で木材を削り、かんな掛けをしてこしらえたものだった。車体もまた解体すれば若干の材木の束になるものだった。エジプト後期の二輪車は、振動を吸収するために壁面には枝網細工が、床面には革紐が使われており、枠組みだけが木でできていた。おそらく当初は葬儀で行われた戦車レースのために設計されたのだろうが、二輪戦車は急速に兵器となりその役割によって歴史を変えた。」

このチャリオットをエジプトにもたらしたのは、紀元前一八世紀中頃にエジプトに侵入してきたアーリア系ヒクソス人であった。エジプトは周囲を砂漠と海で囲まれた地形的に独立した地域であったので、これまで他民族の侵略を受けたことがなかったが、初めて国際社会の仲間に組み込まれた。**図表61**はエジプトのチャリオットを表しているが、車輪は六輻（スポーク六本）になり車上から矢を射ることができるようになっている。

インドへのチャリオットの伝播は、山崎[36]によると、紀元前一五〇〇年頃アーリア人がパンジャブ地方へ移住してきたときといわれている。インダス文明が滅んだ後、インドで内陸の輸送が牛車やゾウ以外に発達しなかったのはこのチャリオットから改良された馬車を使うことができなかったことが大きい。インドでは馬やオナガーが手に入らなかったのである。

また、中国では周の建国の忠臣・呂尚が紀元前一一世紀頃、殷王朝との戦争ですでに戦車を用い、指南車（磁石を搭載した戦車）を採用したと史書に残されている。

さて、読者はなぜ「交易史」を扱いながら、筆者が、ながながと車輪やチャリオットの説明をするのか疑問に思われているかもしれないが、後の戦車軍団は戦争の様態を一変させ、帝国の出現を可能にしただけではなく、遊牧騎馬民族の発生を可能にした大技術革新なのである。われわれは、「遊牧騎馬民族」といえば、漢帝国と対立した匈奴やチンギス・ハーンに率いられユーラシアを征服したモンゴル民族を思い出すが、彼らは確かに騎馬で効率の良い遊牧を実現したが、季節によって家畜の餌を求めて移動を繰り返さなければならなかった。移動は家族や部族が集団で行うが、子供や家財道具を同時に運ぶ必要があった。それには、ワゴンが必須であり、逆に言うと車輪やワゴン、チャリオットに利用されたハブ・スポークス車輪の発明なくして遊牧騎馬民族の発生はなかったといえるのである。後に述べるが、彼らがこの輸送手段を手に入れたからこそ広域の交易を可能ならしめたともいえるのである。

(2) オリエント交易圏の拡大と黄河文明交易圏の誕生

すでに触れたように、紀元前二〇〇〇年紀に入るとウル第三王朝は衰え、メソポタミアではバビロニア王国が栄えた。バビロニアのハンムラビ王（紀元前一七九二年～紀元前一七五〇年）は下の海（紅海）よりも、交易の力点をユーフラテス川上流およびシリアと地中海（上の海）に目を向けるようになり、駅伝制を整備し交易路を拡大し、法典（ハンムラビ法典）による各種の規制や罰則を制定した。しかし、エジプトの場合より少し早く、アーリア系の民族であるヒッタイトに滅ぼされ、メソポタミアは分裂状態になった。この頃、地中海ではクレタ文明に代わりミケーネ文明が勃興し、下エジプト、アナトリア、シリアを抑えているヒクソスを通じて上エジプトとメソポタミアを中継する貿易で栄えた。

エジプトでは紀元前二〇〇〇年頃中王国のメンチュヘテプ二世がブントに遠征交易を行い、シリアとの交易で隆盛したが、戦車を駆使した騎馬民族のアーリア系のヒクソスによる侵入で一時期支配された。しかし、まもなく新王国として復活し、シリア遠征を繰り返してヒクソスを追い払うと同時に、ハトシェプスト女王（紀元前一四七九年〜紀元前一四五八年）の時代にはブント交易遠征をも行っている。

インドでは紀元前二五〇〇年頃から栄えてきたハラッパーやモヘンジョ・ダロなどの都市遺跡で知られるインダス文明が、紀元前一八〇〇年頃に突如、滅んでしまい（アーリア人の侵入説と砂漠化説の両方がある）、陸海を通じて密接に行われてきたメソポタミアとの交易も途絶えてしまった。

一方、黄河地帯では紀元前一五〇〇年頃、青銅器文明と同時に戦車（チャリオット）がステップ遊牧民を通じて伝わり、殷王朝が成立した。中国では殷王朝時代に国内の邑の市場が栄え商人も出現し、西域のオアシスとも交易があったが、地中海世界との直接の結びつきはなかった。

本節の最初の地図に点線で表した中央アジアの非連続的交易圏は、ステップのあちこちに分散して遊牧生活を行っていた騎馬民族とオアシス都市との間の断続的な接触交易を示している。

先に触れたように、レヴァント地方では、アナトリアに鉄器を持ったヒッタイトが侵入してきたことで、シリアの重要性が増し、エジプトもメソポタミアも地中海方面の交易に重点を移すようになった。それとともに、チグリス・ユーフラテスの河川交通も重要性を増し、バビロニアのハンムラビ王が法典を作成し、各種の規則を定めた。ここでメソポタミアの当時の運送事情を知るために、篠原陽一（前出51）がまとめたハンムラビ法典の海運関係部分の条文一覧を見ておこう。

図表62はその関連条文の一覧である。先に第Ⅳ章（2）において同法典の商人に関する規定を見たが、海運に関しても依頼主（神殿、王宮、商人などの荷主）と船主（荷主を兼ねる場合が多い）や雇われ船頭などが商取引で分化していたことが知れると同時に、法で定めなければならないほど多くの事故があったことをほのめかしている。今日の

図表 62　ハンムラビ法典の抜粋（文献 51 による）

234 条	船大工が 60 グル（18 キロリットル）の船を建造した場合、その注文主は船大工に 2 シェケル（主として銀 16.6 グラム）の現金を支払う。
235 条	船大工が 60 グルの船を建造したものの、水密性がなく、その船が引き渡されて、建造した年のうちに損傷した場合、船大工は自らの出費で、その船を解体し、水密性のあるものにし直し、水密性のある船を持ち主に提供する。
236 条	ある人が自分の船を船頭に賃貸する。それを借りた船頭が不注意により、その船を難破あるいは乗揚させた場合、船頭はその船の持ち主に別の船を賠償として与える。
237 条	ある人が船頭と彼の船を雇って、穀物、衣類、油、ナツメヤシをはじめその船に積みうるあらゆる品物を積み込む。その船頭が不注意により、船を難破させ、その積み荷を喪失した場合、（他人から賃貸している船ならば）船と、彼が喪失させたすべてのものを賠償する。
238 条	船頭が他人の船を破損させたものの、その船を救出した場合、船頭は破損させた船の価格の半額を現金で支払う。
239 条	ある人が船頭を雇った場合、彼に年間穀物（主として大麦）6 グル支払う。
240 条	商船（merchantman）が渡船（フェリー）と衝突して、渡船を難破させた場合、難破させられた渡船の船長は神前裁判を要求することができる。渡船を難破させた商船の船長は、その持ち主に船と失われたすべてのものを賠償する。
275 条	ある人が渡船を借りた場合、1 日当たり 3 ジェラ（0.14 グラム）の現金を支払う。
276 条	ある人が荷船を借りた場合、1 日当たり 2.5 ジェラ（0.12 グラム）の現金を支払う。
277 条	ある人が 60 グルの船を借りた場合、1 日当たりの借用料として 6 分の 1 シェケル（1.4 グラム）の現金を支払う。

国際貿易の慣習では、貨物の売主（輸出者）はＦＯＢ（Free On Board）契約といって仕出し港で船に積み込むまでの費用が責任の範囲である契約と、ＣＩＦ（Cost Insurance & Freight）契約といって、売主は貨物が荷揚げ地の港で荷揚げされるまでの費用（運賃、海上保険料等）を負担し、荷揚げ以降の費用（輸入関税、通関手数料を含む）は買主（輸入者）の負担とする契約がある。このような現在の慣習法では海上運送中の貨物に対する保険は売手または買手が負担することになっており、交渉は海上保険会社と海運会社の当事者で行われる。しかし、バビロニアの時代には保険会社が存在しなかったので、運送人（船頭）の全責任となっている。

紀元前一四〇〇年頃になると、バビロニア王国が北方のアッシリアに征服されシュメール地方はカッシートやエラムが支配するところとなった。オリエント地方はヒッタイト、アッシリア、エジプトがシリア地方を接点に政治・外交上のバランスをお互いにとるようになった。当時の外交や貢納交易の様子については、一八八七年に中部エジプトのテル・エル・アマルナで発見された大量の楔形文字で書かれた書簡（アマルナ文書と呼ばれている）から知ることができる。アマルナ文書の大半はエジプトの宮廷（アメンホテプ三世と同四世（紀元前一三五〇年頃））がパレスティナやシリアの領主層や西アジアの諸列強の王たち（文書では、彼らはファラオの「兄弟」と表現されている）と交わした通信である。これによると、何か高価な品物の輸送が記されていても、それは本来の商売とは関係なく、エジプトと西アジアの諸王は互いに「贈り物」を交換し合い（贈与交易）、その見返りとしてたっぷりのお返しを期待していたことが記されている。これらの「贈り物」の輸送を請け負ったのは国王の使者または国王から委託された商人であった。エジプトから送り出された「贈り物」は主に金であった。各地の諸王はこの贈り物が最高であったし、喜んだ。これに対して、アッシリアからは馬や車がエジプトに届けられ、キュプロスからはアラシャの王が、エジプトの王位についている彼の「兄弟」が請い求めている島の特産品である銅を多量に贈った。クレンゲル（前出33）によると、各地の王がなぜエジプトの金を待ち望んだか、という理由は以下のように考えられる。それは黄金が富や奢侈の象徴だっただけではなく、紀元前二〇〇〇年紀も半ば頃になると、これらの土地では黄金が商品の決済をする基礎になっていたし、部分的であるが、支払いの手段ともなっていたからである。

このように紀元前二〇〇〇年紀にはアナトリア～メソポタミア～シリア～エジプトと、交易が西アジアとエジプト一帯に広がり、それにつれて貨幣代替通貨は「金」になったことがわかる。通貨が通貨としての機能（貨幣の機能には、支払い、価値の尺度、蓄蔵、交換手段があり、いずれか一つに使われていれば貨幣と見なせる）について共通の認識ができあがる「世界」となっていた。

(3) ロバの隊商

この時代には長距離の陸上輸送にはロバの隊商が本格化した。ロバの隊商がメソポタミアとエジプトを往復するルートとしてクレンゲル（前出33）は**図表63**を示している。これによると、「王の贈り物」を持参してエジプトとメソポタミアの間を往来するとき、隊商は主にシリア砂漠のステップ地帯を通るルートをたどっていったようだ。その場合にはタドゥモル（パルミラ）に立ち寄り、クァトゥナーあたりで中部シリアの農耕地帯に至る。マリから出たある書簡はユーフラテス川からクァトゥナーまでの区間を踏破するのに、その最大日数をだいたい一〇日ばかりと見積もって

図表63　紀元前2000年紀のオリエント交易ルート
（文献33による）

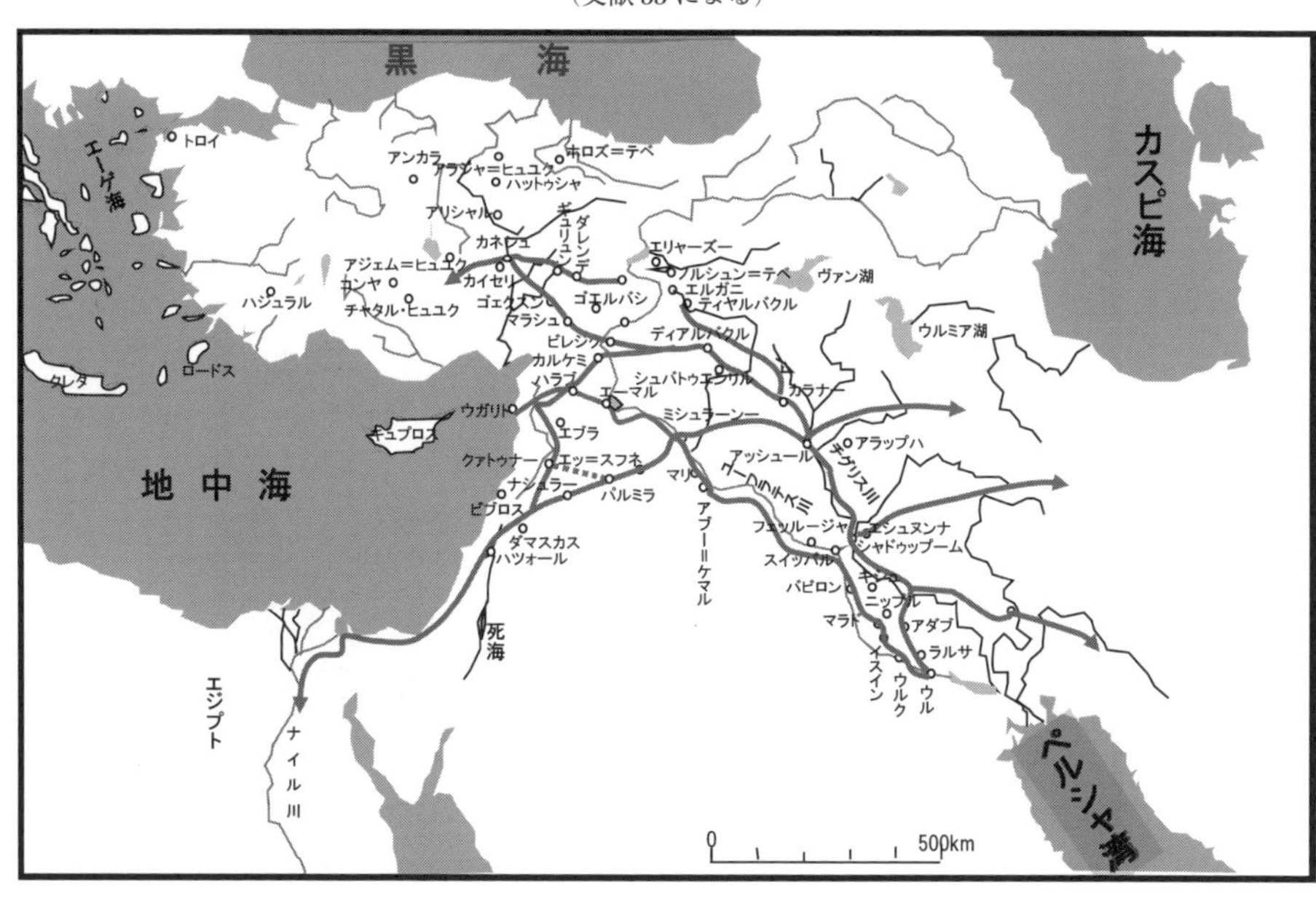

いる。また、エジプトなどさらに南方をめざす場合には、まだシリア砂漠にいるうちに南西方向にコースを変えて、ナシュラー（エル＝クァルヤタイン、ホムスの東南七〇キロメートル余）経由で旅を続けることもあった。このときには、北からアレッポ、ハマ、ダマスカスと通って南下し、パレスティナあるいはさらに遠くのナイル川のデルタ方面へ走る街道に合流した。この街道はパレスティナでファラオのいわゆる「ホルスの道」あるいは後の旧約聖書の「王の道」になった。ロバもラバも品物を積んで毎日約三〇キロメートル進んだことを考えれば、バビロンから中部エジプトのアケトアテン（アマルナ）まで、週に一日の休日を含めてだいたい三カ月を要した計算になる。

一方、クレンゲルはロバの隊商について、

「しかしロバという動物はなんとまあ大量の荷物を運ばされたものだろう。身体にくくりつけられる馬具とか馬方の私物や食料のほかに、積み荷はすくなくとも九〇キログラムはあった。包装していない錫を一〇から一二マヌー、一つあたり五マヌーほどの織物を四個から六個、さらには布で包んだ多量の錫。これらを合計すれば、重さはだいたい一三〇マヌー

図表64　紀元前2500年〜紀元前1500年頃のロバの隊商路
（文献24を基に筆者作成）

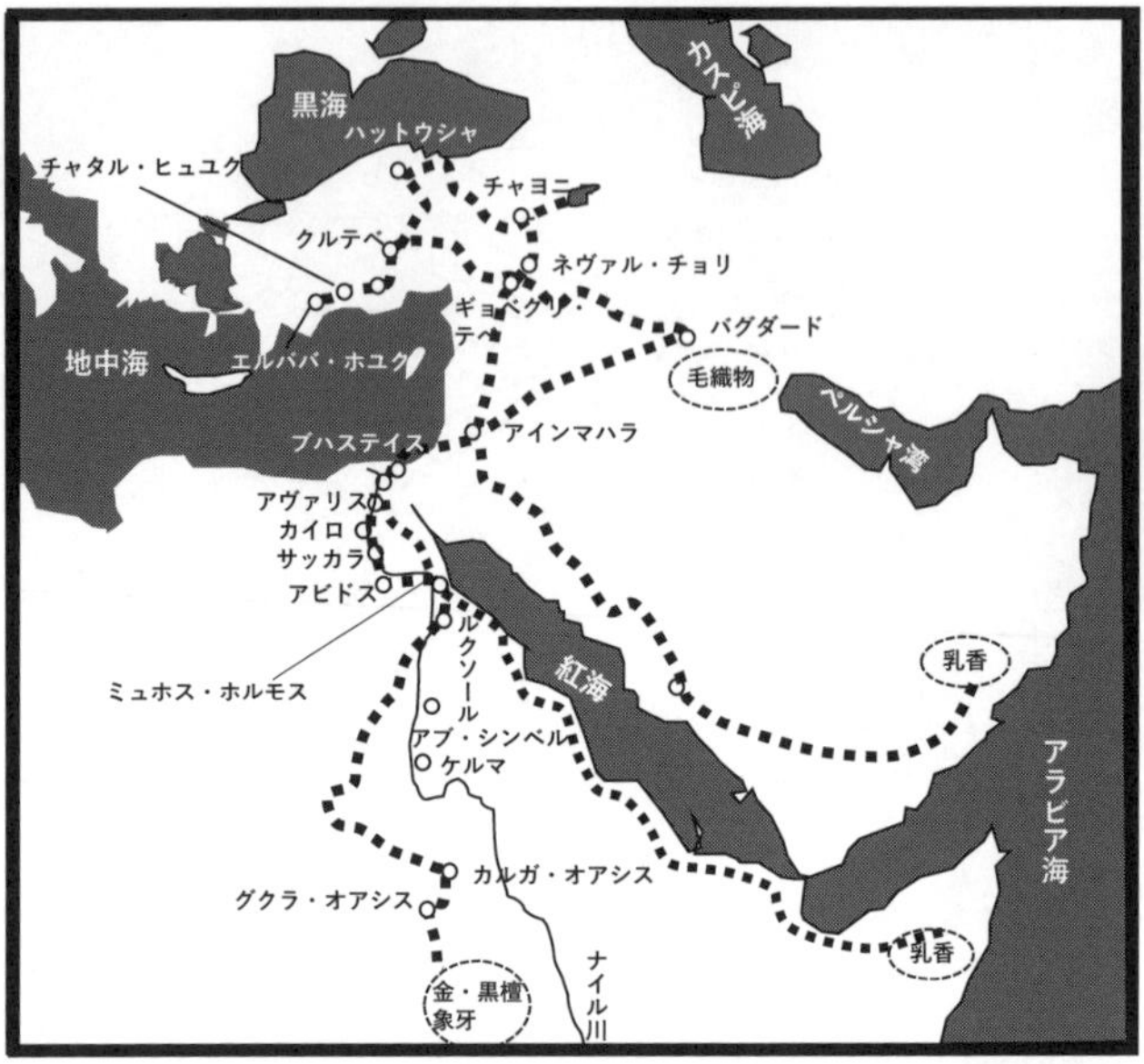

（六五キログラム）にもなった。そのうえまた、「積める余地」はできるだけうまく利用し尽そうと務めたものだから、バラ積みの錫をいくらかと織物数個を積み足せば、すぐにも運べる能力ぎりぎりになってしまう。たくさんの数のロバが集められて、隊商が編成された。これまでに発表されている文書から判断すれば、最高一七頭のものもある。この場合ロバたちは合計して錫を六五〇キログラムと織物を約三〇〇個近く輸送したことになる。隊商の規模が大きくなりすぎるのは確かに好ましいことではない。おそらく必要な馬方の数、それに飼料、そのいずれも増えてしまう。」

と述べ、ロバがいかに当時、重要な陸上輸送手段として活躍したかを指摘している。

　このように、ロバは大量の荷物を背負って、急峻な山道を長く歩くこともできたし、砂漠においても数日は水なしでも歩けた。しかし、陸上の輸送は大変な苦労をした。詳細は省くが旅の途中でしばしば盗賊に襲われたりもした。したがって、各王は自分たちの領土を通過する「王の商人」たちの安全を守る約束もしていた。ロバの隊商はまた、メソポタミアだけでなく、**図表64**に示すよう

図表65　東地中海の交易品（紀元前2000年紀）
（文献33を基に筆者作成）

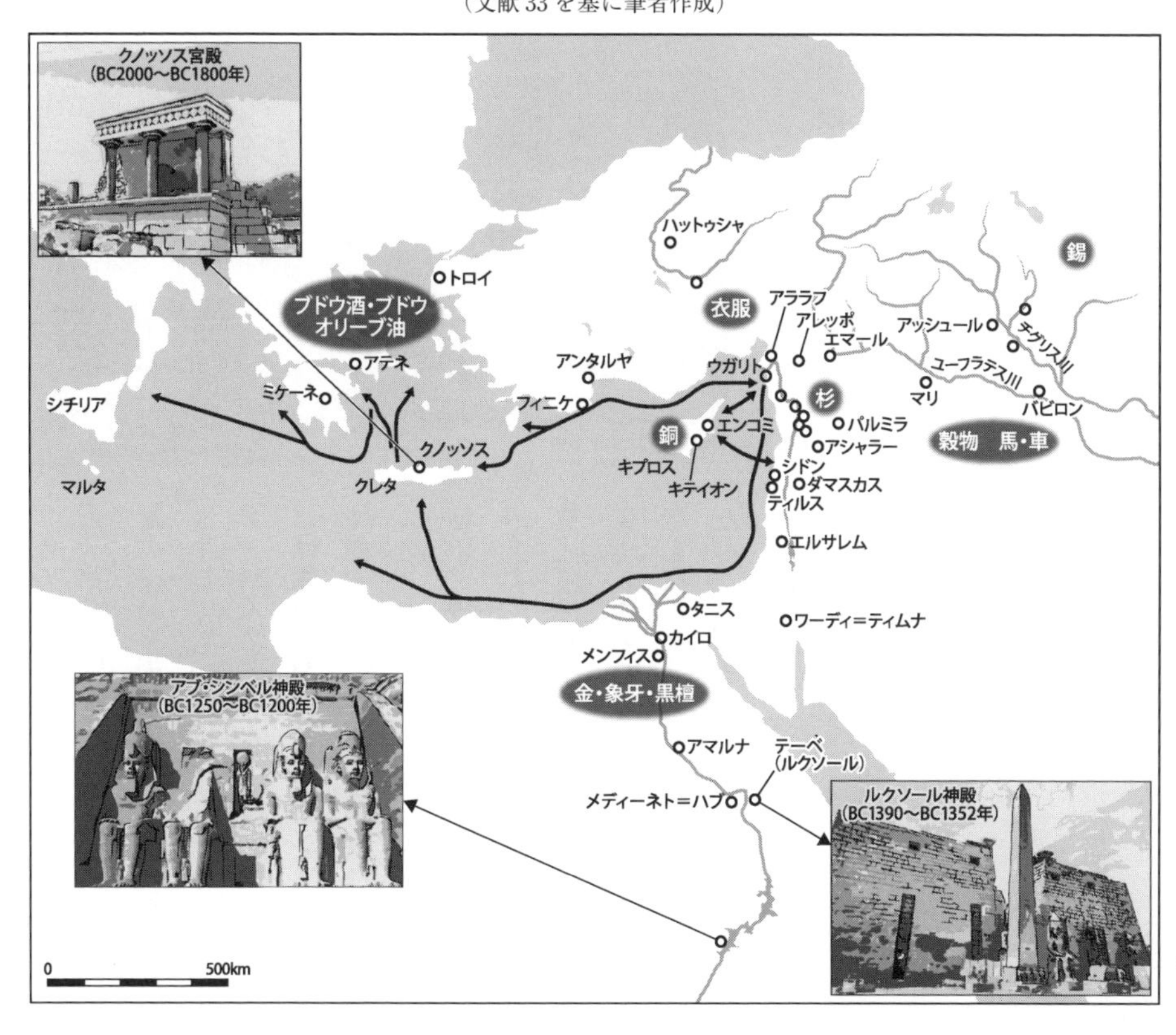

に、遠くエジプトの南方ヌビアやアナトリアの交易を担っていた。これらの隊商路は後にはラクダの隊商に利用されるようになるが、当時のロバの隊商の規模については、行先によっても異なるが、クレンゲル（前出33）によれば、四〇頭以上の隊商も珍しくなく、シリアのマリ市から出土した楔形文字の粘土板（いわゆるマリ文書）によれば、地元の交易商が組織したあるエラトウム（旅をする隊商のこと）は、三〇〇頭のロバと、ロバ追いと思われる三〇〇人の人間からなり、おおむね一頭につき一人の割合だった、という。

一方、海上ではシドン、ティルスを根拠地とするフェニキアが海上交易を支配し全地中海の交易が盛んになった。後にローマと地中海の覇権をめぐるポエニ戦争を戦ったカルタゴはティルスの植民地だった。フェニキア人はアッシリアや新バビロニ

図表66　バビロニアの富裕層向け女奴隷市場の様子
（エドウィン・ロング作、エルミタージュ美術館所蔵）

アが台頭してきて圧迫を受け出すと、カルタゴを基地にイベリア半島のカルタヘナ、アルメリア、バレンシア、バルセロナなどの植民地を建設し、西地中海の交易を握った。図表65に示したように、彼らはバルカン半島やペロポネソス半島で買い付けたオリーブやオリーブ油そしてブドウ酒などを盛んにエジプトやメソポタミアに輸出した。メソポタミアからはウガリトを通じてクレタには穀物が輸出され、エジプトへは錫、馬、車、またシドン、ティルスを通じて銅や衣服などが輸出された。錫は遥か中央アジアのウズベキスタンとタジキスタンからロバの隊商によって運ばれたものだった。一方、エジプトからは、金、象牙、黒檀などが輸出された。キプロス島からは相変わらず大量の銅がメソポタミアやエジプトに輸出された。また、民族の移動が盛んになるにしたがい、被征服民族は多く奴隷として売買された。当時の奴隷の扱いを推し測る上で参考になるバビロニアでの奴隷の売買は図表66のような形で、富裕層が女奴隷を買入れ美貌の奴隷は妻としても購入された。しらかわただひこ「人のねだん」[54]によると、女奴隷は一人当たり金八シクル（一シクル＝約八・三グラム）で売買されたが、金でない場合、次の全商品を合わせたものと等価であった。

・一頭の雌ロバ（対価金二・五シクル）
・四クル（一二〇〇リットル）の麦（対価金二シクル）
・一着の上等の衣服と、一枚の外套（対価金一シクル）
・二枚の毛布（対価金二シクル）
・一枚の外套（対価金〇・五シクル）

女奴隷は、家事や織物製造などに使われ、男奴隷は農事や軍事に服役させられた。後述するが、後のギリシャやローマの時代には都市国家や帝国を維持するためには奴隷は不可欠の存在であった。

5・6　第五次輸送革命：遊牧騎馬民族とラクダの隊商の発生（紀元前1200年頃～紀元前100年頃）

第五次輸送革命は紀元前一〇〇〇年紀に発生する遊牧騎馬民族とラクダの隊商である。この両者の誕生によって後に本格化する陸のシルクロードの基礎が築かれるのである。

ヒッタイトの侵入でバビロニアが滅んだ後、紀元前一三世紀頃のメソポタミア地方は、カッシート、アッシリア、ミタンニ、エラムなどに分裂していた。紀元前一二〇〇年頃、聖書の創世記で知られたモーゼに率いられてユダヤ人が出エジプトを果たし、やがて、パレスティナに居住を始めていたが、紀元前一〇〇〇年頃、イスラエル王国を建設し、ダビデ王のときにエルサレムに都を定め国力を伸ばした。次のソロモン王はティルス（現レバノン）の王ヒラムと同盟を結び食糧と引き換えに木材を受け取ったり、共同で船団を組み紅海に乗り出すだけでなく、エジプト、メソポタミア、アラビアに隊商を繰り出し、シリアにはオアシス隊商都市パルミラを建設し、海陸両交易で栄え「ソロモンの栄華」といわれる時代を築いた。旧約聖書で有名なシバの女王のソロモン訪問は

紀元前 1200 年頃～紀元前 100 年頃の交易圏

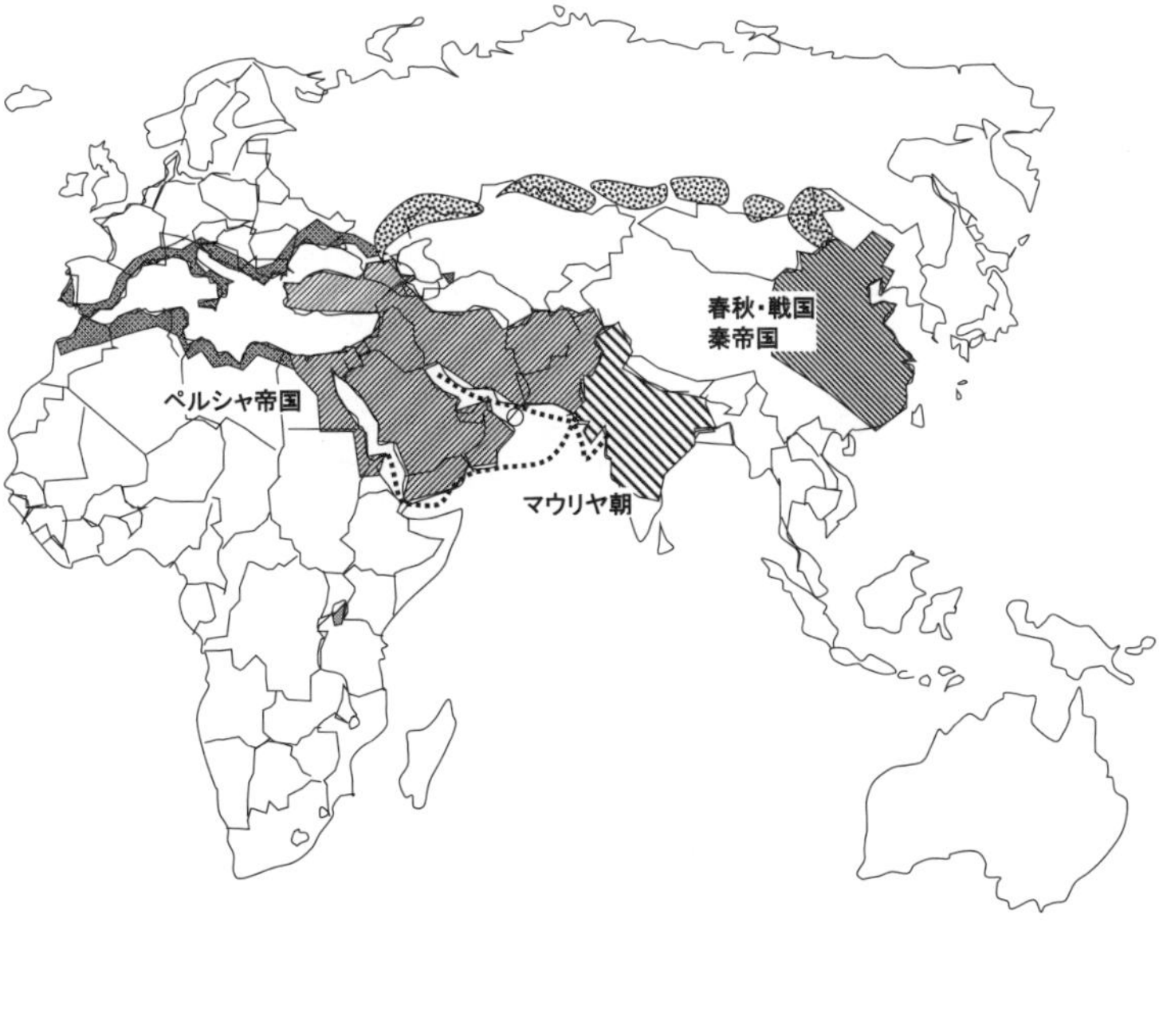

春秋・戦国
秦帝国
ペルシャ帝国
マウリヤ朝

このときである。残念ながらパルミラの遺跡は、シリア内戦でIS集団によって破壊され無残な姿しかとどめていない。

一方、古代ギリシャ人は紀元前二〇〇〇年頃からバルカン半島に南下しはじめ、その中の一派のアカイア人は紀元前一八〇〇年頃にはギリシャ本土からエーゲ海に広く活動するようになり、メソポタミア文明の影響を受けて青銅器文明段階に入った。そのうち、ギリシャ本土に定住したアカイア人は、紀元前一六〇〇年頃、先行のクレタ文明に代わってミケーネ文明を形成し、ミケーネ王国などの王国を作った。さらに先述したように、アーリア系のドーリア人がペロポネソス半島に進出して、それぞれ、アテネやスパルタといった諸ポリスを建設していった。

やがて、ヒッタイトから戦車と騎馬を学び強力な軍隊を編成してメソポタミアを再統一したアッシリアは、アッシュール・バニパル王の頃勢力を広げ、紀元前六六三年にはエジプトに進出してこれを占領、初めて全オリエントにまたがる帝国を築いた。しかし、紀元前六世紀の中頃になると、アーリア系の一部族であるイラン人がメソポタミアのアッシリアの後を継いだ新バビロニアを征服し、東はイラン高原からインドに接するバクトリア、西はアナトリアからシリア、さらにエジプトを版図に加えた世界最初の大帝国であるアケメネス朝ペルシャを興した。ペルシャは多くの民族を支配するために駅伝制度を創設し、帝国に道路網を整備した。この道路網はエジプトからインドにわたるネットワークであり、大規模な国際交易ネットワークの基礎となった。また、ダリウス（ダレイオス）大王の治世下では、イオニア（アナトリアの地中海沿岸部）にあるギリシャの植民地が反乱を起こしたので、これを支援するギリシャ母都市連合とペルシャの間に四回にわたる「ペルシャ戦争」が引き起こされた。ペルシャでは他民族を支配するためにゾロアスター教が大きな役割を果たした。

また、フェニキアは北アフリカのチュニスに植民地カルタゴを建設（紀元前八一四年）したが三次にわたるポエニ戦争の結果、紀元前一四六年にローマに征服された。ローマが勃興する少し前の紀元前三三〇年にマケドニアの大王になったアレクサンドロスによってバルカン半島、エジプト、メソポタミア、イランそしてインドのインダス川までを含む地域が征服されアレクサンドロス帝国が築かれた。このとき、ギリシャ文明が広く拡散し、インドではガンダーラ美術を開花させた。このギリシャ文明と東方文明の融合によって生まれた時代はヘレニズム時代とも呼ばれている。

インドでは、紀元前一八〇〇年頃にインダス文明が滅んで以降、一六国家に分裂し、その後千年間の長きにわたって混乱していたが、紀元前四世紀頃、チャンドラ・グプタがマガダ王国のナンダ朝を滅ぼしインド南部の一部を除く大版図の統一に成功しマウリヤ朝を樹立した。マウリヤ朝は紀元前三世紀頃のアショカ王時代に王の仏教への帰依と仏教保護政策により仏教が栄え、後に、中国や東南アジアさらには日本にまで大きな影響を及ぼすことになった。

中国では殷王朝が滅び、周王朝が諸侯の王として力を持つようになるが、王朝の衰えとともに春秋戦国時代に向かい諸侯の間の戦争が絶えなかった。やがて騎馬民族の戦闘方法を取り入れた秦が中国最初の帝国を築き、その後の中国の統治体制の基礎（郡県制）を築くことになった。この時代に中国には戦車と騎馬それに鉄器がもたらされた。

（1）遊牧騎馬民族の誕生

すでに触れたように馬の家畜化は紀元前四二〇〇年頃にさかのぼる。最初の遊牧騎馬民族は紀元前一二〇〇年頃にポントス・カスピ海ステップに勃興し、メソポタミアからシリア、エジプトに馬と騎馬法が伝播すると同時に、ユーラシアステップを通じて遥か東の黄河文明に伝わった（図表67）。騎馬の技術を東に伝えた遊牧騎馬民族は、紀元前八世紀頃カスピ海と黒海の間に広がるカフカス地方の北に興ったスキタイ民族である。彼らはヒッタイトから学んだ鉄器の製造法をもってユーラシアの東に広がり、モンゴル地方の遊牧民に騎馬と鉄器を伝えた。彼らについては、ギリシャのヘロドトスの「歴史」にも記述がある。これを松平千秋の翻訳（ヘロドトス『歴史』中[55]）から、ヘロドトスが見た彼らの生活を要約すると、次のとおりである。

「彼らは町も城塞も築いておらず、その一人残らずが家を運んでは移動してゆく騎馬の弓使いで、生活は農耕によらず家畜に頼り、住む家は獣に曳かせる車である。」

また、スキタイ民族より少し時代が下がった頃に活躍した匈奴については、漢代の司馬遷によって編纂された「史記」の「匈奴列伝」の冒頭文に彼らの生活の様子が記述されている。ここでは来村多可史「万里の長城攻防三千年史」[56]の訳文を借りて紹介しよう。

「匈奴は北蛮を本拠地として牧畜を営みながら移動を続けている。家畜の多くはウマとウシ、そしてヒツジであり、珍しい家畜といえば、ラクダ、ロバ、ラバ、そのほかウマに似た各種の獣がいる。牧草と水を求めて移動し、城郭

図表67　馬の家畜化と騎馬の伝播（筆者作成）

はもとより、定住地もなければ田畑の営みもしない。とはいえ、それぞれに領地があるが、文書がなく、ただ言葉をもって約束を交わすだけである。子供はヒツジに乗ることがうまく、弓を引いて鳥やネズミをうち、少し成長すればキツネやウサギを射て食用としている。成人はみな力強く弓を引き、すべてが騎兵になる力量を備えている。生活は普段は牧畜にしたがい、鳥獣を狩りして生業としているが、ひとたび戦となれば、めいめいが戦術を習って進伐する。」

さらに、農耕民族と遊牧民族の違いについて、司馬遼太郎はその著「坂の上の雲」(57)で以下のように述べている。

「農の世界には有能無能のせちがらい価値基準はなく、ただ自然の摂理にさからわらず、暗がりに起き、日暮れて憩い、真夏には日照りのなかを除草するという、きまじめさと精励さだけが美徳であった。しかし、人間の集団には、狩猟社会というものもある。百人なら百人というものが、獲物の偵察、射手、勢子といったぐあいにそれぞれの部署で働き、それぞれが全体の一目標のために機能化し、そしてその組織をもっとも有効にうごかす者として指揮者があり、指揮者の参謀がいる。こういう社会では、人間の有能無能が問われた。軍隊がそれに似ている。世界史からみて、狩猟民族や遊牧民族が軍隊をつくることに熟達し、しばしば純農業地帯に侵入して征服王朝をつくったのは、かれらが組織をつくったり、その組織を機能化したりすることが、日常的に馴れていたからであった。」

このように社会的習慣と生業の基礎が農耕民族と根本的に違う遊牧騎馬民族は、しばしば、農耕異民族の領地に侵入し略奪を行った。しかし、このような記述はすべて農耕民族の側から見た記述であり、普段は普通の遊牧生活と農耕民との交換交易を行っていたと考えられる。

後の紀元前一世紀頃からローマと漢帝国で開始された交易がシルクロードとして歴史の中であまりにも有名であるために、それまでに遊牧騎馬民族が果たしてきた役割がほとんど歴史に登場することがなかった。しかし、彼らの存在なくして東西文明や文化の交流は考えられなかった。事実、彼ら自身の発明した青銅製のハミ（紀元前一三〇〇年～紀元前一二〇〇年頃）や、青銅器そのもの、また鉄器などは、彼らとの交易を通じて西から東に伝えられたのである。

(2) ラクダの隊商の始まり

ブライアン・フェイガン（前出24）によると、紀元前三〇〇〇年頃には、アフリカ、南西アジア、および中央アジアではラクダは絶滅の危機に陥っていた。誰が最初にラクダを家畜化したかは謎であるが、歴史学者のリチャード・ブリエットによると、アラビア南部沿岸の飛び地に暮らしていた狩猟集団が馴化（じゅんか）したのではないか、という。その時期は、およそ、紀元前二〇〇〇年から紀元前三〇〇〇年の間と考えられている。もちろんそれまでは肉としての狩猟対象であったが、家畜化するとラクダの乳が飲まれるようになり、いつ頃か駄獣としても使われるようになった。

周知のように、ラクダには、ヒトコブラクダとフタコブラクダがいる。今村薫[58]によると、アラビアのラクダはヒトコブラクダで、フタコブラクダは紀元前二五〇〇年頃、イラン北東部のホラーサーン地方の遊牧民によって家畜化された。①ヒトコブラクダは、体重四〇〇～六〇〇キログラムでより軽く細い。②フタコブラクダと比べ乳量は多いが毛は少ない。高温で乾燥した気候に適応しているが、マイナス零度の気温には耐えられない。③フタコブラクダは、体重四〇〇～九〇〇キログラムで大きく頑丈である。毛が長く、寒冷かつ乾燥した気候に適応している、とその特徴を述べている。また、駄獣としてのラクダの特徴として、ラクダは一日に一〇〇キロメートルも移動可能で、餌の量は馬の半分ですむ。また、ラクダは足裏にクッションがあり、しかも歩き方がソフトなので乗り物として快適な動物である、としている。

ラクダが駄獣として使われていた証拠として、エジプト第一王朝（紀元前三〇五〇年～紀元前二八九〇年）の遺跡から、石灰石でできたラクダの置物（座ったラクダが容器（軟膏あるいは化粧クリーム用）を背中に載せている）が出土している。また、同時代に、トルクメニスタンで曳き具（引き綱と轡(くつわ)）をつけたラクダのテラコッタが出土している。このことは、紀元前二〇〇〇年紀にはアラビアの香料交易が盛んになり、ラクダも交易に使われるようになったことを示している。香料とは、アラビア南部とソマリア沖のソコトラ島に自生するボスウェリア属の木からとれる芳香性の樹脂で乳香といわれる。エジプト、メソポタミア、南西アジアへ向けて、産地から船とラクダで乳香が運ばれた。紀元前一二〇〇年には、ヒトコブラクダの育種がアラビア半島の外でも行われるようになっていたが、効果的な荷鞍(にぐら)が考案されていなかったので、交易は限定的だった。

ここでも馬と同様、家畜化したもののそれを駄獣として利用するには、鞍(くら)の発明を待たねばならなかった。ヒトコブラクダ用の鞍は①ソマリ型、②南アラビア型、③北アラビア型、④トゥアレグ型、の四タイプある。今村薫(58)によるとそれらの特徴は、次のとおりである。

①　ソマリ型：二本の枝を交叉させたものを二組、ラクダの背に固定する。簡単に作れるが不安定である。

②　南アラビア型：紀元前一二〇〇年頃に考案された。コブの後半に詰め物を載せ腹帯で固定する。荷物は袋にいれてラクダの両側にぶら下げる。騎乗者はコブの後ろ側に座るので、操作は比較的難しくなる。この鞍は紀元前一〇世紀～紀元前五世紀に始まったラクダの軍事利用の時期と一致する。

③　北アラビア型：紀元前五世紀に考案された。コブをはさんで、一組の逆Y字型の木枠を固定する。この鞍に荷物を載せると重量が分散し、ラクダの体重の半分の重さまで荷物を載せることができる。騎乗する場合、安定性とラクダの操作性の両方にすぐれている。このことにより、砂漠地帯での戦争では、馬よりもラクダのほう

図表68　斉の首都「臨淄」の復元模型
（紀元前770年〜紀元前250年）（臨淄足玉博物館蔵）

が有利になった。

④　トゥアレグ型：比較的最近（紀元一〇〇〇年以降）、サハラ砂漠で発達した。鞍をコブの前に固定し、騎乗者はラクダの首に足を置いて、足でラクダを操作する。この鞍は主に騎乗用に考案されたが、コブの後半に荷物を載せることもできる。

フタコブラクダに乗る場合は、二つのコブの間に座るだけでよい。アブミをつける場合もある。軽い荷物はラクダの左右にぶら下げることができるが、このままでは重い荷物を載せることはできない。荷重がラクダの背骨の一カ所にだけかかるからである。そこで、紀元一〇〇〇年紀の後半に、積み荷用の鞍が考案された。この鞍は二本の木製のポールをラクダのコブの両側に沿わせて荷重を分散させる形のものである。このように、家畜化から駄獣として利用するようになるまで時間がかかったが、荷駄としてのラクダは次第にそれまでのロバの隊商に取って代わるようになった。荷駄としてのラクダは早くも紀元前八世紀には中国に伝わっている。**図表68**は春秋時代の斉の首都臨淄（りんし）の復元模型であるが、仔細に見るとフタコブラクダが商人に引かれているのがわかる。このようなラクダの東洋への伝播は騎馬と異なり、中央アジアに点在するオアシス農業都市を通じて伝播したと考えられるので、後に見るシルクロードは、細々ながら、すでに利用されていたと思われる。

(3) フェニキアの交易

では、海の交易はどうであっただろうか。この頃、地中海に興った海の商人フェニキアはそれまで東地中海を中心に活躍してきたミケーネを次第に圧迫し地中海を制覇するとともに、距離の遠近を問わず商船（帆船）（**図表69**）で

図表69　フェニキアの商船（250トン程度）
（文献33による）

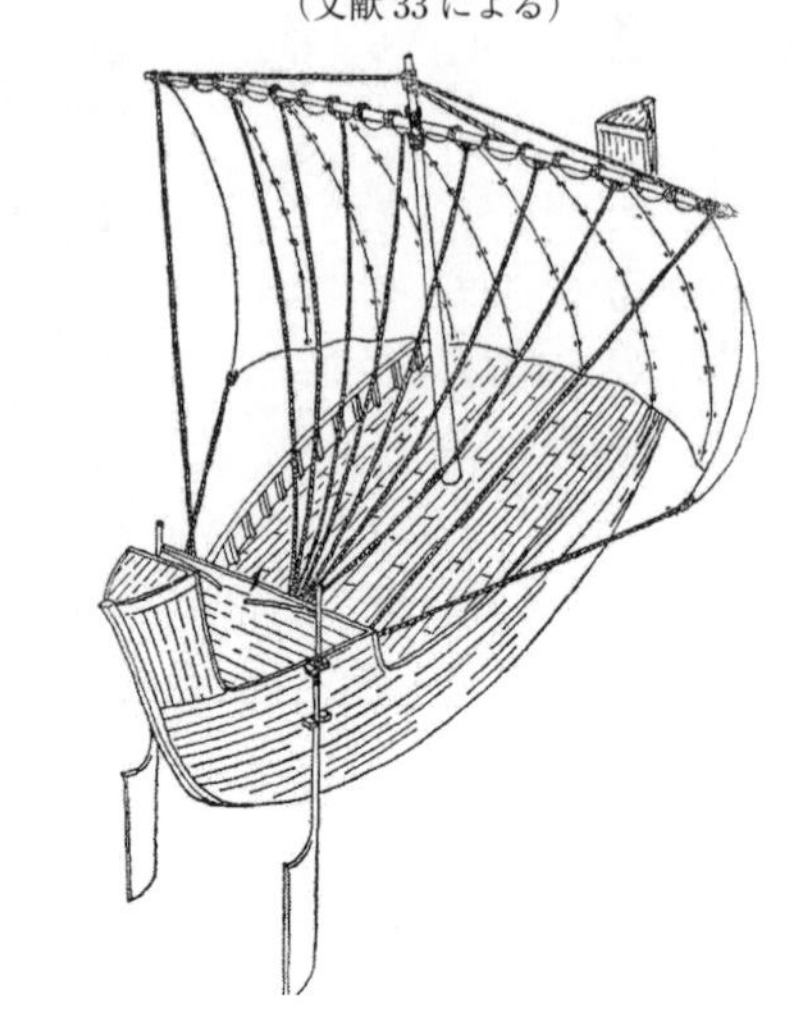

図表70　チュニジア銀貨に描かれた二段櫂帆船

大量の品を一度に運ぶようになった。チュニジアで発行された銀貨にも当時の二段櫂帆船が描かれているが（図表70）、これらの船も軍船用と同時に商船としても利用されていた。彼らは紀元前三〇〇〇年頃からアナトリアの重要な交易港としてすでに栄えていた都市エラムやビブロスに加え、シドン、ティルス、またアフリカ北海岸のカルタゴなどの植民地を建設し、これらを基地として全地中海交易を支配するようになった。旧約聖書「列王記九章」には当時のイスラエル王国のソロモン王について、以下のような内容が記述されている（カッコ内は筆者）。

「ソロモン王（在位紀元前九七一年～紀元前九三一年）は、エドムの地の葦の海（紅海のこと）の岸辺にあるエラテ（現在のイスラエル南端のエイラトで紅海に面している）に近いエツヨン・ゲベルに船団を設けた。この船団に、ヒラムは自分のしもべであり、海に詳しい水夫たちを、ソロモンのしもべたちといっしょに送り込んだ。彼らはオフィルへ行き、そこから、四二〇タラントの金を取って、これをソロモン王のもとに持って来た。」

この聖書の記述に出てくるオフィルの位置はクレンゲル[33]によると、紅海の南の出口付近にあたり、南アラビアの西岸か、あるいはまたその対岸にあたるアフリカの海岸あたり、と推定している。また、日本聖書協会による同「列王記十章」には、

「彼女（アラビア南部のシバ（シェバ）の女王）は百二〇タラントの金と、非常にたくさんのバルサム油と宝石とを王に贈った。シェバの女王がソロモン王に贈ったほどに多くのバルサム油は、二度とはいって来なかった。オフィ

ルから金を積んで来たヒラムの船団も、非常に多くの白檀の木材と宝石とを運んで来た。王はこの白檀の木材で、主の宮と王宮の柱を造り、歌うたいたちのために、立琴と十弦の琴を作った。今日まで、このような白檀の木材がはいって来たこともなく、だれもこのようなものを見たこともなかった。ソロモン王は、その豊かさに相応したものをシェバの女王に与えたが、それ以外にも、彼女が求めた物は何でもその望みのままに与えた。彼女は、家来たちを連れて、自分の国へ戻って行った。」

とあり、ティルスの商人（フェニキア人）がソロモンの船を操り海運業をしていたことがわかる。ヘロドトスの「歴史」によると、彼らは、ペルシャ帝国とギリシャの戦い（ペルシャ戦争）に戦艦を提供する代わりに商業上の保護を受け、東地中海や紅海だけでなく、彼らの植民都市カルタゴの船乗りたちは、西は「ヘラクレスの柱」と彼らが呼称していたジブラルタル海峡を出て遥かアフリカ西海岸やイギリスまで足を延ばしていた。また、長沢和俊の「海のシルクロード史」[59]によると、ソロモン王はアカバ湾のエジオン・ゲベルとエイラトに海港を開き、アラビア、アフリカのペレニス（ベンガジ）、さらにインドまで三年かけて往復し、チーク材、ゴム、香料などを交易品として持ち帰らせた、とある。

（4）帝国の出現と交易

紀元前五五〇年、アケメネス朝ペルシャのキュロス二世がメディア王国を倒して独立王国を樹立し、リディア、新バビロニアを滅ぼして幽囚されていたユダヤ人を故郷に開放したあと、その子のカンビュセス二世は紀元前五二五年にエジプトを征服、第三代のダリウス大王（ダレイオス一世）の時代には、東はインダス川より西はエーゲ海北岸、南はエジプトまでを含む大帝国に発展した。その間に置かれた首都は、スーサ、ペルセポリス、パサルガダエ、エクバタナであったが、ダリウス大王は軍隊の移動と征服地の動静をいち早く知らせるために、紀元前五〇〇年頃、「王の道」という、スーサからサルデスに至るおよそ二四〇〇キロメートルにわたる道路を整備している。王の道には二〇～三〇キロメートルごとに、合計一一一もの宿駅が設けられ、馬や食料が備えられていた。宿ごとに待機した郵便夫が書状をリレー方式で中継し、スーサからサルデスまで六日～八日で伝えた（普通人は三カ月かかった）。ダリウス大王は陸路だけでなく、スキュラクス（ギリシャ人）を派遣して、インダス河口から紅海までを探検させると同時に、ナイル川～紅海間の運河を開発し、地中海とインド洋を結び付けた。インド探検については、後にギリシャのヘロドトスが「歴史」[前出55]に残した記述によると、次のとおりである。

「アジアについてはダレイオスによって多くの発見がなされた。ダレイオスは、世界の河川中、ナイル河を除いては、鰐の生息する唯一であるインダス河が、どの地点で海に注ぐかを知りたいと思い、かれが真実の報告を期待（筆者：信用）できると考えた者たちを船で派遣したのであったが、一行の中で特に注目すべきはカリュアンダ（小アジアのカリア沿岸の町）の人スキュラクスであった。一行はバクテュイアの国の町カスバテュロス（現アフガニスタンのカーブル）を出発し、河を東に下って海に達し、海（アラビア海）を渡って西に進み三十か月目に、私が先に述べたようにエジプト王がリビア（アフリカ）周航のためフェニキア人を出発させた地点（スエズ湾）に着いたのである。この一行が周航を成し遂げた後、ダレイオスはインド人を征服し、この海路を利用したのである。」

こうしてペルシャには、香辛料をはじめ、インドからの物資が盛んに流入した。後に、このペルシャを滅亡に追い込んだアレクサンドロス大王も、陸路だけでなく、海路を通じても、地中海～インド間の交通路を開発した。配下の武将ネアルコスにインダス河口からペルシャ湾を通って、メソポタミア河口までを探検させたという史実は、太古からシュメール国家がペルシャ湾を利用してインダス文明と交易した沿岸ルートの再確認であったろう。

ところで、アケメネス朝ペルシャが地中海に進出したときに、それまで地中海に覇をとげていたフェニキアやギリシャの商業都市はどのように対応したであろうか。フェニキアはアナトリアの沿岸都市であり、巨大なペルシャ軍には抗すべくもなく服従して、毎年の貢納を約束した。フェニキアと異なり、ギリシャは本来から農耕民であり、本市の人口増加に対応して、その土地の狭さから農耕植民地を地中海・黒海沿岸域に建設し大量のギリシャ人が移住した。農耕植民地は本国都市への貴重な穀物の輸入先でもあった。アテネの場合、見返りにオリーブ油や陶器を輸出した。

一方、植民先の異民族（バルバロイ）は現地での農耕奴隷とされるか、あるいは本国の都市へ奴隷として売られた。この結果、紀元前五世紀～紀元前四世紀のアテネ型ポリスでは、この種の売買奴隷制が著しく発展した。雨宮[60]によると当時のアテネの人口の三分の一は奴隷であったという。弓削達編の「地中海世界」[61]にも同様の記述があり、市民団内部の支配＝隷属関係がほぼ消滅したこの時期のギリシャ・ポリスでは「奴隷とはなによりもまずバルバロイであった」と述べられている。

このように、当時のギリシャの奴隷市場（**図表71**）は、以前からの債務奴隷を含めて大いに発展していた。当時の奴隷がどのような地位であったかを推し測る上で参考になる資料として雨宮[60]によって示されたのが、**図表72**である。これは当時の東西（中国春秋時代とアテネ）の物価を比較するために示されたデータである。これによると、穀物の物価は双方それほどの開きはないが、奴隷は中国が圧倒的に高く（約二・六倍）、反面、馬は中国の方が安い（約三

図表71　ギリシャの奴隷市場
（ギュスターヴ・ブーランジェ作、エルミタージュ美術館蔵）

図表72　紀元前500年頃の東西の商品と物価
（文献60による）

		中国：銭	アテネ：ドラクマ（D）
5人家族の年収		10,000	300
住宅		10,000（303D）	3,000
	相応労働月額	10カ月	100カ月
奴隷		15,000（454D）	174
	相応労働月額	15カ月	5.8カ月
穀物（リットル当たり）		5（0.15D）	0.12
	相応労働月額	0.005カ月	0.004カ月
酒またはワイン（リットル当たり）		10（0.3D）	0.2
	相応労働月額	0.01カ月	0.007カ月
牛		2,750（83.3D）	51
	相応労働月額	2.75カ月	1.7カ月
馬		4,500（135D）	408
	相応労働月額	4.5カ月	13.6カ月
羊		1,000（30.3D）	15
	相応労働月額	1カ月	0.5カ月

分の一）。その理由は先に触れたように、ギリシャでの奴隷供給が豊富だったのに反し、中国では奴隷供給は少なったことが伺える。一方、馬の方は中国では、周囲の遊牧騎馬民族からの供給が多かったのに対し、ギリシャでは馬の入手が困難であったことがわかる。

また、第Ⅳ章（3）で触れたように、アテネの外港ピレウス港では、船台、碇泊架と修理ドック、商品のための倉庫、銀行家や実業家が十分揃っている取引所、デイグマすなわち見本による販売市場などを利用できた。ピレウス港はこのように整備されてはいたが、大型船が頻繁に来る今日の大港湾のような様子を想像することは間違いで、アテネすなわちアッティカ地方はせいぜい四〇万の人口（アテナイ人、混血人、解放奴隷、奴隷）しか持っていなかった。その結果、外国貿易に依存して穀物の糧食を得るのは市内と港の人々だけで、当時としては重要ではあったものの、アテネの海上貿易の量は絶対値で見ると比較的小さなものであった。ピレウス港にはアテネの船というよりは、他の諸国からの船の来訪の方が多かった。では、ギリシャはどんな船を利用したのであろうか。先に、フェニキアの商船（帆船）について触れたが、ギリシャの船も同じ形態であった。ジャン・ルージェ（前出49）によると、ギリシャも帆船（丸い船：商船）と漕船を所有しており、風と潮流が厳しいボスポラス海峡には、黒海へ商船を安全に導くために、同海峡の基地に三段櫂船の艦隊を常備していたという。また、沿岸航行には櫂と帆の複合推進船が利用されていた。

また、船を操船する人たちとして、

① クベルネテス（kuberunetes）と呼ばれる舵取りで、実質的な航海長でもあり船長でもある。

② プロレウテ（proreute）と呼ばれる船首係で、帆走時の見張りと誘導を受け持ち、クベルネテスに何か起これば船長の代役を務めた。

③ ケレウステ（kereuste）と呼ばれる乗組員の長で、複合推進船では漕ぎ手に調子を与え、帆船にあっては帆の操作を指揮した。

を挙げている。

さて、このようなギリシャの船で海洋通商を担うのはどのような人々であったただろうか。これについては、ジャン・ルージェ（前出49）の記述を要約すると、次のとおりである。

① エンポロス（emporos）という語義はもともと商人を意味していた。後に、海洋商人だけを指す意味になった。
② このエンポロスから、商業をする場所を意味するエンポリオンという単語ができた。
③ エンポリア（emporia）もまた海洋通商活動を指すに至った。
④ 海洋商人を指すエンポロスという語はすでにヘシオドス（紀元前七〇〇年頃の抒情詩人）に現れており、船の一部（スペース）を賃貸して、そこに商品を積み、自らその商品に付き添っていく者を意味している。彼はその商品をある港で売り、その港で新しい積み荷を買い入れ、他所へ行ってそれを売り、出発地点に帰るというわけではなく、あらゆる品目を少しずつ売る。彼にとって唯一の問題は、航海シーズンの短い期間に能うかぎりの最大の商いを成し遂げるということである。この制度の利点は、通貨交換という問題を最もエレガントに解決した。
⑤ ナウクレロスという単語は、しばしば船主と翻訳される。しかしこの翻訳は実際を考慮していないという誤りを犯している。他方、ナウクレロスとエンポロスの非常に緊密な提携ぶりは、それだけで（他に認識材料がないとしても）ナウクレロスもまた商業活動に加わっていたということを示している。
⑥ クベルネテス（kuberunetes）という語は、船長を意味する。なぜなら、船長と船主という二つの役割を持っている彼は、使い古された表現を借りれば、船上で神の次に位するものであるからだ。彼は裁判をする。彼は、危機の場合には、必要とみなすなら積荷投棄に移る決定をする。しかし、同じ人物が同時に船主であること、すなわちナウクレロスであると同時にクベルネテスであることが可能であるということは、明らかである。

ここに記述されているように、ギリシャの当初の船主商人だけでなく、時が経つと、単なる船主、単なる船長、単なる商人と、次第に分化が進み多くの者が海上交易にかかわるようになった。

さて、ギリシャのポリスはペルシャとの戦いに疲れ、やがて同盟内での分裂が始まった。紀元前三三六年、ペルシャとギリシャの対立が長く続く中、マケドニアのフィリッポス二世がギリシャを統一、その跡を継いだアレクサンドロス大王はマケドニア・ギリシャ連合軍を率い、小アジア、フェニキア、エジプトをはじめペルシャをも倒し、遥かヒンズークシ山脈を越えてバクトリア、さらにはインド西北部まで征服した。アレクサンドロスは征服の途上であったバビロニアで前三二三年に熱病で死んだ。しかし、この大王は、遠征先の各地に都市アレクサンドリアを築き、ギリ

図表73（1）　当時のアレクサンドリア市
（文献63による）

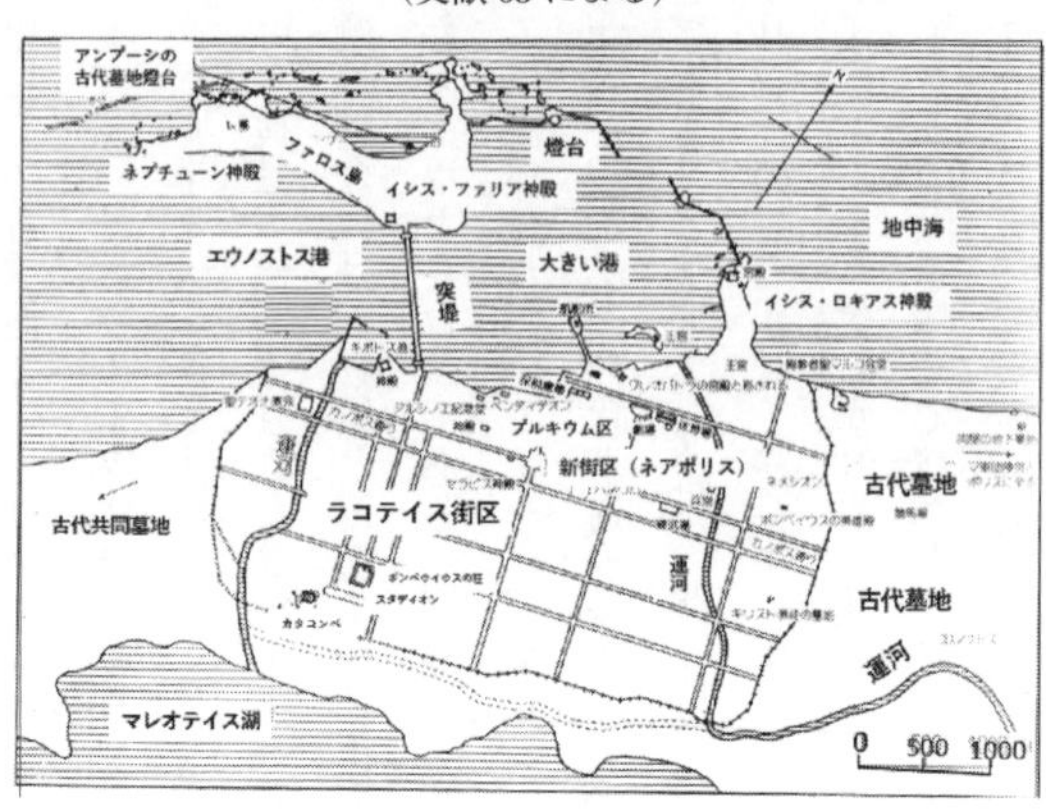

図表73（2）　当時のアレクサンドリア港ファロスの塔想像図
（Emad Victor SHENOUDA 作）

シャ人を住まわせて現地人と結婚させることで、ギリシャ文明を拡散させた。彼の死後も、各地に駐屯する彼の武将たちは、シリアからペルシャにかけてセレウコス朝を、エジプトにはプトレマイオス朝を建国した。セレウコス朝はその後、シリアと旧ペルシャと北部インドに分裂したが、旧ペルシャ領域にはイラン人によるパルチア（安息国）が、インド西北部はギリシャ人の王朝バクトリアが引き継ぐことになる。ここで注意しておきたいのは、多くのギリシャ人がバクトリア国に住み着き、後のインド洋航海にインド人として活躍する要因となったことである。

さらに、とりわけ、アレクサンドロス大王が建設させ、プトレマイオス朝に引き継がれたエジプト・ナイル河口のアレクサンドリア（**図表73**）はその後、プトレマイオス朝の外港としてだけではなく、ローマ時代には人口一〇〇万人を超え、当時の世界最大の都市に発展した。樺山紘一はその著「地中海」[62]でアレクサンドリア港について以下のように紹介している。

「古代ギリシャの地理学者ストラボンが伝えるところでは、ファロス島は大陸に近い、細長の島である。その突端の岩は四周から波に洗われるが、そこにファロスという名の塔がたっている。白い大理石でできた何階もの素晴らしい建物がある。（中略）いまひとつの証言は、アラブ世界の地理学者イブン・ジュバイルが一一世紀にここを訪れて、書き残したものによると、『この町の奇跡のうちでは、ファロスの名をあげておこう。神が専任の者を使わして、この建物がおよそ真理を追究する人間たちの徴しとなるように、また旅人にとって目印となるようにさせた。』実際、これなしでは、アレクサンドリアへたどり着くことが、不可能である。ファロスは五〇マイル以上も彼方から見ることができる。」

このように、現在では地震によって崩壊したとみられているアレクサンドリア港の灯台は「世界の七不思議」の一つとして語りつがれている。このアレクサンドリアはその後、ローマへの穀物輸出基地として東地中海の玄関として物流の中心地となっただけでなく、その図書館にはギリシャ時代からの書籍が集められ当時の地中海世界の学問の大中心地としても栄えた。アレクサンドリアは現在でもカイロに次ぐエジプトの大港湾都市で人口は四〇〇万人を越えて繁栄している。

(5) カルタゴの繁栄と交易

ギリシャ〜オリエントでこのような動きがあった中、西地中海交易を独占していたのはフェニキアの植民地として建設されたカルタゴであった。カルタゴは紀元前八一四年建国とされているが確かではない。アッシリアに続いてアケメネス朝ペルシャが勃興してくると、それまで東地中海を中心に活躍していたギリシャやフェニキア都市は次第に圧迫を受け、その交易権を譲らなければならなかったの対し、西地中海で主に活動していたカルタゴはむしろ繁栄の道を歩み出していた。カルタゴにとってはギリシャ人や新興ローマ人の西ヨーロッパへの進出を阻止することが生き延びる唯一の道であった。彼らは、ギリシャやローマが進出して来ないように、ジブラルタル海峡を「ヘラクレスの柱」と呼称して、その向こう（大西洋）は恐ろしい怪獣が出る、と脅していた。カルタゴは、紀元前四五〇年頃、大西洋に出てイベリア半島の海岸沿いに北上し、遠くイングランドの錫の産地コーンウォルに至る航海や、紀元前四二五年頃モロッコを経由してセネガルまで至り黄金を持って帰った。この黄金交易に関して、松平千秋[55]によると、ヘロドトスは「歴史」の中で以下のように述べているという。

図表74　カルタのゴイメージ図

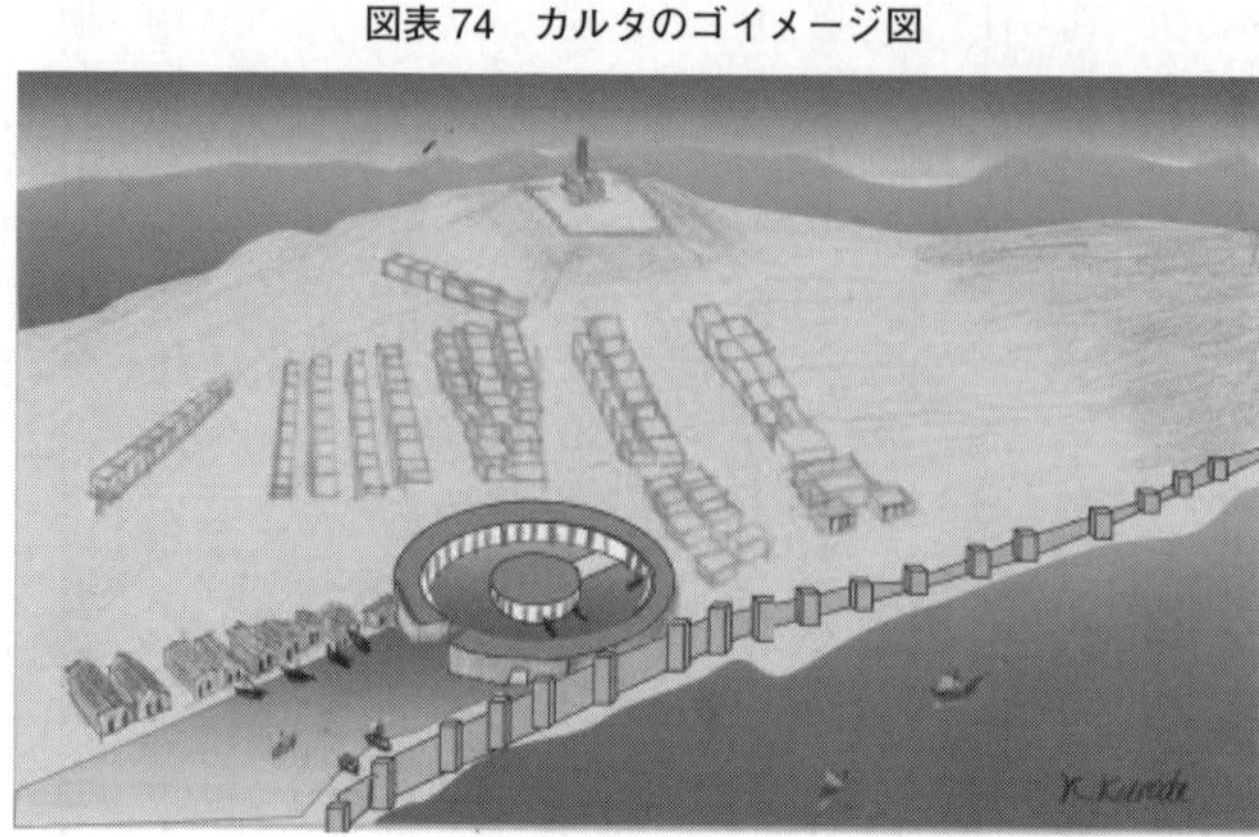

「カルタゴ人には次のようなこともある。ヘラクレスの柱以遠の地に、あるリビア人の住む国があり、カルタゴ人はこの国に着いて積荷を下すと、これを波打ち際に並べて船に帰り、狼煙を上げる。土地の住民は煙を見ると海岸へきて、商品の代金として黄金を置き、そして商品の並べてある場所から遠くへ下がる。するとカルタゴ人は下船してそれを調べ、黄金の額が商品の価値に釣り合うとみれば、黄金を取って立ち去る。釣合わぬ時には、再び乗船して待機していると、住民が寄ってきて黄金を追加し、カルタゴ人は納得するまでこういうことを続ける。双方とも相手に不正なことは決して行わず、カルタゴ人は黄金の額が商品の価値に等しくなるまでは、黄金に手を触れず、住民もカルタゴ人が黄金を取るまでは、商品に手を付けないという。」

　これは明らかに第Ⅳ章（1）で述べたグリァスンの交易形態分類の一つ「沈黙交易」の基礎になった例と思われる。こうして西地中海を支配していたカルタゴは、すでに触れたように、紀元前一四六年、ついに新興勢力ローマ帝国に滅ぼされた。カルタゴの扱う輸出貿易品は、織物、金属器具、陶器、オリーブ油、ブドウ酒などで、一方、輸入品はサルディニアの小麦、シチリアのブドウ酒、油、西モロッコの魚、内陸アフリカの奴隷、ゾウ、ダチョウの羽や卵、毛皮、宝石、黄金、そして南スペインの銀やコーンウォルの錫であった。これらの輸出入品はカルタゴ内部の生産・消費というよりは西地中海と東地中海との中継貿易向けであったという。カルタゴはその後、ローマ属州のアフリカの植民地として再建され（**図表74**）、最大で人口は二〇万人に膨れ上がり、アレクサンドリアとともにローマの食糧補給の大半を受け持つことになった。

　アジアの西でこのような動きがあった中で、インド・中国にも同様の帝国が成立した。インドではアレクサンドロス大王の遠征を受けて混乱したが、紀元前四世紀後半に、チャンドラ・グプタがインド南部を除く全地域を統一し、マウリヤ朝を建国した。マウリヤ朝は国内のインフラ整備に著しい努力を払った。当時、水運はもちろん重要なものであったが、カウティリヤの献策もあって陸上交通網の整備が推し進められた。ギリシャ人の記録によれば、初代チャンドラ・グプタの時代には王の道（ホドス・バシリケ Hodos basilike）が整えられ、駅亭が多数設けられるとともに一定区間ごとに距離と分岐路の情報を記した柱が立てられたという。アショカ王時代には道に沿って並木を植え、一定区間ごとに給水所と休憩所を設けたことを自身の碑文で謳っている。また彼の記録によって、彼以前の王たちも交通網の整備を一つの義務として熱心に推し進めていたことが知られる。こうした交通網の整備（**図表75**）は、当然、商業の隆盛を喚起したと考えられる。また、対外貿易を含めた商品のやり取りは確かに活発であり、部分的ながら貨幣経済もすでに定着していたし、遠くオリエントまでインド商人の活動範囲は広がっており、仏教教団は各地の富豪と深く結びついていた。武器を作る職人や船大工は免税特権を持ち、国家からの俸給を受けていたと記録されている。

図表75　道路網と産物（紀元前317年）
（文献36による）

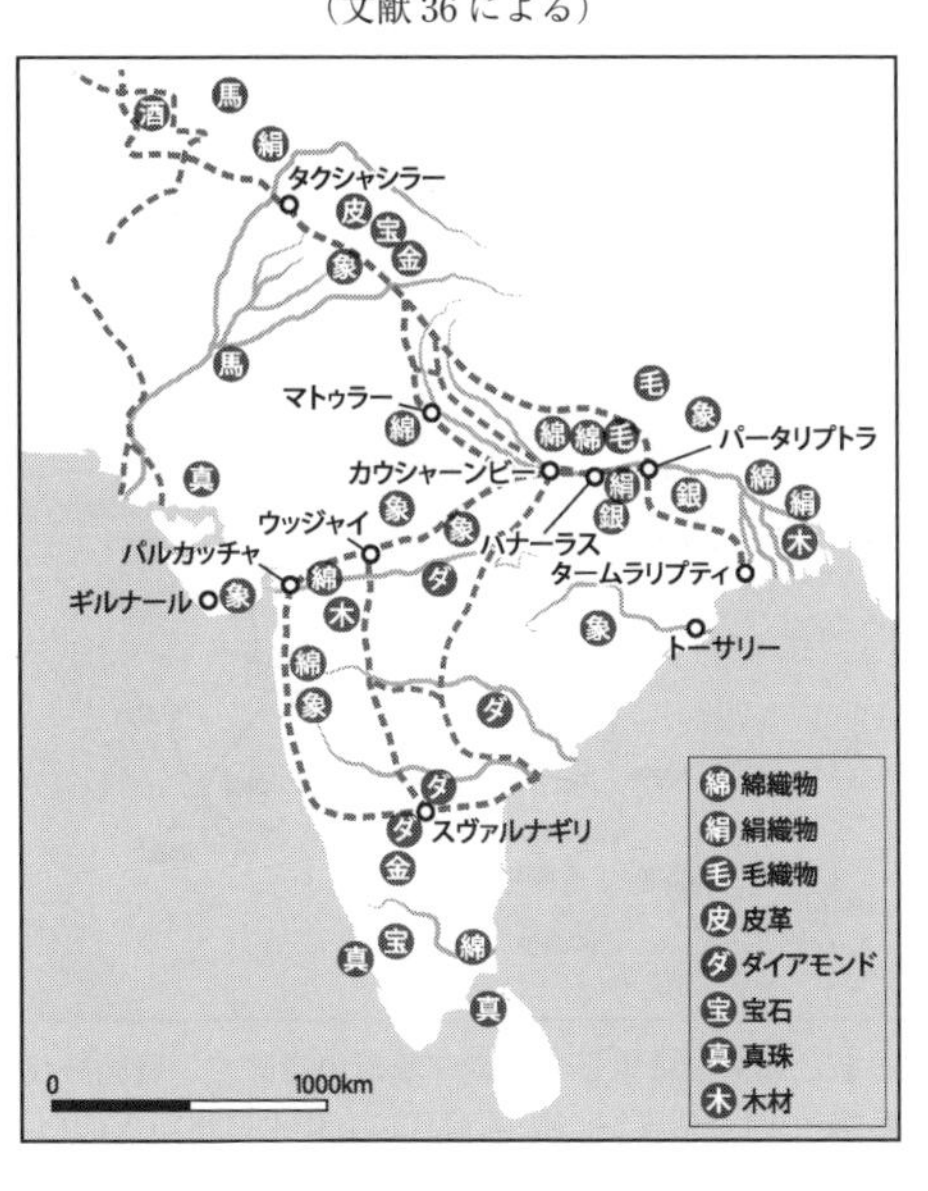

この時期、中国では、戦国七雄の一つ、秦が他の六国を滅ぼして中国で最初の統一王朝を誕生させた。紀元前三世紀の中頃であった。秦の始皇帝政の父親ともいわれている呂不韋は韓の陽翟の商人で、各都市を広く回って商いを営んでいたといわれているように、西域のオアシス都市とも交易し玉などを扱っていた。始皇帝は郡県制を導入して中央集権化を図るとともに、文字を隷書体に統一し、度量衡や車軌（ゲージ）も統一した。そして、全国の物流と、自身の巡察用に大規模な全国道路ネットワーク（馳道（ちどう））を整備した（**図表76**）。来村多加史[56]によると、

「始皇帝が全国に敷設させた道を馳道という。首都の

図表 76　秦の馳道
（文献 64 による）

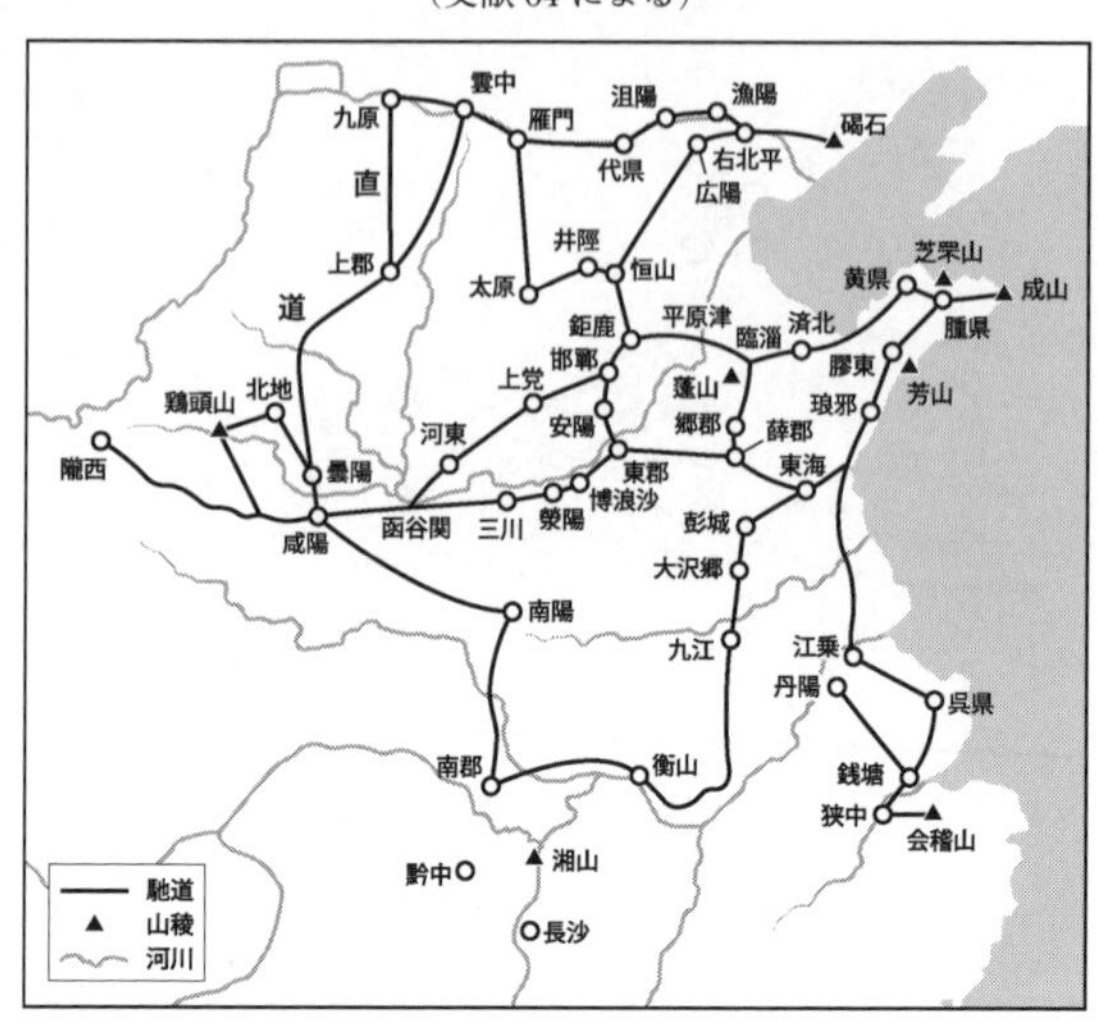

中国の駅伝の駅は馬、伝は車を乗り継ぐ場所の意味で、戦国時代に始まり、秦・漢帝国で発達し、隋・唐時代にも盛んに用いられた。中国を征服し、ユーラシアに広大な支配権を確立したモンゴル帝国（元）では、ジャムチ（站赤）といわれる駅伝制が発達した。

咸陽から四方へ向けて敷設された同規格の道路である。道幅は七〇メートルと定められ、中央には両側を壁で仕切られた天子道が通されていた。できるかぎり平坦になるよう、山は削られ、谷は埋められ、路面は金槌をもってつき固められた。戦国時代まで使用されていた自然発生的な街道に比べ、進みよさと交通量には格段の差があったものと思われる。また、路傍には七メートルおきに松が植えられ、景観と環境に対する配慮もなされていたという。」

とある。ここに記されているように、軍糧の輸送や天子の移動時には制限されたとしても、馳道は必ずしも一般の車両や人が利用してはならないことではなかった。また、秦の始皇帝は紀元前二一四年に広州近郊に進出し、南海、桂林、象の三郡を設置し南海貿易のきっかけを作った。

始皇帝の死後、われわれがよく知っている劉邦が項羽と戦って後の漢帝国を樹立したが、劉邦軍の武将韓信が北方制圧に向かったとき、この馳道を利用して軍のための物資輸送や軍隊移動に利用した場面がしばしば「項羽と劉邦」を描いた諸作家の小説にも登場する。

また、司馬遷「淮南衡山列伝」『史記』巻百十八によると、

又使徐福入海求神異物、還為偽辭曰：「臣見海中大神、言曰：「汝西皇之使邪？」臣答曰：「然。」「汝何求？」曰：「願請延年益壽藥。」神曰：「汝秦王之禮薄、得觀而不得取。」即從臣東南至蓬莱山、見芝成宮闕、有使者銅色而龍形、光上照天。於是臣再拜問曰：「宜何資以獻？」海神曰：「以令名男子若振女與百工之事、即得之矣。」秦皇帝大説、

図表 77　春秋戦国時代の軍船のイメージ図

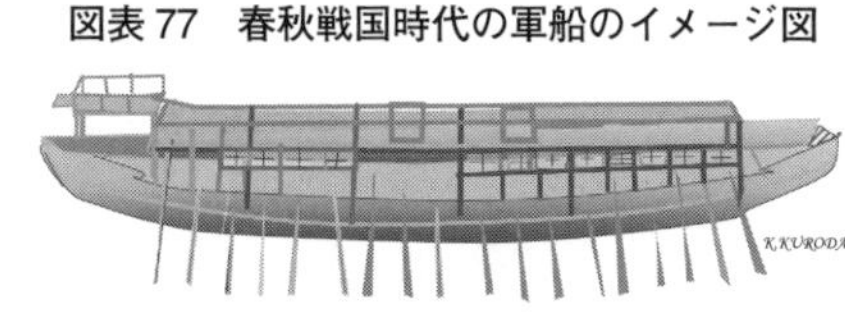

遣振男女三千人、資之五穀種種百工而行。徐福得平原廣澤、止王不來。とある。これを訳すと、方士（巫術士）である徐福は、秦の始皇帝に、東方の蓬萊山に長生不老の霊薬がある、と具申し始皇帝の命を受け、三〇〇〇人の童男童女と百工を従え、財宝と財産、五穀の種を持って東方に船出したものの蓬萊山には至らず、平原広沢を得て王となり、秦には戻らなかった、となる。この記述によると秦代にすでに外洋航海に耐える船が造られていたようにも思えるが、あくまで伝説の域を出ない。とはいえ、北京海洋博物館に展示されている当時の軍船模型を見るともっぱら河川での利用であったと思われるが、晴天時では沿岸海洋航海ができたであろうと想像されるし、河川舟運を利用した交易も行われていたと思われる（**図表77**）。また、秦の始皇帝は春秋時代に地方ごとにしか流通していなかった貨幣を「半両銭」に統一し広域取引を発達させた。本節で取り扱ったように、紀元前一〇〇〇年紀にはユーラシアの東西で帝国が成立し、地中海世界と東アジア世界がいつ本格的な交易を開始しても不思議ではない条件が整ってきた。また、先に触れたが、秦の始皇帝は紀元前二一四年に、広州近郊に進出し、南海、桂林、象の三郡を設置し南海貿易にも乗り出した。当時、広州はすでに、東南アジアからの象牙や犀角、カワセミ羽、真珠、翡翠製品、その他多くの豪華な貿易品がもたらされる地として知られていた。

5・7　第六次輸送革命：シルクロードの夜明けとインド洋航路の発見（紀元前100年頃～紀元600年頃）

第六次輸送革命とは、地中海世界とインド世界と中国世界が、細々ではあるが、オアシス都市を結ぶラクダの隊商とインド洋航路（アラビア海と東西インド洋）と南シナ海航路を経由して直接の結びつきが開始された東西輸送革命のことを指す。この頃、東西海上貿易の中継都市としてインドシナ半島に林邑（チャンパ、後に占城）や扶南のオケオといった港市国家が誕生した。

この時期、東西交易の歴史は大きく二期に分かれる。前半はローマ～パルチア～漢の時代、後半はローマが東西に分裂し、西ローマが滅亡した後の東ローマ～ササン朝ペルシャ～魏晋南北朝・隋の時代である。

この頃、地中海世界では、アレクサンドロス大王の死によってその帝国は、マケドニア、プトレマイオス朝（エジプト）、セレウコス朝（シリアとパルチア）に分裂したが、さかのぼること紀元前六世紀頃に共和制を敷いたローマ（大秦国）は、アレクサンドロス大王の死後、紀元前三世紀には全イタリアを統一した。

紀元前100年頃～紀元600年頃の交易圏

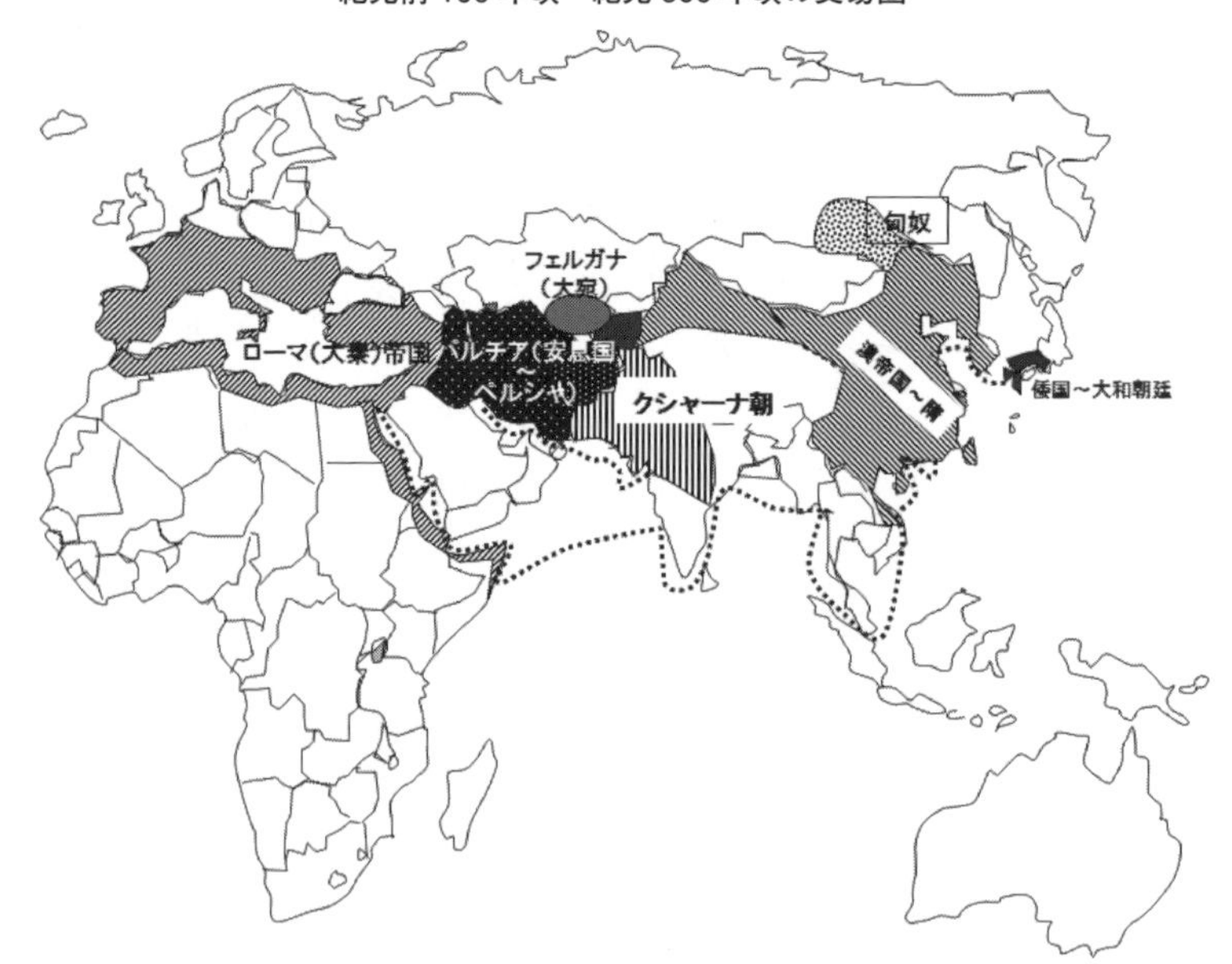

その後、紀元前二世紀初頭にはマケドニア、ギリシャ、小アジア（現トルコ）、ペルガモンを征服し、やがて、イスパニア、ガリア、トラキア、ダキア、アルメニアと黒海周辺を領土化し、同時に北アフリカのエジプト、キレナイカ、ヌミディア、マウレタニアと地中海世界を支配する大帝国になった。その途上、それまで地中海を支配していたカルタゴと三度にわたるポエニ戦争に勝利し、彼らがいう「われらが海」として地中海世界の覇者となった。彼らは征服地を属州として支配し、イタリア諸都市には従軍義務のみ負わせ、属州には従軍義務と過酷な納税義務をも負わせた。紀元前三一年、プトレマイオス朝のクレオパトラと組んだアントニウスをアクチウムの戦いで破ったオクタヴィアヌスは元老院からアウグスツス（尊厳者）の称号を贈られ帝政を始めることとなった。彼は行政機構を改革するとともに「パックスロマーナ」の時代を築きローマ繁栄の基礎を固めた。帝国の首都ローマをはじめ属州は奴隷制の上で成り立っていた。そのため多くの内乱が発生した。三三〇年にはコンスタンチヌス帝が反乱を抑えるとともに、首都をローマからコンスタンチノープルに移した。彼は東地中海で広がったキリスト教を承認し、以後、キリスト教はローマの国教として、ローマ帝国の領土の拡大とともに西洋に広がっていった。やがて三世紀末から始まった地球寒冷化によって再び大規模な民族移動が始まった。東の草原にいた遊牧騎馬民族であるフン族の西への大移動によって追われたゲルマン民族が大挙西ローマに流れ込み、四七六年に西ローマは流入したゲルマンの一派ゴート族の支配下に入り歴史から消え去った。とはいえ、コンスタンチノープルに首都を置く東ローマは、その後の地中海世界の覇者として、そして後述するシルクロードの終着駅として繁栄を続けた。

西アジア東部では、アレクサンドロス大王の死後、中央アジアのアム川流域で自立したギリシャ人植民国家バクトリア王国や、旧ペルシャではイラン系遊牧民によるパルチア（安息国）が勢力を拡大した（後掲図表81）。やがてアルダシール一世がパルチアを滅ぼしササン朝ペルシャを建国し、東西に分裂（三九五年）していた東ローマ帝国と衝突を繰り返すことになる。ササン朝ペルシャは建国当初は、東方交易を重視し、まずペルシャ湾の制圧をめざしインド洋への出口であるアラビア半島東海岸やオマーン半島を抑えた。これにより東方交易の海上ルートが塞がれた東ローマ（ビザンチン）帝国は紅海ルートに頼らざるをえなくなった。そのため東ローマはメッカのクライッシュ族に交易特権を与えたり、エチオピアのアクスム王国と提携したりする。これに対抗してササン朝ペルシャのホスロー一世（五三一年〜五七九年）は八隻の軍船と八〇〇人のイラン系移住者を派遣して、イエメン地方を制圧した。これ以降ローマ人のインド洋貿易は途絶えてしまった。この間、アラビアのメッカ商人は東方貿易で富を蓄えたがメッカでは貧富の格差が広がり、やがて来るイスラム教の宗祖ムハンムド（マホメット）が誕生する基礎を作った。

インドでは北方遊牧騎馬民族が南下しバクトリア王国を滅ぼした。このスキタイ・サカ系民族から、一世紀中頃にクシャーナ朝が興り、アフガニスタン全域、タリム盆地西部、西北インドを支配下に収めて繁栄を極めた。クシャーナ朝繁栄の基礎は、遊牧騎馬民族の軍事力と、東西だけでなく南北にまたがる国際交易の利益にあった。その繁栄の証拠は、この地方から出土したローマングラス、ローマ風の青銅彫刻、ローマやパルチアの金貨や銀貨、インドの象牙細工、中国の漆器や青銅器を見てもわかる。クシャーナ朝最盛期のカニシカ王（一四四年〜一七〇年）は熱心な仏教徒であったが、ペルシャのゾロアスター教やインド古来のバラモン教から派生したジャイナ教も保護した。やがて三二〇年頃、チャンドラ・グプタ一世によってクシャーナ朝とアーンドラ朝が滅ぼされ新たにグプタ朝が誕生した。

一方、中国では秦が倒れた後、劉邦によって長安を都とする大帝国の漢が建国（紀元前二〇六年）された。この頃、冒頓単于（ぼくとつぜんう）に率いられた遊牧騎馬民族「匈奴」が全モンゴルを統一し、「西域諸国」を支配下に収め、東西貿易の利益を独占することになった。西域諸国とは、中国からの視点で名づけられたオアシス都市国家群で、大宛（フェルガナ）、大夏（トハラ）、康居、大月氏などを意味した。匈奴はしばしば漢に侵入し略奪を働いた。漢の高祖（劉邦）は討伐に向かうが、逆に大同で大敗し、毎年多額の貢物を贈ることで和睦した。その後、武帝（紀元前一四一年〜紀元前八七年）の時代になり、匈奴に追われた西方の大月氏と提携して匈奴を挟撃するために張騫を使者として派遣したが、張騫は出国後すぐ匈奴に捕まり幽囚生活を送りながら脱出の機会を狙っていた。やがて数年後、脱出に成功し大月氏にたどり着いたが、東西貿易で繁栄していた大月氏は戦争を好まず張騫の使命は果たせなかった。この間、武帝は張騫の帰国を待ちきれず、衛青や公主の息子の霍去病（かくきょへい）に匈奴を攻撃させてモンゴルの奥地に追いやった。やがて張騫は出国してから一三年目にしてようやく漢に戻り、烏孫・大宛（フェルガナ）・康居・大夏（トハラ）・大月氏さらにその西の安息国（パルチア）など西域諸国の事情を報告した。この報告によって武帝は烏孫と同盟するとともに、名馬（汗血馬といわれた）を求めて大宛に遠征し西域諸国を服属させ、西域都護府を設置し軍隊を常駐させた。武帝の軍事進攻は単なる武力制圧だけでなく、新しい征服地には徴兵された兵士を改めて送り込み、田卒（屯田兵）や河渠卒が農耕地を造成し、烽塁を連ねた陣地で戍卒に開拓地の防衛にあたらせ、やがて内地から何十万、何百万の人々を移住させた。こうして河西四郡（武威・酒泉・張掖・敦煌）等々の諸郡が新設された。このような経緯から西域とパルチアを通じて陸上のオアシスルートができあがった（**図表78**）。図からわかるように、このオアシスルートは華中と西域を結ぶだけでなく、インドの内陸部ともつながっており、図表75に示したインド内部の道路網を経て現在のコルカタ（カルカッタ）やパキスタンのカラチなどの東西インド洋に面する港とつながっていた。また、海上ルートについては、漢書地理誌（班固著：三二年～九二年）に以下の記述がある[65]。

「自日南障塞徐聞合浦船行可五月有都元國　又船行可四月有邑盧沒國　又船行可二十餘日有諶離國　歩行可十餘日有夫甘都盧國　自夫甘都盧國船行二月餘有黄支國　民俗略與珠厓相類　其州廣大戸口多　多異物　自武帝㠯來皆獻見」

これを訳すと、次のとおりである。

「日南、障塞、徐聞、合浦から船でおよそ五カ月行くと都元国がある。また船で四カ月ほど行くと邑盧沒国がある。また船で二十余日ほど行くと諶離国がある。歩いて十余日ほど行くと夫甘都盧国がある。夫甘都盧国から船で二カ月あまりで黄支国がある。風俗はほとんど儋耳・朱崖と同じようなものである。その島は広大で、戸数が多く、変わったものが多い。武帝より以来、皆、貢いで姿を見せている。」

黄支国とは図表78に示したように、インド東海岸のカーンチープラムのことである。このように、すでに、前漢の時代に中国と東南アジア、南インドの間で海上交易があったことが伺える。後に述べるローマからの使節はこのようなルートを利用したと思われる。

紀元前一〇八年に武帝は朝鮮にも出兵して衛氏朝鮮を服属させて楽浪郡等四郡を設置して直轄領にするとともに、南方にも進出して南越・閩越両王国をはじめ西南諸民族を服従させてベトナムの地に交趾・九真におよぶ九郡を置いて支配した。武帝は度重なる軍の遠征による財政悪化に対応するため、塩や鉄を専売制にし、均輸法や平準法を導入した。均輸法とは、地方に均輸官を設置して、物品の購入と中央への物資輸送を担当させた制度をいう。いわば、国

図表78　漢の武帝時代のアジア（文献37による）

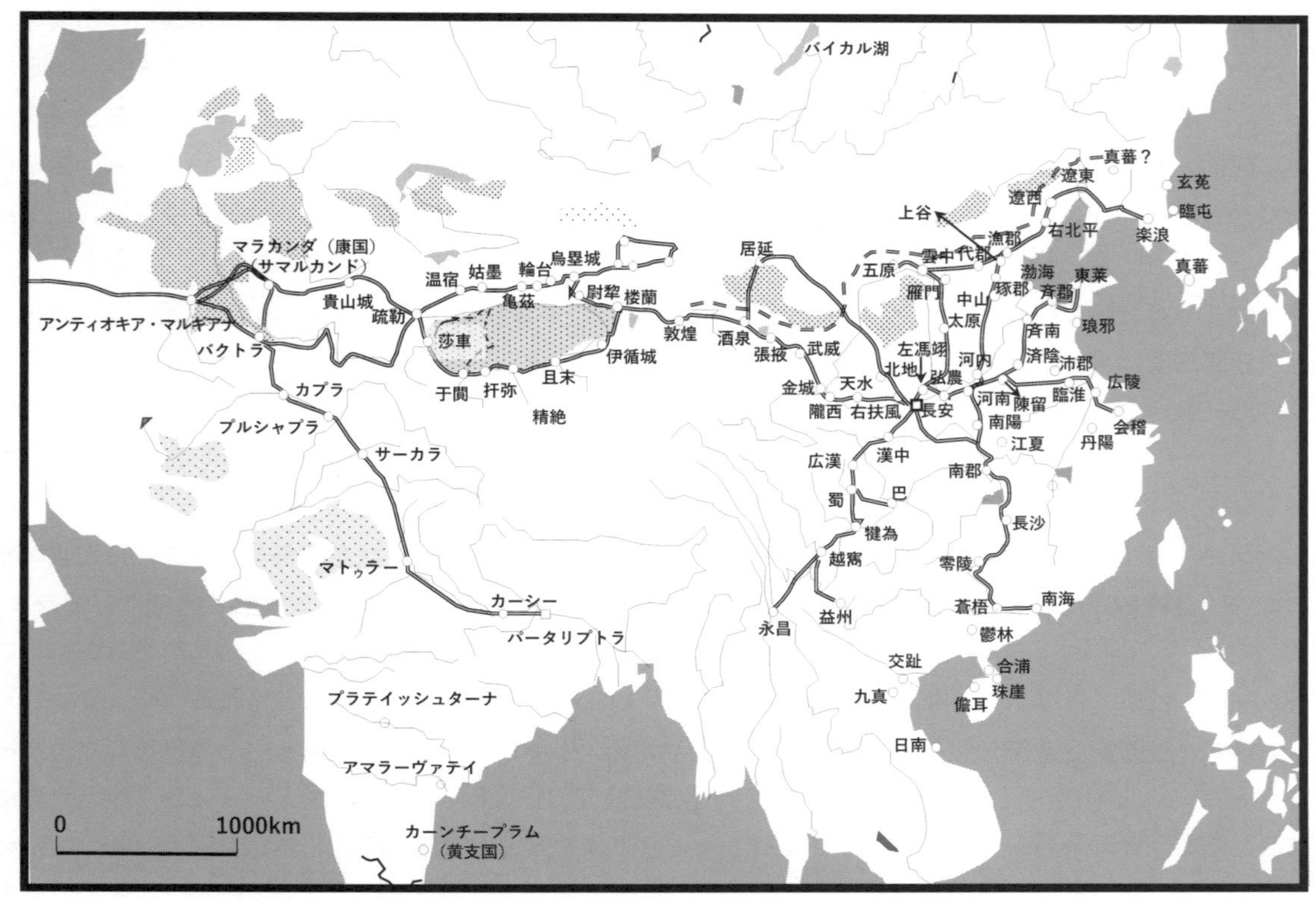

家が商人となったのである。一方、平準法によって、均輸官を通じて地方の物価が低下するとこれを買い入れさせ、物価が高騰すると売却させるといった物価調整機能を国家が担い国庫を潤沢にした。漢王朝は一時、王莽の簒奪によって途切れるがやがて血縁によって後漢として復興した。後漢時代、西域都護で赴任した班超はカスピ海以東の五十余国を服属させ、九七年に部下の甘英をローマ（大秦国）に派遣した。甘英は途中でパルチアに捕まり班超のもとに帰った。この頃、西のローマで起こったのと同様、後漢王朝の乱れは周辺の騎馬民族の流入となって現れ、四〇〇年続いた漢王朝が滅び、三国時代、魏晋南北朝、五胡十六国と諸侯の乱立時代となった。しかし、この乱を収め再度中国の統一を実現したのが隋王朝であった。

この頃、朝鮮半島や倭国にも大きな振動が伝わり、「三国志」の魏書・東夷伝（魏志倭人伝）の記述によると、二三九年に邪馬台国の女王卑弥呼が魏王に朝貢使節を派遣してきたこと、女王卑弥呼に「親魏倭王」と刻した金印と一〇〇枚の銅鏡（三角縁神獣鏡）を下賜したこと、その後倭国に大乱が起き卑弥呼の親族の台与を女王に立てて大乱が収まった、とある。その後、南北朝時代に倭国五王の南宋（四二〇年～四七九年）への朝貢も行われた。このような大陸への朝貢使節は一体どのような船で渡海したのであろうか？　日本の縄文時代末期（紀元前六世紀～紀元前五世紀）には、大陸から水稲がすでに北九州を中心に入っており、前漢の時代（紀元前二〇六年～紀元八年）には楽浪郡を通じて青銅器や鉄器が伝えられていることからして、古くから大陸との往来があったことは事実であるが、渡海用の船は**図表79**から準構造船であったと推察されている。この船の埴輪は大阪市長原遺跡から出土したものであるが、原始的な丸木船に舷側板を張ったもので準構造船と呼ばれている。この丸木船を復元させた船（なみはや）で、実際に大阪港から韓国の釜山港まで約七〇〇キロメートルの航海実験が行われ成功している。その後、本格的に倭が統一され大和朝廷が出現すると大陸との交渉は次第に拡大した。その間、百済の造船法が

図表 79　大阪市長原遺跡出土の船の埴輪（４世紀頃）
（大阪市「なにわの海の時空館」所蔵）

伝えられ、準構造船を船体とし、上下に畳むジャバラ方式の帆船も日本で建造できるようになった。大和朝廷は、難波の津を整備し、博多に大宰府を設置して対外使節と交易の窓口とした。また、遣隋使を派遣し、統治システムの律令制や均田制あるいは仏教などの先進文明の輸入に邁進することになった。仏教書籍を通じた漢字、製紙法、印刷術などが伝えられたことで、漢字を利用した万葉文字の発明につながり日本もやっと文明化に向けて歩み出した。しかし、一方では、国際化したがゆえに、国際的な紛争にも巻き込まれるようになった。それが、高句麗遠征（三九一年）や百済救援部隊の派遣（六六三年）である。

以上のように中国、インド、ペルシャ、地中海とそれぞれの地域で大国が誕生し国際世界はほぼユーラシア全域に広がった。しかし、このような大国支配による安定期はそう長くは続かなかった。先にも触れたように、四世紀に入ると寒冷化が地球を襲ったのである。この寒冷化により北方のユーラシアステップで遊牧を営む騎馬民族は一斉に温暖な南方に民族単位で移動し始めた。モンゴル高原や中央アジアにいた匈奴、鮮卑、柔然、突厥、南ロシアのフン（匈奴ともいわれる）、北部ヨーロッパのゲルマン諸族が南へ押し寄せ、それまでの帝国や王国を次々と崩壊させていった。中国では漢が滅び、三国時代から五胡十六国、魏晋南北朝を経て隋へ、ペルシャおよびインド北部ではササン朝ペルシャが覇権を握った。ローマ帝国はゲルマン民族の絶え間ない侵入に耐えかね、三九五年に西ローマ帝国とコンスタンチノープル（東ローマ帝国：ビザンチン）に分裂し、さらに四七六年にはついに西ローマ帝国が滅び、ゴート族の支配するところとなった。こうして、紀元前後に始まった東西交易は以後、東ローマ～イスラム帝国～インド～隋・唐帝国へと引き継がれていった。日本はこのような世界情勢の下で、国際化に向けて歩み出したのである。

（1）シルクロードの夜明け―インドの役割―

すでに触れたように、前漢の武帝の時代に西域諸国の事情がわかり、張騫や甘英の報告によって、パルチアを中継してローマ世界との交易がオアシスルートや草原ステップルートを利用して開始された。特に、ステップで遊牧する騎馬民族とは絹馬交易が盛んであった。アケメネス朝ペルシャの時代から地中海世界とインド、中国との交易はオアシスの道が主要ルートであった。海の交易ルートは、すでに触れたように、前漢の武帝の時代には、南インドまでの海上航路があった。一六六年には、紅海を制したローマのマルクス・アウレリウス・アントニヌス帝（大秦王安敦）がインド洋航路を利用して漢に使節を派遣し、象牙やサイの角を献上している。ローマが海洋航路を利用したのはすでに触れたが、その理由はパルチアが直接の交易を許可せず、ローマの使節を通行させなかったからである。こうして、陸と海の交易路が開け、近代になって「シルクロード」と名付けられるのである。インド洋航路については古い歴史があった。メソポタミアやイランを中継者としてエジプト文明と東のインダスやモヘンジョ・ダロ（メルッハ）との交易が紀元前三〇〇〇年紀から開始されていたことは先に述べた。陸上ではイラン高原のオアシスやシリア砂漠オアシス経由のラクダの隊商たちの、海上ではペルシャ湾岸のアラビア海洋民族の活躍によって交易は細々と行われてきたこともすでに触れた。

紀元前一〇〇〇年紀には、当初の遠隔地交易の主流の商品は、アラビア南端の乳香、アフリカの象牙や金、インドの香辛料や象牙が主であった。やがて地中海世界が広がるにつれて東方の香辛料と絹はなくてはならない必需品になっていった。西からは金・銀が東に流れ、中国からは絹、そしてインドからは香辛料が流れた。アレクサンドロス大王以前の地中海世界の人々にとっては、インドが世界の東の果てと考えられていた。しかし、今やインド航路が開発されるとインドの東にさらに広い世界が広がっていることがわかった。中国世界の人々にとっても張騫による報告以前は万里の長城や長江以遠は南蛮・北狄・西戎・東夷が住む世界としてしか見られていなかった。しかし、地中海世界と中国が海陸で本格的につながる時代は今少し時を待たねばならない。むしろこの時期は、東西の中継地点にあたるインドが重要な役割を演じるようになった。とはいえ海上ルートはリスクが大きかった。大量低コストの海上輸送は大きな利益を生むことで魅力的であったが、まだインドへの航路は確かなものではなかった。それを可能にしたのは、アレクサンドロス大王の遠征後、インドに入植したギリシャ人やアラビア人そしてインド人であった。彼らの一部はすでに紅海やペルシャ湾からインドを往復する季節風航路を知っていた。この季節風航路（**図表80**）は、五〇年頃にギリシャの先駆的な商人ヒッパロス（Hippalus）によって発見されてから知られるようになり、東方季節風航路が一般的に使われるようになった。一世紀の中頃にギリシャ人によって書かれたエリュトゥラー海案内記の記述によると、

図表80　紀元前2世紀〜紀元後6世紀頃の東西交易路
（筆者作成）

「ヒッパロスは五月から十月に掛けてはエリュトゥラー海（the Erythraean Sea：インド洋）の膨大な広がりを横切って風が定常的に吹き、船をアラビアからインドへと運んだ。更にその他の六ヶ月には風が方向を反対に変え北東から常に吹く」

というインドの半島的特徴を航海者が知るようになった。

エリュトゥラー海案内記ではこの季節風を「ヒッパロスの風」と呼んだ。この季節風航路の発見により、ペルシャ湾沿岸を利用する必要性がなくなったと同時に、地中海世界にとってはパルチアの妨害に遭わずに直接、インド・中国と交易できるようになったことは重要であった。このように紀元一〇〇〇年紀前半は、陸路の細々とした交易路であり、唐や宋とイスラム世界の間で行われた本格的な東西交易に先立つ「シルクロード前夜」の時代であった。ここで注意しておきたいのは、**図表81**にも示すように、当時のギリシャやローマの人たちは西インドまでの海洋しか知らず、東インド洋～南シナ海の航海はもっぱらインドに住み着いていたギリシャ人やインド人によって行われていたことである。この頃には、まだ、中国人はシナ海の海上貿易には乗り出してはいなかったし、航海術も持っていなかった。

当時の交易圏は西からローマ・地中海世界、パルチア、クシャーナインド世界、中国世界の四大地域であった。中央アジアのオアシス地域は、これらをつなぐ中継貿易ルートであった。各地の産物は図表81に示すように、東の物産といえばむしろインドが中継する香辛料や奢侈品が中心で中国の絹が代表交易品になるには少し時を待たねばならなかった。山崎利男の「悠久のインド」(前出36)によると、アレクサンドロス遠征時に従軍したギリシャ人が居着きクシャーナ朝の支配下にあった西北インドで、アフガニスタン経由によるローマや西アジア、中国との陸上交易に従事していた。一方、海上貿易も、西暦初め頃に発見されたモンスーン（ヒッパロスの風）を利用する航海法が開発され、ヤヴァナ（ギリシャ人）と総称された西方の商人が紅海からインドの港に渡来していた。当時の西海岸のバローチ、東海岸のアリカメドゥ（図表81）などの多くの港は、彼ら西方の商人で賑わい、彼らは内陸部まで進出して活躍するとともに、遠く東南アジアまで赴いていた。この海上交易の様子は、先に触れた「エリュトゥラー海案内記」に詳しく書かれている。当時、ローマはインドからの香辛料、綿織物、象牙細工などを輸入し、陶器や装飾品を輸出していた。しかし、圧倒的な輸入超過が続き、大量の金銀がインドに流れたので、ローマ内部で非難の的ともなった。ローマの金貨はクシャーナ朝では改鋳されたようであるが、銀貨を中心に銅貨や鉛貨が流通していたサータヴァーハナ朝の領域では、そのまま使われ、特に半島の南端部でローマ金貨が多く発見されている。このように、われわれは東西交易といえば、地中海世界と中国との交易を真っ先に頭に浮かべるが、いわゆるシルクロード交易が盛んになる前にも後にもインドが果たした地政学的な重要性を見逃してはならない。次節で詳述するが、同様に中央ユーラシアのオアシス国家の重要性も忘れてはならない。この頃のオアシスルートについての貴重な記録が東晋の仏僧法顕によって残されている。彼は長安を志をともにする仲間三人とともに三九九年に出発し、インド滞在一〇年を経て四一三年に帰国した。その間の旅行記が「仏国記」として残された。彼らは図表78、図表80、図表81に示したオアシスルートの長安↓

図表 81　紀元２世紀頃の交易品（筆者作成）

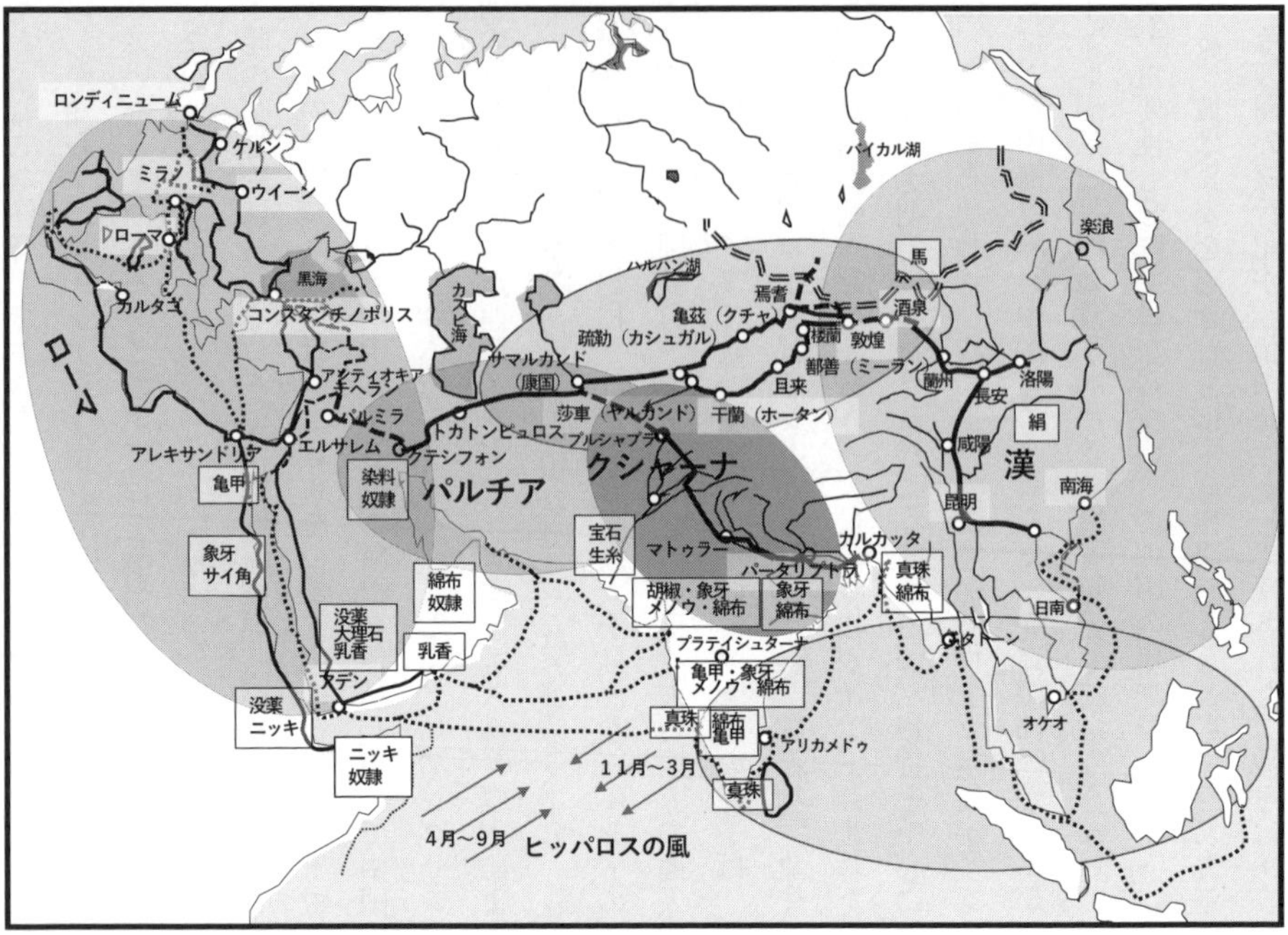

宛川→涼州→敦煌→亀慈→于闐（ホータン）→莎車（ヤルカンド）→疏勒（カシュガル）→プルシャプラ→マトゥラー→クシナガラと行き、この近辺で商人の船に乗り、獅子国（スリランカ）を経て海路、中国の広州に寄港し、時化に逢うこと度々でついに山東半島の付け根の牢山に流れ着いている。法顕はその旅の途中の苦労について触れているが、まだ、定期的な隊商もいない時期に砂漠を越える不安や、また、帰国途中の海路の怖さも述べている。現代のわれわれが想像するような簡単な旅でなかったことが推察される。

（2）東西におけるインフラの整備

この時代の特筆すべきことは、ローマ帝国がヨーロッパ一円にわたって整備した道路網と、帝都の外港としてのオスティア港、さらには隋の煬帝が築いた中国南北経済圏を結びつけた運河である。これらはやがて実現するシルクロード交易の本格化に先立ち、それぞれの領域での地域内交易を活発化させた。

ローマを発した「ローマ街道」は初期は主要

図表82　ローマの道路網（紀元125年頃）

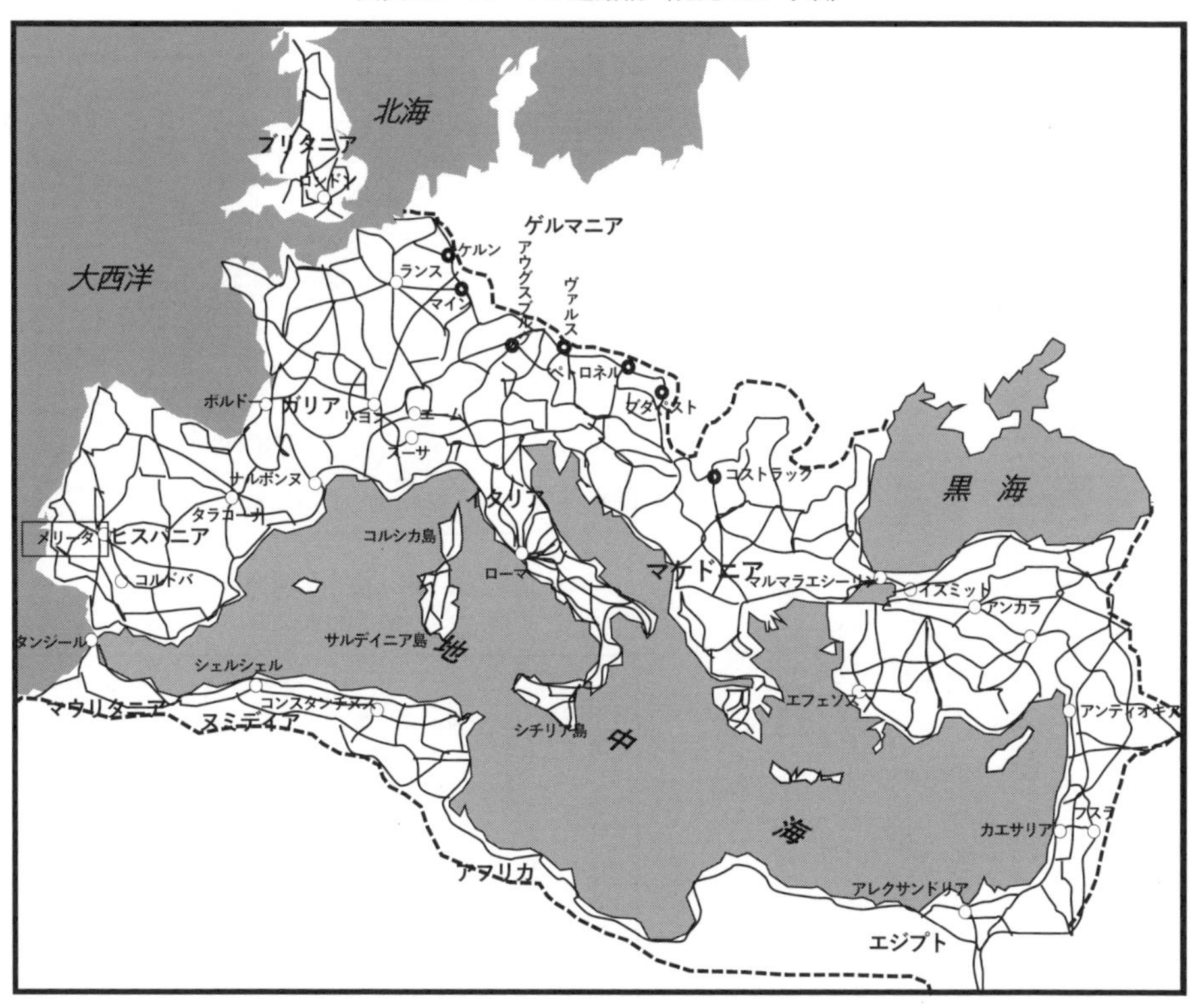

2002年11月の毎日新聞特集（出席者：作家—塩野七生、東大教授—森地茂、建築家—團紀彦、国土交通省—鈴木克宗）を基に筆者作成

都市を結ぶだけであったが、極寒の北海から極暑のサハラ砂漠、大西洋からユーフラテス川、イギリスからシリア、ドイツやバルカンからエジプトまで網羅し、敷石舗装の幹線だけでも三七五本に達している（**図表82**）。

このローマ街道は、当初は軍事目的で敷設されたが、軍事に関係のない帝国官吏や巡礼者などの一般市民でも利用することができたため、物流などの経済面でも大きな影響があった。アウグストゥス帝が帝国全土に整備した郵便制度「クルスス・プブリクス」の急使が馬を交換し、休憩するための交換所「ムーターティオー」(mutatio または mutationes) が一〇ローマ・マイル（約八〇キロメートル）程度毎に、四～五箇所程度のムーターティオーに一箇所は大きな規模の宿駅「マンシオー」(mansio

図表 83　ローマのオスティア港（紀元前 1 世紀頃）
（文献 63 による）

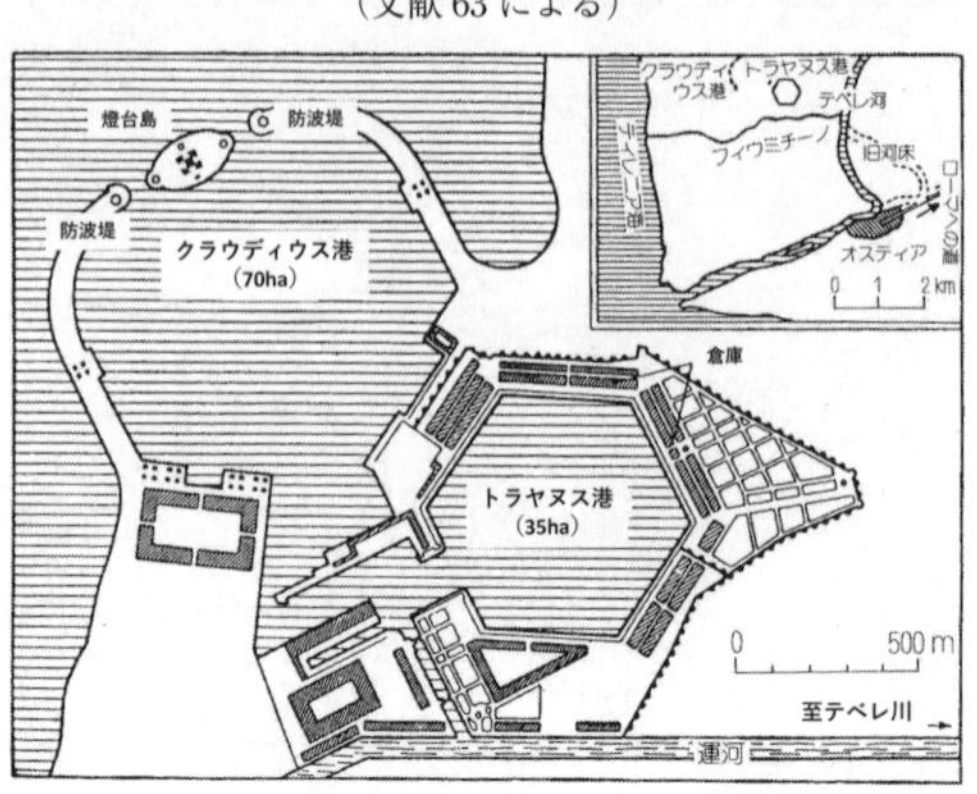

図表 84　隋・唐初の運河と周辺諸国
（文献 40 による）

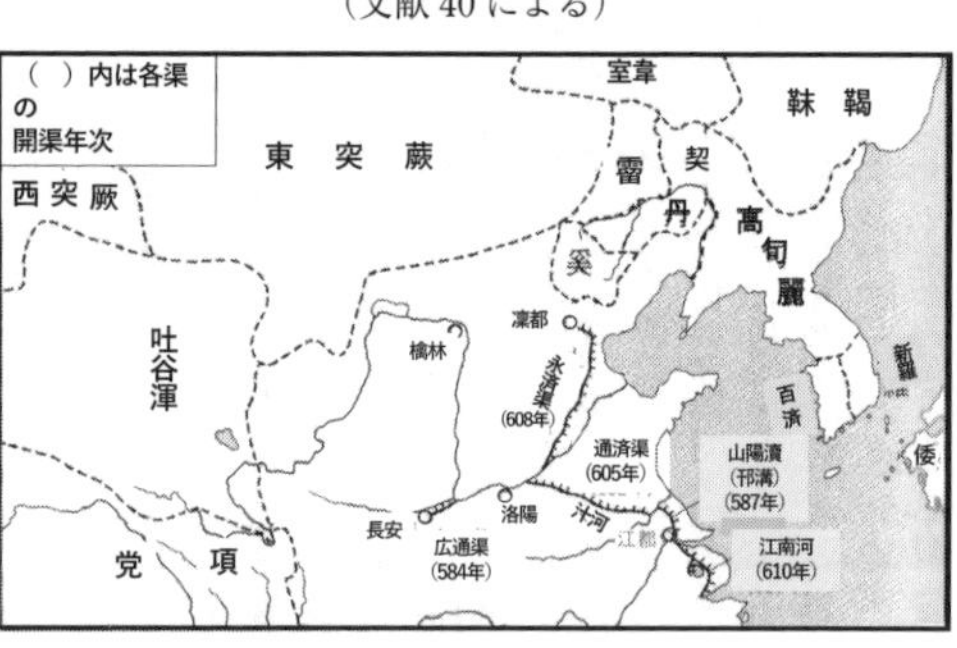

または mansiones）と呼ばれる施設が整備された。これらの国営施設は帝国官吏や特別な証明書（ディプロマ）を持った者のみが利用を許されており、それ以外の一般人は民間の宿屋や軽食堂を利用した。

また、首都ローマでは人口膨張とともに、首都への海外からの物資（主に穀物）輸送が逼迫してきた。そのため、クラウディウス帝（四一年～五四年）はテベレ川河口の北の自然海岸に、人工のオスティア港を建設した。**図表83**に示すように、二本の円弧状の防波堤（延長九〇〇メートルおよび約八〇〇メートル）を築き、港口には人工の島を築いて燈台を建設した。これによって大型の船が常時安全に停泊できるようになった。この泊地はクラウディウスの泊地と呼ばれ、水面積は約七〇ヘクタールである。しかし、すぐにこの泊地だけでは捌ききれなくなり、トラヤヌス帝（九八年～一一八年）の時代に、クラウディウス港の奥に掘り込み式の正六角形の港を建設した。水際線はすべて切石を積み上げた岸壁で、商船が直接に着岸できるようになった。岸壁の背後には大型の穀物倉庫が連なり、貯蔵を兼ねて需給調整も行われた。

一方、中国では分裂状態の国を再統一した隋の楊堅（文帝）は科挙制度を新設し、優秀な人材を登用して中央集権体制を整えた。次の煬帝は豊かな江南の産物を首都洛陽に早く貢納させるために大運河開削工事を行った。六〇五年には黄河～淮水間の通済渠を開いて黄河～長江間の大運河を通じ、六〇八年には高句麗遠征を前に黄河から涿郡まで永済渠を開いた（**図表84**）。このような大運河は現代に至るまで、各王朝の物流を支えたが、同時に徴発された人民を疲弊させるもととなった。隋の煬帝は高句麗に圧迫され続けた朝鮮の新羅国の要請で幾度も大軍を遠征させることにより、ついに、王朝の財政は行き詰まり、李淵によって滅亡させられる運命となった。しかし、一方では陸のシルクロードと海のシルクロードとを接続し、ユーラシア循環交易路が開かれる基礎となった。

5・8　第七次輸送革命：ジャンク船の登場と海陸シルクロードの完成
（紀元600年頃～紀元1400年頃）

前節でシルクロードの夜明けの東西交易について述べたが、それは、匈奴や突厥に代表される当時の遊牧騎馬民族の中継交易によっており、まだ本格的なラクダの遠距離交易はなく、オアシス都市とオアシス都市を結ぶ短距離交易が中心で、いわば古代からの「絹馬交易」の延長に過ぎなかった。しかし、西にイスラム帝国が勃興しダウ船が航洋をはじめ、東に唐帝国が勃興することによって、中国の磁石を備えたジャンク船が、市舶司が設置された広州を基地として東南アジア、インド洋に進出することによって「本格的なシルクロード交易」が海陸ともに完成されるのである。中国で開発された外洋航海用のジャンク船は東シナ海だけでなく、インド洋そしてついにアフリカまで航海することになる。このような外洋大型船の発明は第七次輸送革命ともいえるものである。さらには、モンゴル世界帝国の出現によって完全なユーラシア海陸循環交易路が完成した。

詳細に入る前に、この時期のユーラシアの東西の歴史の概略を見ておこう。ユーラシアの東では、六一八年に李淵（高祖）が隋の煬帝の孫の恭帝から帝位の禅譲を受けて唐帝国を興した。やがて、李淵の次男李世民（太宗）が帝位についた。太宗は東突厥（六

紀元600年頃～紀元1400年頃の交易圏

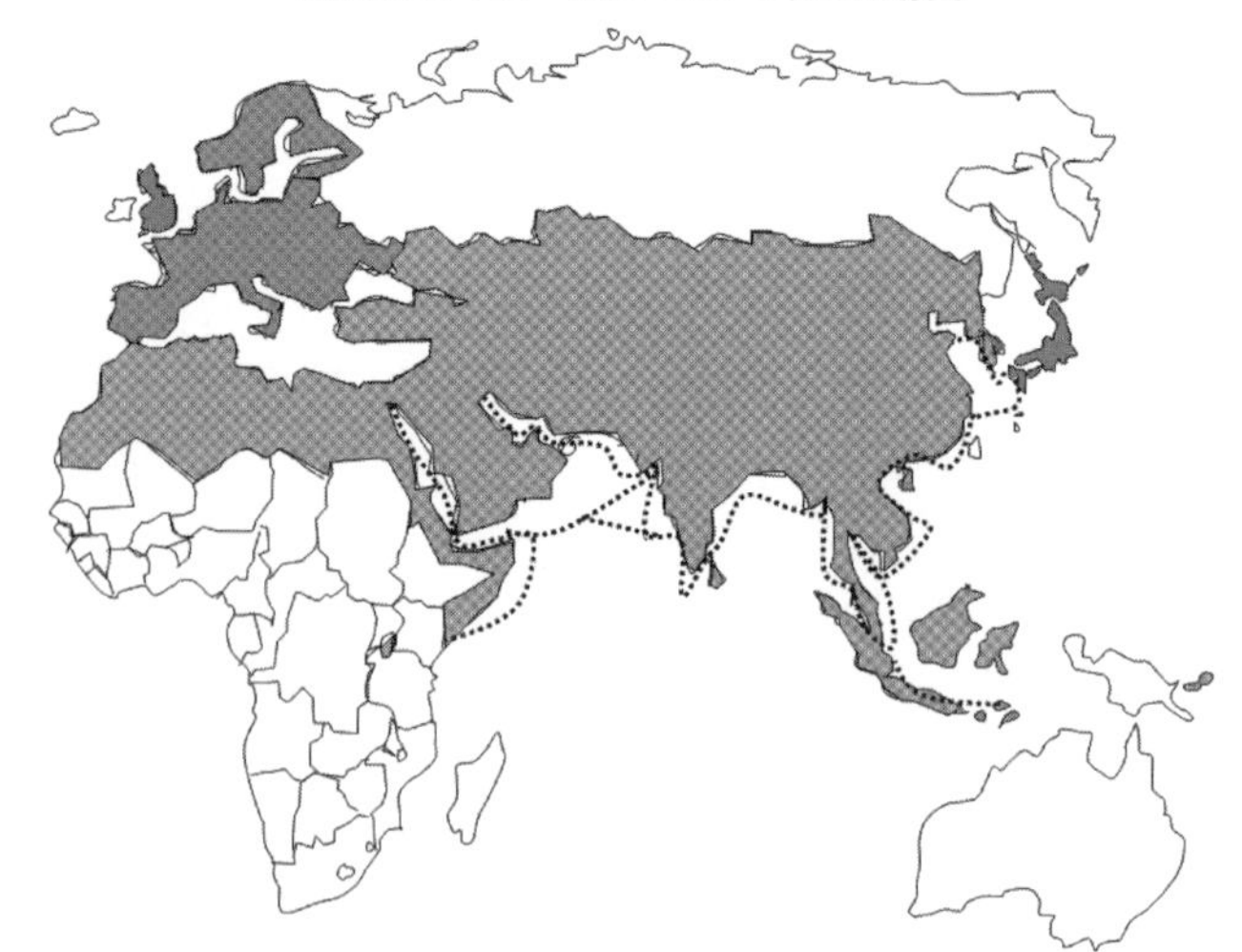

三〇年)、高昌国（六四〇年）をそれぞれ滅ぼして西州を設置し、隋代に突厥に支配を許していた西域の回復を図った。以後、唐は次第に西域に進出し、高宗の頃の六五九年に西突厥に服従していた諸州に府県制を敷き、六六一年にはトカラ（吐火羅）勢力圏一六国を従わせ、六七九年にはタクマラカン砂漠沿いのオアシス都市を征服した。また、朝鮮では六六三年に百済、六六八年には高句麗を滅ぼした。第六代玄宗皇帝（七一二年~七五六年）の時期には、東は新羅から南はスマトラ島、西はカスピ海沿岸までの国々を従えた。この間、七五一年には、安西節度使として西域に駐屯していた高仙芝将軍が率いる唐軍が西のイスラムのアッバース朝（サラセン帝国：大食）とタラスで衝突し、唐は大敗、西域の支配力が急速に衰えた。そして、玄宗の晩年は楊貴妃との生活に溺れて政治を顧みなくなり、安史の乱を招いた。この頃チベット高原には吐蕃が台頭し、一時、河西回廊からパミール高原までを支配するに至り唐と激しく対立を繰り返した。また北方に台頭した回鶻（ウイグル）が勢力を増し、「絹馬交易」を強要して唐を苦しめた。

しかし、八四〇年頃には吐蕃も回鶻も衰え、雲南では南詔が台頭し唐と交易をしたが九〇二年に滅亡して、代わって大理が建国した。八七五年には唐の税制改革で、塩・鉄・酒・茶などを専売化したことによって、物価が高騰して庶民を苦しめた。このような状況で各地に農民の反乱（黄巣の乱）が起き、九〇七年に朱全忠によって唐は滅ぼされ、群雄割拠（五代十国）の時代に入る。このような乱世が続く中、九六〇年に趙匡胤が汴京（開封）に都を置いて宋を建国し、ようやく安定を取り戻した。宋は軍人の勢力を弱めるため、科挙制度を強化して文治主義を執った。しかし、逆に、周辺民族を抑えることができなくなり、北方の契丹（遼）に燕雲十六州を奪われ、その契丹も女真族が建てた金に滅ぼされ、さらに金の南下によって南方に逃れて、一一二七年に臨安（杭州）を都に南宋として政権をつないだ。こうして金・南宋時代となった。この時代に揚子江以南が開発され、新しく江南文化を誕生させるとともに、宋代の各港（広州、泉州など）には、多くの国の船が入港し、国際貿易が栄えた。しかし、この状況も長くは続かなかった。チンギス・ハーンに率いられたモンゴル民族の勢力が巨大となり、東は中国から西はペルシャ・アナトリアを征服し、さらに西進を続けて東欧のポーランドに達した。北はロシア・ハンガリーまで支配下に収め、ついにウイーンに迫ったが、チンギスの後継者であるオゴタイの死によって撤退した。ここに、歴史上、空前絶後の大帝国が出現し、後に触れるがこのモンゴル帝国の出現が世界交易システムを完成させるのである。中国に話を戻すと、チンギス・ハーンの孫であるクビライ・ハーンによって金と南宋は滅ぼされ、中国史上初めての強固な統一王朝大元ウルスが出現したのである。

この間、日本では推古天皇の甥の聖徳太子が摂政となり統一王朝として初めて中国に小野妹子を正使（遣隋使、六〇七年）として派遣した。しかし、新羅と連合した唐の遠征によって滅びた百済を救援するために、当時の斉明天皇は大軍を朝鮮に送ったが唐と新羅の連合軍に白村江の戦いに敗れた（六六三年）。遣隋使は都合五回にわたって派遣されたが、隋が滅んで唐王朝に代わってからは冊封国として遣唐使を派遣し続けた。遣隋使それに続く遣唐使は、「均田制」、「租庸調の税制」、「屯田制」や秦代から始まった「律（刑法）令（行政法）制」を持ち帰った。やがて七一〇年には平城京へ、七九四年には平安京に遷都し、日本の古代王朝が続く。日本の古代王朝文化はこの時代に花が開いた。空海が遣唐使の一員として渡唐したのは八〇四年で、唐の第九代徳宗・十代順宗・十一代憲宗のときだった。平安時代の最後に皇統が対立しているとき、新しく勃興した武士の平家が皇族の外戚となり権力を握った。その一族長、平清盛は宋との海外交易に力を注ぎ、現在の神戸港の前身である大輪田の泊や那の津（博多）を整備し、日宋貿易の基地とした。この時代に、シルクロードはようやくユーラシアの東の最果てと結ばれたのである。しかし、その平家も関東に結集した源氏の源頼朝によって滅ぼされ、時代は鎌倉時代に入った。一一九二年のことだった（諸説あり）。源氏の時代には元帝国の二回にわたる元寇があったが、防衛に努力した御家人に報いる領地もなく、御家人たちの不満が高まる中、後醍醐天皇から始まる皇統の分裂による南北朝の乱れが始まった。これを治めたのが足利尊氏で一三三六年に政治の中心を京都に移し室町幕府を開いた。この頃、日本から朝鮮半島をはじめ中国沿岸にわたって倭寇と呼ばれる海賊が横行し元のあとの明王朝を苦しめた。

一方、ユーラシアの西では大変動が起きていた。東ローマ帝国とササン朝ペルシャが睨みあって幾度も衝突を繰り返している間に、アラビア半島からイスラム勢力が急激な勢いで台頭してきた。五七〇年にメッカで生まれたムハンマド（マホメット）は四〇歳の頃、アッラーの神の啓示を受けてメッカで布教を始めたが、アケメネス朝ペルシャ時代から人々の信仰は多神教をもとにするゾロアスター教であり、特に富裕な商人貴族の多くがその信者であった。このためムハンマドは迫害されメジナに逃亡する。メジナに逃亡したムハンマドは慎重に信仰共同体組織（ウンマ）を作り、メッカ商人の隊商を度々襲撃し、ついに六三〇年にメッカを支配下に収め、翌年には全アラビアを征服してイスラム帝国の基礎を築いた。「イスラム」とはもともと「自身の重要な所有物を他者の手に引き渡す」という意味で商業取引の規律を指す言葉であったが、ムハンマドが「アッラーに対して己のすべてを引き渡して絶対的に帰依し服従する」という意味で用いたことに由来している。ムハンマドの死後、後継者はカリフ（神の使徒の代理）としてアブー・バクルを選出するとともに、大進撃を開始した。最初にアラブの遊牧騎馬民族（ベドウィンなど）を軍団に仕立て聖戦（ジハード）を開始する。第二代のカリフであるウマルは、あっという間にササン朝ペルシャを滅ぼし、次代以降もエジプトから北アフリカそしてジブラルタル海峡を渡って西ゴート王国（スペイン）まで征服し、さらにピレネー山脈を越えてフランク王国に攻め込んだがトゥール・ポワティエの戦い（七三二年）に敗れ押し返された。こうして、イベリア半島を除き、キリスト教世界が辛うじて生き残った。その後、イスラムは何度も東ローマに攻め入りコンスタンチノープルを囲んだ。イスラム勢力（彼らはキリスト教徒からはサラセンと呼ばれたので一時期、サラセン帝国と呼称された）は地中海をも支配下に収め、ついに四千年以上続いた古代オリエント世界は終焉を迎えた。イスラム勢力が支配した多くの地域の人々はイスラムに改宗し、イスラム教はアラビアだけでなく、中央アジアから西アジアおよび北アフリカさらには、東南アジアにまで広がるのである。この時期、後に詳述するが、イスラムに追い出されたオリエントの人々が中央アジアのソグディアナに流れ込んできた。彼らはゾロアスター（拝火教）教徒であったり、マニ教徒であったり、さらには東ローマで異端とされたネストリュース派キリスト教徒（景教）であった。後にはイスラムが力を持ってくるとイスラム教が浸透し、イスラムに改宗したソグド人も多い。陸のシルクロードはこれらソグディアナの人々（ソグド人と呼ばれた）が国際交易を支配した。イスラム教はアラビア語でムスリムと呼ばれるので、多くの著述ではイスラム教徒と呼ばずに単に「ムスリム」と呼称している。特に海上交易をイスラムが支配したいわゆる「シルクロード時代」にはムスリム商人と呼称されたが、それらはインド商人、ソグド商人、ペルシャ商人、シリア商人、ユダヤ商人、ウイグル商人などが含まれ、必ずしもアラビア人とは限らない。

こうして、エジプト、ペルシャ、ギリシャ、ローマと継承されてきた諸文明がイスラム帝国によって融合され、さらに東のインド、中国文明を取り込んで「世界の最先端科学」がアラビアで花咲くのである。いわゆる「アラビアンナイト」が代表するイスラム文明の絢爛たる黄金時代を迎えたのである。後の西洋の諸文化や文明はこれを継承発展させたもので、決して西洋のオリジナルでなく、さかのぼれば東方世界の文明なのである。独自の西洋文明はもっと後の大航海時代以降まで待たねばならない。

西にイスラム帝国、東に唐・宋帝国とユーラシアは二大帝国時代に入り、東西の本格的な海陸交易が開始されることになった。後代、「シルクロード時代」と呼ばれるのは狭義にはこの時期の七世紀から始まる。こうして、東に唐の都長安、西アジアにイスラムの都バグダードそしてシルクロード最終地コンスタンチノープルが国際三大都市として繁栄の時代を迎えるのである。この時代に、製紙法、石炭・コークス、火薬、印刷術、羅針盤などが西方に伝えられたことは後に大きな影響を及ぼすことになる。

しかし、この東西帝国の時代は、そう長くは続かなかった。すでに触れたように中国では唐・宋がそれぞれ北方の遊牧騎馬民族によって瓦解し、再統一はモンゴルの出現を待たねばならなかった。同様に西では、正統カリフ時代が終わり、各地に派遣されていた将軍が独立し、それぞれイスラムの独立王朝を成立させた。このような混乱の中で、一一世紀に入ると、中央アジアでイスラム化したトルコ系ウイグル人（セルジュックトルコ）によりイラン、アナトリア、シリアが占拠され地中海の東はセルジュックトルコが支配するところとなった。しかし、もはや東ローマ帝国はその圧力を跳ね返す力はなかった。そこで、ローマ法王の権威で各地の王国に「聖地エルサレム奪回」を呼びかけ十字軍を編成して幾度も遠征させた。この間、九世紀頃から東ローマの自治領として認められていたベネチアや共和国として独立していたジェノヴァといったイタリアの港市国家はコンスタンチノープルに商館を置き地中海貿易で栄えていたが、十字軍の兵站を請け負うとともに、シリアの諸港やエジプトを窓口にムスリム（イスラム教徒）商人との交易と北海・バルト海のハンザ同盟諸都市との交易を中継することによって莫大な富を蓄えた。この繁栄によって後の一五世紀の「イタリア・ルネッサンス」が開花するのである。同時に、この南北交易は西欧の都市の経済発展を促し、現在に残る多くの中世商業都市を形成させることとなった。ハンザ同盟については別途、詳述する。

(1) 陸のシルクロードの世界

前節で述べたように、陸のシルクロード世界は漢代に始まった（図表80）。一方、すでに述べたように、海のシルクロード世界は地中海世界とインドまでを結ぶ貿易ルートだった。本格的な東西交易は東に唐帝国、西にイスラム帝国が成立した以降と考えてよい。それまでのシルクロード交易の特徴は、隣接するオアシス都市間の短距離交易が中心で、実数もそれほど多くはなかった。やがて、中距離交易を行う商人も出ると、扱う商品の数は中継地が増えるにしたがって拡大した。漢の絹もいきなり漢からローマに直送されたものではない。このような中継交易形態が途上の多くのオアシス都市を繁栄させたのであり、オアシス都市固有の産物や手工業品や文化が商品とともに運ばれたのである。しかしながらすでに前章の「都市と商人の誕生」で一部触れたが、漢や唐の時代には国境を越えた交易には厳しい規制があり、漢人といえども自由に国外には出られなかった。この建前は特に唐初には厳しく、玄奘三蔵の出国は命がけであった。また、外国人男性が娶った中国人女性を連れて本国に帰ることも認められず、中国での資産を国外に持ち出すことも自由にできなかった。交易には「互市」と朝貢とがあるが、商人同士の売買である互市は辺境などに場所を限って認められていた。諸外国の使節は、唐に入国するのに「方物」という特産物を献上するが、朝廷からは絹製品を主とする多くの回賜品が下された。中国の特産である絹を生み出す繭や蚕の管理は厳しく、これに関しては以下のような逸話が残されている。

隋唐時代には周辺の蕃夷（ばんい）を治めるため、皇帝の娘を「和蕃公主」として異民族に降嫁させたが、必ずしも実の公主でもなかった。あるとき、さる公主を嫁がせようとしたとき、その公主は蚕を自身の帽子に隠して密かに持ち出したという。また、ユスティニアヌス一世の時代、五五〇年代初めに帝の命を受け、二人の修道士が中央アジアから蚕の繭を盗み出してコンスタンチノープルへ持ち帰ることに成功し、その後、絹は東ローマ帝国の国内産業となった。

このように、唐初の交易は厳重に管理されていたが、安史の乱以降、次第に政府の規制はゆるみ、市域の外でも商売が行われるようになり、特産品の販売で名を馳せる都市も誕生してきた。その様子を尾形・岸本[40]の文章を借りると以下のようである。

「唐代の都市の特色は、このように市や坊が廠壁で囲まれていたことである。人々の往来や活動は日中に限られ日没時に市門や坊門は閉じられ、夜間に市街を徘徊することは夜禁といって取締の対象となった。しかし唐中期以降その状況は変化していく。市域の外でも商売がおこなわれるようになり、坊廠を壊したり坊門を夜間にも開放したりして、夜禁は有名無実化した。長安の金銀珠玉細工や広陵（江都）の銅鏡のように特色ある手工業品をつくる都市もあらわれ、荊州（河北省臨城県）・越州（杭州湾）の陶磁器のように、特定の産物でもって名を売る都市や地域も出現した。隋から唐初の都市の性格は、行政の中核となる政治都市に限定されるが、唐中期以降は南海貿易の広州、大運河沿いの揚州、長江中流の江陵など、港湾都市や交易都市も目立ってくる。また各地で必要となった特産品の原料を取引する場として、草市という小型の商業都市が黄河流域・大運河沿線・江淮一帯に誕生した。（中略）海外渡航を禁じた律令の制限を乗り越えて、唐後半には唐商船の海外進出も活発化していった。唐の市には、遠隔地の客商を相手に倉庫業・旅宿業・飲食業を兼営する豪商の邸店があった。なかには運送業や金融業を営むものもあり、飛銭・便換という手形での決済もおこなわれるようになった。一般の消費者相手の小売業は肆舗（しほ）といい、肆舗は同業商店街と同業商人組合とを同時に意味する行を結成していた。行には肉行・絲綿（絹製品）行・薬行などのほか、鞦轡（しゅうひ：馬具）行・麩（飼料）行・幞頭（頭巾）行など多くのものがあり、唐代では商業の専門化が進んでいた。」

このような厳しい貿易管理の中で、特に活躍したのがソグド人であった。ソグド人とは、すでに述べたように、ユーラシアの中央に位置するペルシャの北方のソグディアナと呼ばれる地方のオアシスに住む人々である。彼らは漢代後半からオアシスルートだけでなく、草原ルートにも多くの植民を進め、唐代には巨大な政治・経済ネットワークを築いてた。各地の軍人として勢力を持った者も出た。森安孝夫の「シルクロードと唐帝国」[10]によると、唐の杜祐が著した「通典」の巻一九三に引用されたソグディアナの首邑サマルカンド（康国）について以下のような記述がある。

「康国人は並な賈（あきない）を善くし、男は年五歳となれば即ち書を学ばしめ、少しく解すれば即ち遣わして賈を学ばしむ。利を得ること多きを以て善しと為す。」

このようにソグド人は小さいときから商売のノウハウを教育されて育ったのである。しかし、ソグド人が自由に唐の国に入り、途上のルートを通行できるようになったのは、六六一年、唐が安西都護府を設置したときに、西域のソグド人たちは唐王朝統治下の人民となり、安西都護府の発給する過所（通行許可証）をもらって、出入国の条件にしばられずに中国内地まで足を延ばすことができるようになったからである。このようなソグド商人のネットワークにより、唐代の陸のシルクロードのリンガ・フランカ（国際交易用語）としてはソグド語が用いられた。しかし、八世紀中葉以降は、イスラム勢力の拡大に伴い、旧ササン朝のペルシャ人がイスラムに改宗し、ソグディアナを含む中央アジアに進出してきた。以降の交易はこのようなイスラム系ペルシャ人が担うこととなり、以降、リンガ・フランカはソグド語に代わってペルシャ語になった。

一方、われわれ日本人にとってシルクロードといえば、七五六年（天平勝宝八年）に聖武天皇の御物を光明皇后が東大寺に寄贈して正倉院に納められているペルシャゆかりの品々を思い出す。その所以は、六五一年にササン朝ペルシャがイスラム帝国に滅ぼされると、ササン朝が唐に援助を求めていたこともあって、王子卑路斯（ピールーズ）をはじめ多くのペルシャ人が唐に来住し、それに加えて先に述べたソグド商人の後を受け継いだイスラムに改宗したペルシャ人がシルクロードを掌握するようになったからである。このようなことから長安では胡服・胡帽・胡履（靴）など、「胡」で形容されるイラン系の風俗が流行した。また、馬上から地面の毬を打ち合うポロもイランから伝わり、女性も胡装騎馬で楽しんだ（**図表85**）。その流行の様子を唐代の詩人李白が「少年の行（うた）」として以下のような詩を残している。

五陵年少金市東
銀鞍白馬度春風
落花踏盡遊何處
笑入胡姫酒肆中

これを読み下すと

五陵の年少 金市の東
銀鞍白馬 春風を度たる
落花踏み尽くして 何れの処にか遊ぶ

図表85　胡旋舞（左）と胡服で騎乗する胡人の若い男女（右）（文献10による）

笑って入る 胡姫の酒肆の中

このような背景の下に、ペルシャの多くの品々が唐を経て遣唐使によって日本に持ち込まれたのである。

一方、イスラム帝国ではウマイヤ朝の時代、アラブ貨幣（ディナール金貨とディルハム銀貨）を発行し広大な地域に流通させた。また、古代ペルシャの駅逓制（バリード）を復活させた。次のアッバース朝になると駅逓庁が設置され、駅舎が一〇キロメートルおきに置かれ、行政や市況の日報制が整備された。アッバース朝は、七六六年に首都をそれまでのダマスカスからバグダードに移し、首都の市場（スーク）には監察官（ムフタンブ）がいて、秤量の不正に目を光らせた。スークには各地から多くの商人が集まり、手工業と取引が盛大となり、食品、貴金属、花、書籍の店舗があり、織物、衣料、皮革、陶器、金物などあらゆる商品が売買された。こうして繁栄したバグダードの人口は九世紀の最盛期には一五〇万人程度であったと推定されている（この頃唐の都長安は七〇万～一〇〇万人）。バグダードはチグリス河畔に建設され、舟運を利用すればペルシャ湾に出てアラビア海からインド洋航路につながっていた。

しかしながら、イスラムの貨幣は東との国際交易の通貨として用いられた量は少なかった。では、このような広域の交易には国際通貨として何が使用されていたのであろうか？　このことについて、森安孝夫[10]によると、紀元一〇〇〇年紀の中国本土では、金銀はさほど流通しておらず、貨幣として主に用いられたのは、前漢の五銖銭に代表される銅銭と、絹織物・穀物などの実物貨幣であった。隋代まで伝統的に用いられた五銖銭に代わって唐初には日本でもおなじみの「開元通宝」が発行され、以後唐から五代まで「開元通宝」その他の銅銭が発行され続けるが、それも長安などの大都市中心で、ほとんどの地方では租庸調制の下でまだ納税は穀物・布帛などの現物によっていた。ようやく七八〇年になって、それまでの租庸調制に代わって両税法が施行されると、納税には銅銭を用いることが原則となり、地方にまで銅銭経済が浸透していった。しかし、銅銭は重たくて安いので、遠隔地間で税金や軍事費などをまとめて移送する場合には、銅銭でなく軽貨と呼ばれる高級絹織物や金銀が使われたのである。ただし金は絶対量が少なく、銀は銀鉱山のある嶺南など江南の一部や、それが集中して蓄積される長安・洛陽・揚州などの大都市を中心に流通しただけであり、全国のいずこにおいても一般には絹織物（特に綾・羅など）が遠方への価値輸送手段となっていた。唐代にはまだ銀を以て物価を表示した事例はなく、宋代になって初めて現れる。唐代の中国本土においてようやく流通しはじめた銀さえ、価値尺度を備えた完全な貨幣とはなっていなかった。銀以上に希少な金は、貨幣よりむしろ財宝として扱われた。それゆえ、漢代以来の一〇〇〇年以上にわたって、さまざまな輸入品の代価として、あるいは政治的・軍事的安寧を得るために中国から外国に向けて支払われた国際通貨の太宗は、中国の特産であり、かつ軽くて価値の高い絹織物以外にありえなかったのである。シルクロードという名前は、単なる「絹の道」という意味だけでなく、諸物品の交換代替貨幣の道でもあったわけである。

この頃の国際交易で取引された主要交易品を**図表86**に示した。この図に示すように、陸のシルクロードの交易品は、ラクダや馬などの家畜の輸送力に頼っているため、基本的には奢侈品が中心であった。東の中国からは絹織物・紙・茶、西のペルシャ・東地中海方面からは金銀器・ガラス製品・乳香・薬品・絨毯、南のインド・東南アジアからは胡椒・香木・宝石・珊瑚・象牙・犀角・鼈甲・藍、北のロシア・シベリア・満州からは高級毛皮・朝鮮人参・鹿角・魚膠、中央アジア自身からはコータンの玉、バダクシャンのラピスラズリ、クチャの硇砂（どうさ）、チベットの麝香（じゃこう）やヤクの尻尾、さらに特産地が複数にまたがる毛織物・綿織物・真珠・装身具、鎖帷子・装飾鞍などの武具、ブドウ酒・蜂蜜・大黄などがある。それ以外の重要な貿易品としては、重くても自分で動く奴隷と家畜があることを忘れてはならない。

このことに関して、当時の生活と口馬交易（口は奴隷の意）の相場として、同じく森安は**図表87**を示している。この表からわかるように、普通の奴隷は、貧農農家（これが普通）が費消する粟麦一年分に相当し、普通の馬では半年分に相当していた。鼓舞を仕込まれた奴隷や名馬といわれる馬は人間の価値より遥かに高価であったことがわかる。

図表86　7世紀～15世紀の主要交易品
（文献82による）

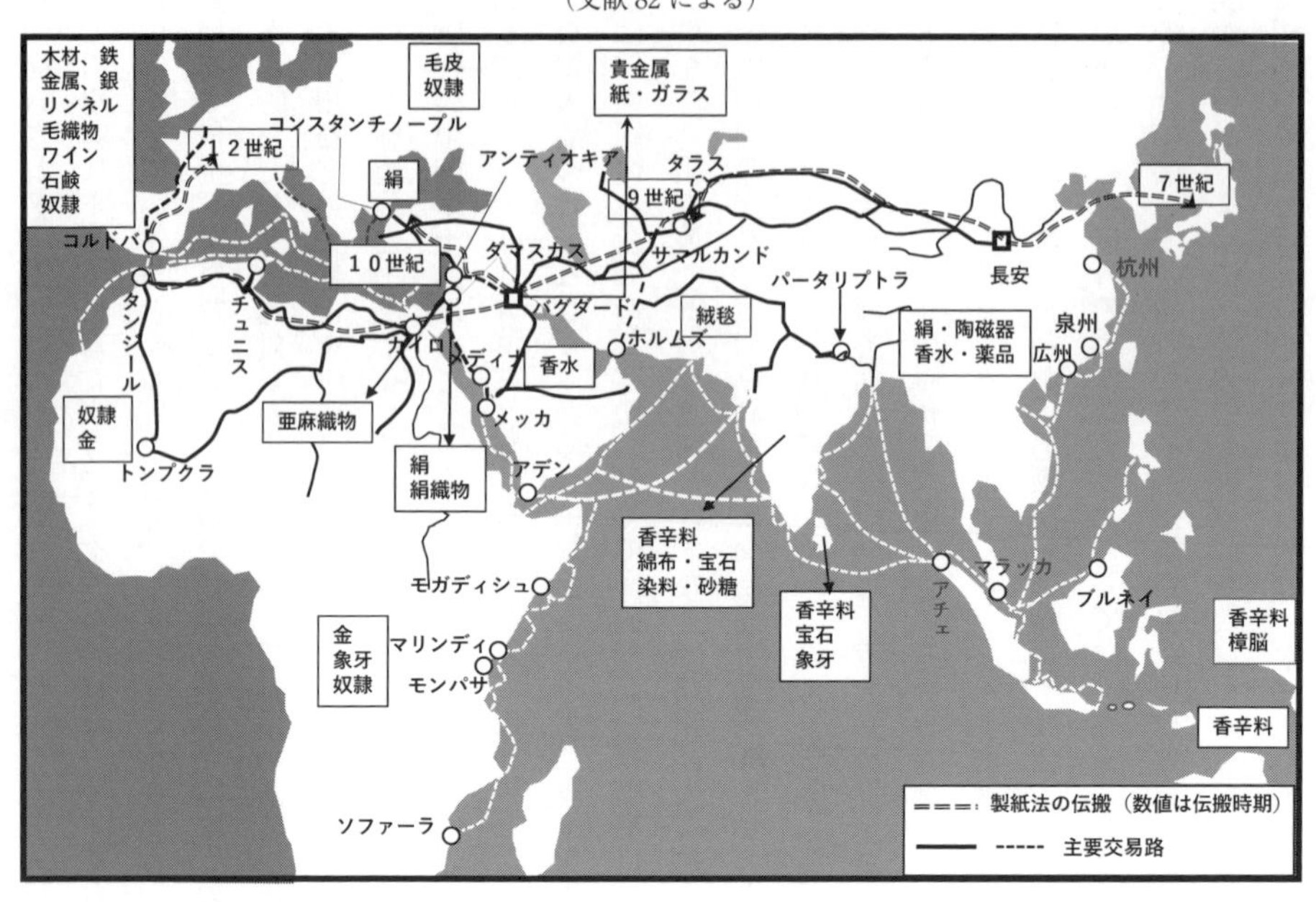

逆にいうと、絹や馬や奴隷は手軽に輸送できる価値の高い商品であった。

ラクダの隊商（**図表88参照**）による輸送力は海上輸送力に比べるとほとんど比較にならない。ちなみに、当時利用されていた標準的なアラビアのダウ船一隻で一〇〇トン、中国のジャンク船（後掲図表89）では一隻で二〇〇トンの貨物を積載できたが、一頭のラクダが四〇〇キログラムを輸送できるとして、これをラクダで運ぶには二五〇～五〇〇頭、ロバなら一五〇〇～三一〇〇頭が必要になる。人間一人で制御できる頭数はロバで一〇頭前後、ラクダでも数十頭であるので、ラクダの隊商を組んでも一緒に旅をする人数として数十人は必要となる。それに、ラクダの飼料や人間用の食糧と水を合わせて運ぶとなれば一隻の船にかかるコストの数十倍にもなり、陸のシルクロードは原則として軽くてかさばらない奢侈品を中心とせざるをえなかった。

また、シルクロードと異なるが、ブライアン・フェイガンはその著「人類と家畜の世界史」[24]でサハラ砂漠を横断するラクダの隊商の様子を紹介しているが、その概略をまとめると、

「大規模な隊では何千頭もの駄獣が数キロにおよ

図表87　唐代の奴隷と馬の価格
（文献10より筆者まとめ）

品名	価格	銅銭価格	普通絹換算	粟麦換算
普通の奴隷	1万～2万文	10～20貫	25～50匹	25～20石
高級奴隷	数十万文	数百貫	数百匹	数百石
普通の馬	4千～9千文	4～9貫	10～22.5匹	10～22.5石
名馬	3万～10万文	30～100貫	75～250匹	75～250石
貧農農家1年分＝粟麦40石＝16貫/年				1石＝60リットル

図表88　中央アジアを行くラクダの隊商
（筆者作成）

ぶ列をなして移動し、平均すると、一日三四キロほど進んだ。しかし、旅行途上では荒地に強風が吹いたり、蜃気楼が日常的に見られ、地平線は霞で覆われている目印もない景観の中を進まねばならなかった。隊商を組んだ人々は精神的には退屈に悩まされ、肉体的には脱水症状と疲労に苦しめられた。しかし、隊商には案内役がついており、彼はルートに関する土地情報を始め、水の補給場所や変化する環境状況にも通じているだけでなく、非友好的な遊牧民の行方すら知っていた。」

という状況であり、われわれが想像するより遥かに過酷な旅であったことがわかる。

また、古代のエジプトが南方のエチオピアやスーダンから金を得ていたことはすでに触れたが、図表86に示したように、八世紀にはすでに、西アフリカの金がイスラム世界に知れ渡っており、彼らの征服戦争の軍資金となり、イスラムに巨大な富をもたらした。一二世紀になるとこれらの金を求めて、一二〇〇頭から二〇〇〇頭ものラクダの隊商が登場するようになった。この隊商の一つが、西アフリカのマリ国王、マンサ・ムーサのメッカ巡礼の旅行団である。彼は、一三二四年七月に、エジプトのスルタンのもとを訪れ、数百頭のラクダと多数の奴隷を引き連れて、盛大に旅をしてきた。彼らの一行はエジプトに途方もない量の金をもたらしたため、この最も貴重な金属の価格は数年にわたって二五％も下落した。コロンブスが西へ航海するまでは、マンサ・ムーサとその後継者たちがヨーロッパの金の三分の二を供給していた。

このようにユーラシアのオアシス回廊だけでなく、その回廊は遠く西アフリカとも結ばれていたのである。

（2）海のシルクロード―ムスリム商人の活躍―

一方、海上交易では隋代にはそれほど盛んではなかったが、唐では開元年間（七一三年～七四一年）の初頭に海上貿易を管理する市舶司という役所が広州に置かれ、香料・染料・瑇瑁（たいまい）など東南アジアの産物が輸入された。この南海貿易を担ったのはダウ船（**図表89（上）**）を用いた主にムスリム商人であった。しかし、中国が海上貿易に本格的に乗り出すのは宋代に入ってからで**図表89（下）**に示したようなジャンク船は福建で多くが造船された。このジャンク船の構造について、高橋康一は、その著「世界の海事史」[66]においてマルコ・ポーロの東方見聞録（マルコ・ポーロはベネチア人で一二七〇年にベネチアを出発し、一二九五年にベネチアに帰りついた。）から、以下のような内容を紹介している。

船体の構造については、①船材は樅と松とを使用する。②船体は二重に張られており、二重の外壁の間はぎっしり物を充填して鉄釘を打ち込み密着させている。③瀝青の代わりに、細かく切り込んだ麻に石灰とある種の樹脂を混ぜたもので鳥もちのような粘着性のあるものを塗布している。④甲板は一層で、この甲板の上に普通なら六〇の船室があり、船室毎に商人一名が

図表89　海のシルクロードを担った船

（上）アラビアのダウ船（600年頃）
（筆者作成）

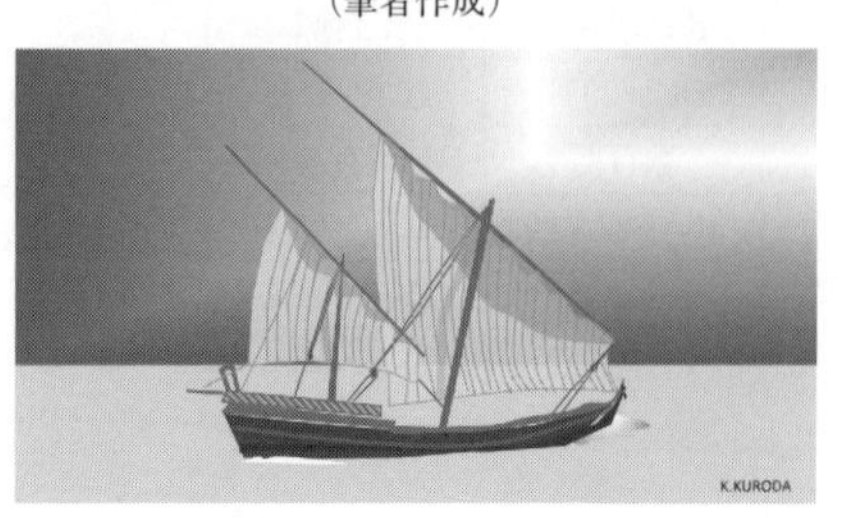

（下）中国のジャンク船（8世紀頃）

楽にすごせるようになっている。⑤舵はひとつ、マストは四本が通常であるが、そのほかに、必要に応じて自由に建てたり倒したりできる補助マスト二本を予備している。⑥大型船になると、頑丈な板をしっかりと継ぎ合わせて一三の房が船体の内に作られており、万が一にも岩礁に衝突して裂孔が船腹に生じた場合でも、海水は浸水した房内で止まり、荷物を他の房に移して応急に浸水を防ぐ措置をとれるようにしている。⑦大型船は、一年間航海に従事すると、必ず補修を加えねばならないが、その修理の模様は次のようである。すなわち厚板でできた二層の外郭の外側に、さらに一重の厚板を船の全周囲に釘付けする。つまり三重の外郭にするのであって、新しいその空隙に物を詰め、船体をもう一度塗り直す。こういった修理方法で、次回は厚板の第四層を釘付けし、以下、第六層にまで及ぶのであるが、第六層を最後としてそれ以後の船体は廃棄処分に付され、それ以上の航海に使用することはない。

このように、ジャンク船は近代の鋼鉄船と同じ構造で、強度の確保と浸水拡大防止策を施していたことがわかる。

さらに、船型については、①水夫が最高三〇〇人乗りから、二〇〇人、一〇〇人乗りなどがある。②積荷の量もヨーロッパの船を凌駕し、多ければ六〇〇〇篭、普通で五〇〇〇篭の胡椒を積載している。③マルコ・ポーロが訪れた頃より以前には、これよりさらに大きな船が使われていたが、南海の島々に設けられている荷揚げ海岸は波浪によって破損しそのような大型船が停泊できる場所がなくなったために利用しなくなった。④これらの海船には橈も使用され、一本の橈につき四人の漕ぎ手がついている。

また、これの商船は小型船を伴った船団を組んで運用されていたらしく、それについては以下のように記述されている。①大型船は二〜三艘の小型船を同伴して航海するが、小型船といってもそれらは優に一〇〇〇篭の胡椒を積載することができ、水夫の数も六〇名から八〇名、ときには一〇〇名にも達する以外、なお多数の商人を乗り組ましめている。②大型海船は少なくともこれら小型船を大小二艘は同伴している。これらの小型船も橈を用いて漕ぎ進むことができ、しばしば綱を使って親船を曳航する。数艘の小型船は大型本船をそれぞれ綱で結びつけて先行し、橈を漕ぎあるいは横風を帆に受けつつ曳航する。ただし、風向きが変わってまっすぐ後ろからの順風ともなれば、本船の帆が先行する小型船の受ける風をさえぎる結果、小型船の進行は止まってしまうから、その時には曳船の用はなさない。これら大型船舶は一般に一〇隻あまりの「はしけ」を備えていて、錨の上げ下ろしや魚の漁獲その他の用に供する。これら

図表90　アストロラーベと羅針盤（文献52による）

アストロラーベ（測位器）　羅針盤（方位器）

の「はしけ」は大型船の両舷に吊り下げられている。上記した小型船にも、同様に数隻の「はしけ」が積み込まれている。

このようなジャンク船の就航に伴いこの時代に西方にもたらされた新技術は磁気コンパス（羅針盤）と測位器（アストロラーベ）（**図表90**）である。前者は中国人の発明で一二世紀には宋の商船が広く使っている。当然アラブ商人の手を経て地中海にこの重宝な道具は導入されたはずである。西欧側の記録では一二世紀末から一三世紀に入る頃、磁気コンパスが伝わったようである。南イタリアの都市国家アマルフィが最初の地といわれているが確実ではない。後者の測位器はアラビアで開発された。イスラム帝国は、インド洋交易に深い関心を持ち、七一八年にはシンド（インダス川下流域）に遠征軍を送りここを制圧した。これ以降、ペルシャ湾、アラビア海、インド洋海域は「大航海時代」まで「イスラムの海」となる。こうして、七世紀以降にササン朝ペルシャの交通路を継承したムスリム商人（アラブ人、ペルシャ人、イラン人等の西アジア出身のイスラム教徒商人）が絹を求めて大挙中国を訪れ、広州などに居留地を築く。中国のイスラム教徒居留地は、唐末に広州大虐殺や黄巣の乱によって大打撃を受けてしまい、一時後退してしまったが、宋代になると再びムスリム商人たちは、中国各地（泉州市、福州市など）に進出し、貿易を活発に行い、その活発な海上交易は、元代まで続いた。元のクビライ・ハーンは東シナ海、南シナ海からジャワ海、インド洋を結ぶこの交易路で制海権を握るために日本（元寇）や東南アジアに遠征軍を次々と送ったのだった。時代が少し下がって元朝の時代にイブン・バットゥータも泉州、福州を通って大都（北京）を訪れたし、マルコ・ポーロもこの道を通っている。ムスリム商人はスークで商売をする小売商人だけでなく、広域の大規模国際貿易をするタジールと呼ばれる富裕商人たちもいた。篠原陽一[51]によると、タジールは**図表91**の三種類に分類されている。これらのタジールは自ら船を所有する者、出資者を募って船主となり船長他の乗組員を雇う者、専門の海運業者に任せる者、種々雑多であったがここでは深く立ち入らない。この表の記述にもあるように、ムスリム商人たちは、インドや東南アジアの港市、そして中国沿岸都市に支店を設置したり、取引のた

図表91　国際交易を行うムスリム商人（タジール）の分類
（文献51による）

ハッザーン	屯積商人あるいは蔵商と訳され、都市に倉庫を構え、市況に応じて農産物その他を大量に購入・販売することによって、その差益を入手しようとする投機的な商人で、アッバース朝は､租税として集められた穀物をこうした大商人たちに入札方式で売却した。彼らはファティマ朝時代には、ラッカードの委託販売人・取次人の役割を果たした。
ムジャッヒズ	輸出入商人あるいは輸出入問屋と訳され、遠隔地へ大規模な物資の輸出を行う豪商のことである。彼らは旅行商人のように自ら遠隔地へ行くのではなく、信頼できる宰領者をつけて送達する。彼らは、原料や道具を手工業者に貸与して生産を行わせ、その上で製品を引き取って売却することもあった。このムジャッヒズから派遣された代理人は、現地に在住して、主人に代わって経営の全権を委託され、また本店からの指令によって買付を行った。商品の輸送は、専門の運輸業者や共同経営の仲間たちに委託する場合もあったが、代理人自らが船やキャラバン隊を雇って商品と一緒に旅することが多かった。そして、インド洋では、バスラ、シーラーフやオマーン地方のスハールなどに在住する商人たちが、代理店をインドのサイムール、カンバーヤ、ダイブル、クーラム・マライなどに設けて、大規模な商業取引を行った。
ラッカード	行旅商人あるいは遍歴商人と訳され、その商用旅行の範囲によって、諸国間を定期的に移動する、都市と農村との間を移動する、他国に移動しそこに数年間滞在するという、3つの類型に分類される。遠隔地を移動する商人には旅商と呼ばれて、商品を携えて自分も旅をした。基本的には、都市内に倉庫を持たず、また各地に自己の代理店網がないため、多くの場合、販売取次人・競売人などの仲買商人たちを利用した。

めにそこに在住したりして、海のシルクロード交易の広範なネットワークを築いた。一三世紀に描かれたイスラム船（**図表92**）では船客はアラブ人であるが船員はすべてインド人または黒人奴隷である様子が描かれている。この時代の海上交易路と主要な港および各航路に要する日数を**図表93**に示した。これによると、バグダードから中国の広州に行くのに季節風を利用しても約三カ月を要したことがわかる。

陸のシルクロードでの交易品についてはすでに触れたが、ムスリム商人や宋代中国商人による海上交易の展開ではどのような品が主流であっただろうか？ 家島彦一[67]によると、九世紀〜一〇世紀には、中国と西アジアとの貿易関係はますます盛んになり、陶磁器・絹織物・漆器・青銅容器・銅銭・紙・什器・鏡・馬具・装身具・麝香などが中国からバグダードをはじめとする西アジアの市場にもたらされた。一方、ペルシャ湾を基地としたアラブ系・イラン系のムスリム海上商人たちは、西アジア産のガラス・陶器・木綿糸・亜麻糸・毛織物の他に中国市場で需要の高かった南アラビア産の乳香・没薬・龍涎香、ソコトラ島の麒麟血・アロエ、ペルシャ湾産の真珠、地中海の珊瑚を中国に持ち込んだ。それ以外に、東アフリカ海岸からの象牙・犀角・動物皮革、スリランカ・インド・マラバール海岸の胡椒・肉桂・宝石類、アッサム産の沈香・犀角などインド洋周辺部の各地で産出するさまざまな物産を中国市場にもたらした。このように、イスラム教徒の海上交易人たちが西アジアから中国に持ち込んだ産品は、古代からの西方産品に比べその品目に大きな変化はなく、その内容も貧弱なものであった。そのため、西方において需要が高まっている中国産品を仕入れるためには、インド洋や東南アジアにおいてそれら海域の産品を買い込み、それらを持ち込んで支払に充てざるをえない状況もまた、それ以前と同じであった。その点で、海のシルクロードにおけるイスラム教徒の海上交易人たちは、今までにもまして中継交易人として振る舞うようになったと言える。

このことは古代から地中海沿岸地域には、中国産品と交易できるほどの交易品がなかったことを意味しているが、それはローマ亡きあとのヨーロッパの長い沈滞にあり、交易品を作り出すほどの産業が未発達であったことを意味している。イスラム世界の拡大はインド洋～東南アジア～中国を結ぶ海のシルクロードを完成させたと同時に、地中海世界をも一変させた。イスラム勢力はインド洋と同時に地中海世界の制覇にも乗り出し、地中海世界の制海権を握っていたビザンチン帝国（東ローマ帝国）と対立し、ついにローマ教皇を通じて西ヨーロッパの諸侯に援軍派遣を要請させることになる。時のローマ教皇ウルバン二世の呼びかけに応じ一〇九六年に第一回十字軍が派遣された。十字軍によって聖地は回復できたが、セルジュック朝のイスラムの圧力で風前の灯となっていた東ローマは、ジェノヴァ、ピサやベネチアに、コンスタンチノープルやシリア内や港市での商業特権を保証してベネチア海軍の派遣を要請し、辛うじて首都だけは守り抜いていた。しかしこれ以降、コンスタンチノープルには多くの商人が滞在し、東地中海の交易で繁栄する。また、十字軍の派遣に伴う海上輸送と兵站を請け負ったジェノヴァやナポリなどのイタリア諸港湾都市はベネチアと同じように東方貿易に介在し繁栄の基を築いていった。イタリア商人たちはムスリム商人がもたらした東南アジアの香辛料、中国の絹織物、インドの宝石などを扱い、地中海世界だけでなく、黒海、大西洋、ヨーロッパの内陸部までこれら東洋の産物をもた

図表92　ムスリム商人のダウ船
（文献52による、仏国立博物館蔵）

図表93　8世紀～15世紀の航海日数と主要港
（文献68による）

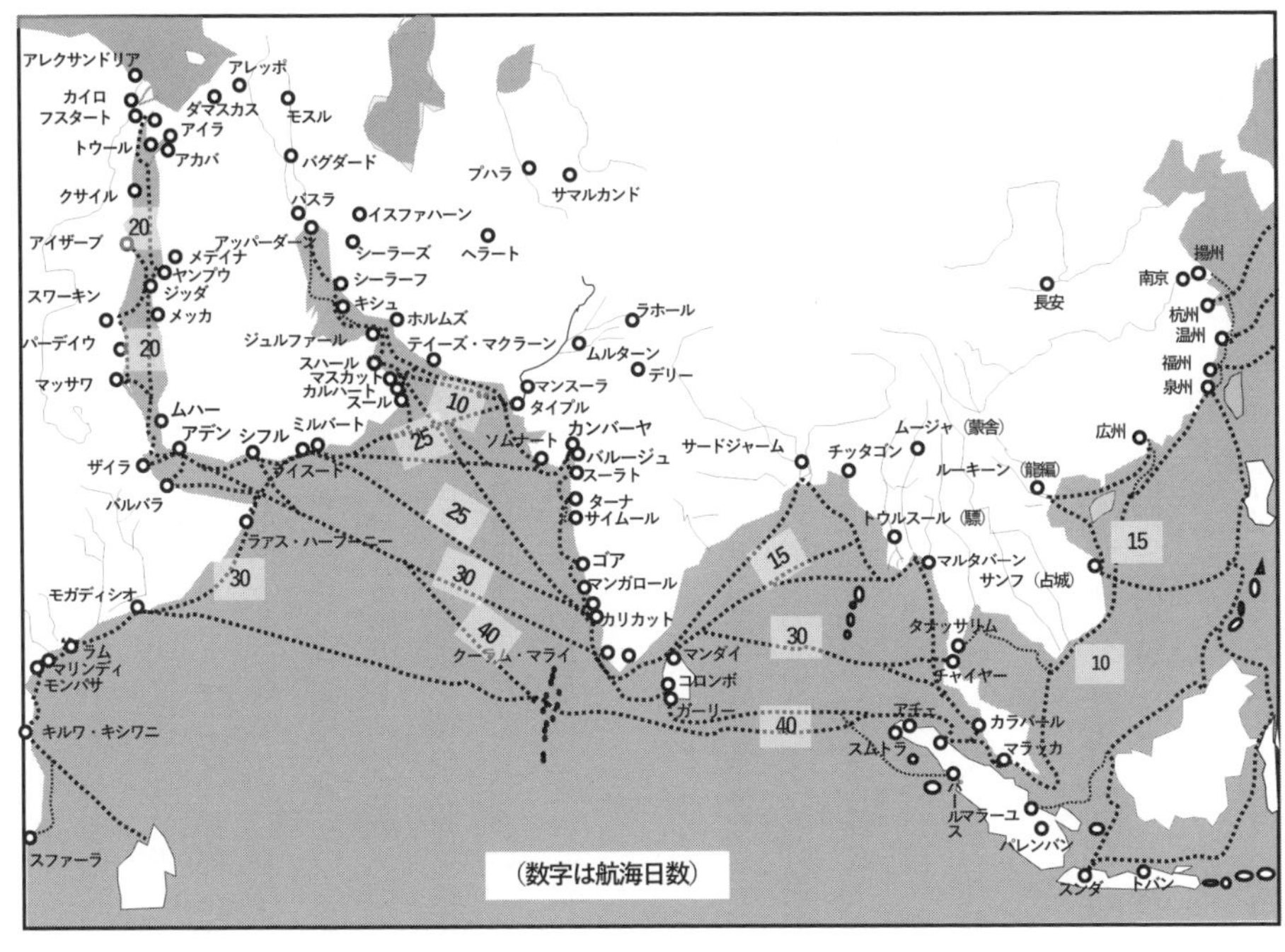

らした。海のシルクロードが開通してからは、しばらくインド産の胡椒やシナモンに加えて、この頃から、スマトラ、ジャワのシナモンやカンフォル（龍脳）、さらにモルッカの丁香（鶏舌香）が世界市場に登場してくる。このことは東南アジアの島々の港市が自らインド東海岸や中国の沿岸にまで足を延ばし海上交易を担うようになった証拠であり、事実、**図表94**に示すように八世紀から九世紀頃に建てられたジャワ島のボロブドールの浮彫に見られるようなアウトリガー付の商船を操る東南アジア航海民が海上交易の主役になった。

東南アジアの港市が大きな発展を遂げ出したのは、宋代に入ってからである。隋・唐の安定期が終わり、中国が五代十国の騒乱時代を迎えたが宋朝の統一で安定を取り戻すと同時に東南アジアにおける古代世界は転換を迫られることになった。第一の影響は中国における消費市場の拡大である。女真族の金王朝に抑えられた華北の戦乱をよそに、比較的平安を保ちえた華中・華南は、稲作を中心とする大開拓時代に入っていた。一一世紀になる

図表94　ボロブドールの浮彫のアウトリガー船
（文献69による）

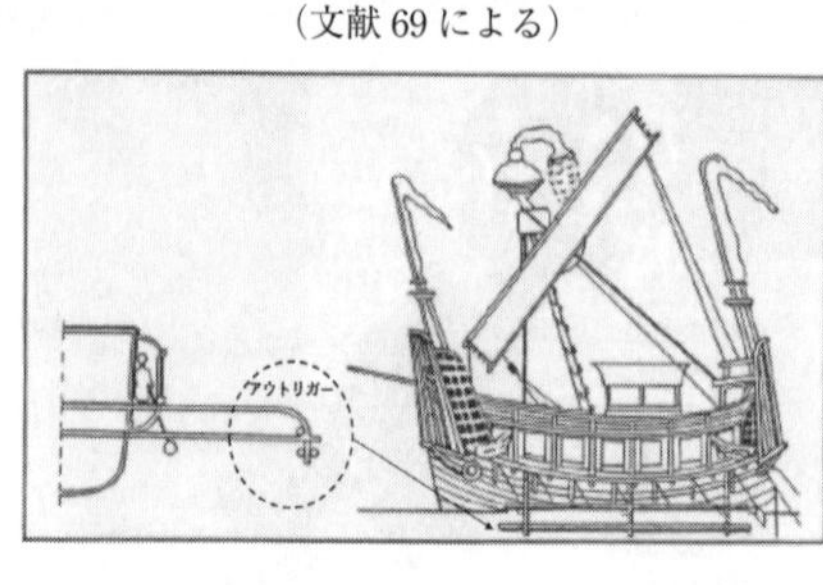

と北方から逃れてきた人々の流入によって中国の人口の南北比率は完全に逆転し、その巨大な農業生産力を背景として、華中・華南には、杭州に代表される巨大都市群が出現した。肥大化したこれら海岸諸都市住民の富裕な食生活によって、インドのマラバール海岸からスマトラ、東部インドネシアなど東南アジア島嶼部で生産される胡椒や丁子などの香辛料が大量に消費されるようになった。このことが東南アジアの島々を生産と交易に目覚めさせたのである。もう一つの要因は、先に触れたように、宋代に入り中国造船史上に大革命が起こったことである。ジャンク船と羅針盤の発明である。巨大な積載量を持つジャンク船は当時の主要な輸出品の一つであった宋銭や陶磁器の大量運搬を可能にし、ひいては中国商人の海外発展を促した。後に東南アジア経済を握る華僑の始原は、この時代に始まった。

（3）シルクロード最果ての国・日本

先に触れたように、七世紀以降には朝廷は隋・唐に使節を送り、大陸との交流を始めた。その出先機関が筑紫に置かれた鴻臚館（こうろかん）で、入出国や輸出入はこの機関の監視下でのみ可能であった。しかし、隋・唐王朝の中国統一とともに、朝鮮半島や日本にも大きな変動の波が押し寄せた。日本は新羅貿易を通じて中国や朝鮮の品々を輸入していたが、唐の勃興とともに百済救援に赴いた朝廷軍は、白村江の戦いで唐・新羅連合軍に敗れた。それ以降、大陸への朝貢使節は渤海湾ルートから南海ルート（**図表95**）に変化したが、遣唐使船の幾度にもわたる難破に現れているように、南海ルートの渡海は非常な危険を伴うようになった。彼らは未だ、季節風の存在や黒潮の存在をよく知らなかったのである。それでも、世界文明とつながった日本にとっては海の向こうの世界への憧れは衰えることはなかった。鴻臚館貿易は次第に崩れ、宋代に入ると平清盛が日宋貿易に目をつけ大輪田の泊を改修建設したのを始めに、宋商人たちも次第に荘園貴族との直接貿易に乗り出し、薩摩の坊津、筑前の今津、松浦の平戸、さらには、北陸の敦賀の津湊に現れるようになった。やがて鎌倉・室町時代になるとモンゴルの二度にわたる襲来にもかかわらず、日元・日明貿易はま

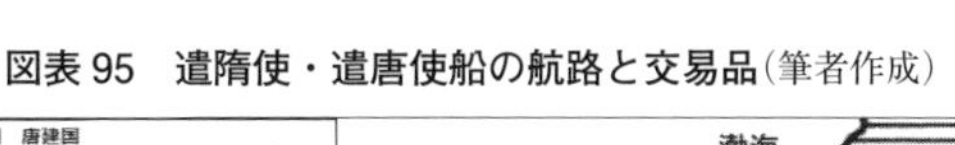
図表95　遣隋使・遣唐使船の航路と交易品（筆者作成）

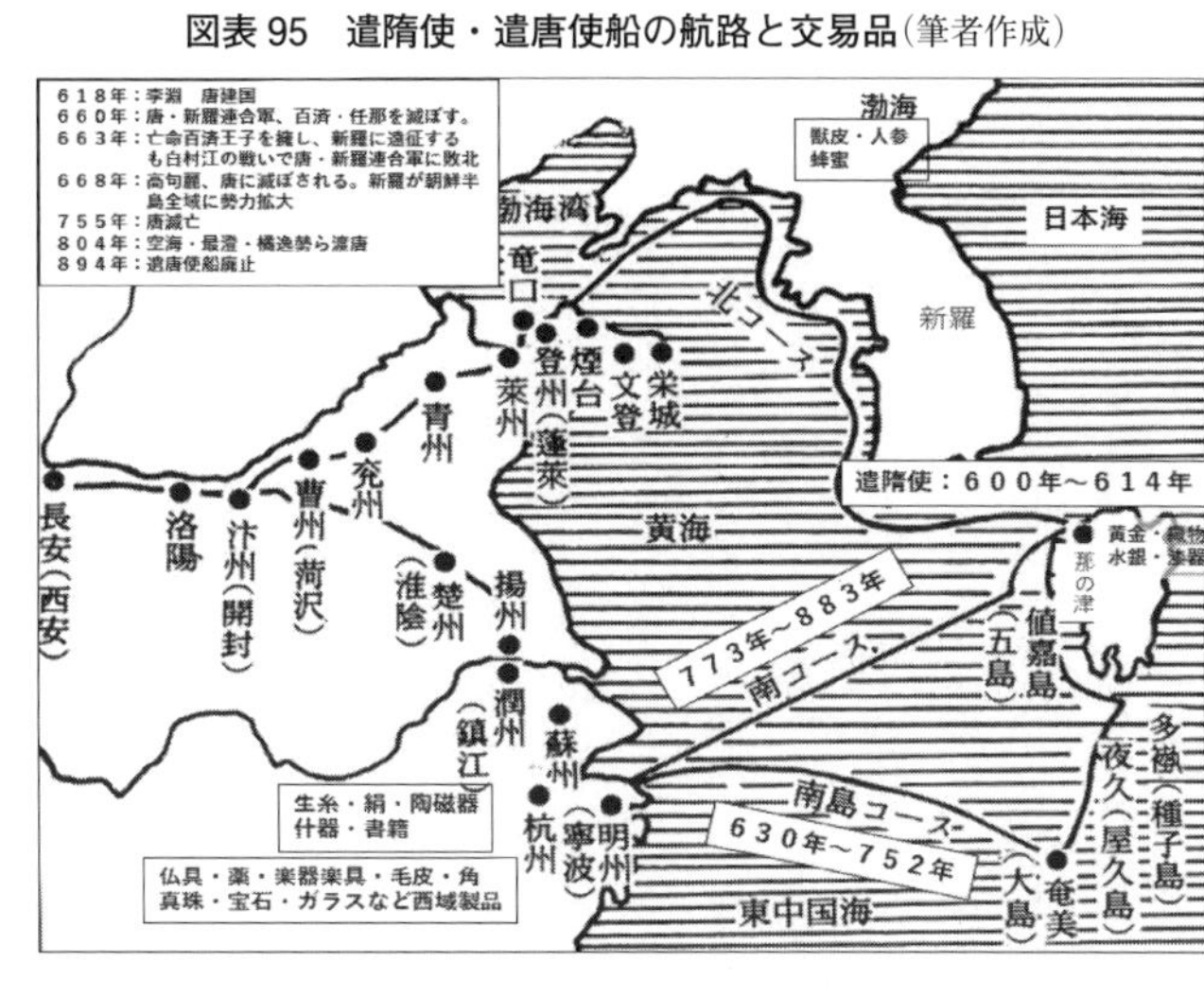

すます盛んになり、権力層（幕府や社寺）による貿易（勘合貿易）以外に私貿易も盛んになり、ついに、朝鮮や中国の沿岸域で略奪（倭寇として恐れられた）を働く者も出てきた。当時の明朝はこの処置に悩み、ついに海禁令を出して私貿易を取り締まるに至った。この頃の日明私貿易の盛んだった証拠として、一二世紀～一三世紀には博多や平戸に中国商人が居を構えて定住する者も多かった。今に名を残している謝国明、張興、張英、鄭芝龍などが知られる。ある程度の年長者であれば「国姓爺合戦」として戯曲に登場する人物が日本人妻と鄭芝龍の間に生まれた鄭成功であり、彼が清朝に滅ぼされた明朝の回復をめざし、台湾に鄭氏政権を打ち立てたことをご存じであろう。

（4）ハンザ同盟と広域貿易

シルクロードの東の最果てが日本であったが、ヨーロッパの最果ては北海・バルト海であった。ヨーロッパにおける中世の遠隔地貿易では、まず地中海を舞台とした南方の交易圏と、北海とバルト海を舞台とした北方の交易圏の二方面で盛んになり、さらにこの南北の交易圏を結ぶヨーロッパ内陸の交易が行われるようになった。ヨーロッパの南北に成立した二つの交易圏には、その内容において性格的な相違が見られる。

地中海貿易の交易品の主流は、異国的で珍奇ないわば高価な品物である。これらには、胡椒、ショウガ、各種香料、絹、錦、絨毯、甘口果実酒、オレンジ、アーモンド、宝石などがある。イタリア人を主とする貿易商人はこれらのアジア、中近東からもたらされるものを扱った。そこから、北イタリアの商人の中には、メディチ家のような金融業を営んで巨大な富を築く者も現れた。地中海の遠隔地貿易では、北イタリアのベネチアとジェノヴァによる激烈な競争が繰り返された。彼らは遥か北方交易圏にまで海路の足を延ばし、北方諸都市に東洋の奢侈品を初めてもたらした。

一方、北方交易圏では生活必需品が主力であった。ヨーロッパ大陸の北に広がる北海とバルト海で行われていた交易は、南方交易圏の地中海貿易が奢侈品を中心とした投機的な内容であったのに対して、基本的には穀物、材木、毛織物、海産物、鉱石、塩、原毛などが主力であった。例外的に毛皮は奢侈品でもあるが、生活に欠かせない面もあり、北方交易圏の主力は生活必需品であったと見てよい。これらの商品は、いずれも安価で大量に運搬されるが、大量に取引しなければ輸送コストの埋め合わせがきかなかった。そのため、北海・バルト海交易では、貿易商人は仕入れ、運搬、販売を組織的に行う必要があり、はじめは商人ギルドを結成、一二世紀頃から交易に参加している都市が都市同盟を結成して、共同・協力して航路の安全をはかり、商圏を拡張する必要が出てきた。そのために結成されたのがハンザ同盟であったと考えられる。「ハンザ」とは本来は「商人の仲間」の意味の普通名詞であった。一一世紀頃から、ドイツ人の東方植民、キリスト教の東方への布教とともに、活動を活発にしはじめた商人は、さらに一二世紀頃からいくつかの海港都市ごとに商人仲間が団体を作るようになった。それはギルドと同じであり、各種ギルドのうち貿易商人のギルドを指して「ハンザ」といっていた。これが後のハンザ同盟の前身と考えられるが、この段階（一二世紀～一四世紀中頃）は「商人ハンザ」といわれることが多い。なお、「ハンザ」という言葉は、はじめは北西ヨーロッパ、特にフランドル地方とイングランドで用いられ、シャンパーニュ地方との毛織物取引を行う商人たちを指していた。

一二世紀～一三世紀頃には地中海商圏と北海・バルト海商圏を結ぶ交通の要衝をなしたフランス北東部のシャンパーニュ地方の都市ラニー、バール＝シュル＝オーブ、プロヴァンおよびトロワで定期的（年六回、それぞれ六～七週間）に大市（シャンパーニュの大市と呼ばれた）が開かれた（**図表96**）。シャンパーニュ地方は、ソーヌ、ロアールなどの河川が集まる内陸交通の要地であり、各国の物産が取引されて賑わった。「織物の市」、「皮の市」、「秤の市」の順序で取引された。「秤の市」とは目方や量で売り買いされる商品の市のことで、香料・染料・塩・砂糖・果物・油脂類・金属・木材など多種多様な商品が扱われた。また、使用される各国の貨幣を両替するために銀行業務が生まれるとともに、信用取引の制度も始まった。しかし、一四世紀以降、フランス国王による課税の強化や大西洋沿岸航路の発達に伴い、次第に衰退した。

商人ハンザの仲間は、木材や穀物・毛皮を求めて、北海・バルト海の外側に活動範囲を広げ、フランドル、イギリス、スカンジナビア、そしてプロイセン（ドイツ騎士団領）、ポーランド、リトアニア、ロシアなどの外地に進出していった。バルト海ではスウェーデンのゴトランド島のヴィスビを中継拠点に、ロシア内陸部に進出、毛皮の取引にも進出した。これらの商人は、はじめ外地での共同利益を守るため、まず外地で「ハンザ」を結成し商館を設けていった（**図表97**）。やがて、一四世紀中頃にはいわゆる「都市ハンザ」といわれる諸都市の同盟に発展した。「ハンザ」はこの段階ではギルドとしての性格はなくなり、諸都市が経済的目的から組織した団体という意味になる。組織された諸都市の中心となったリューベックは、封建領主からの租税負担を逃れるためにドイツ皇帝から特許状を得て帝国都市として自治権を認められていた。ハンブルク、ブレーメン、ロストクなども同じように自治権が認められた帝国都市であったが、例えばハンザに加わった都市の中にはケルンのようにローマ時代にさかのぼり、司教座都市として始まった都市などもあり多様であった。これらのドイツ都市以外にも、ヴィスビ（スウェーデンのゴトランド島）、ダンツィヒ、ケーニヒスベルク（現カリーニングラード）、リガ（ラトビア）なども有力なハンザ同盟都市であった。都市同盟としてのハンザ同盟は、主要な外地に商館を置いた。特に、イギリスのロンドン、フランドルのブリュージュ、ロシアのノヴゴロド、ノルウェーのベルゲンが四大外地商館として重要であった。これらの外地商館は現地の役人や商人と折衝しながら、同盟都市の利益を守る活動を

図表96　シャンパーニュの大市の様子
（文献82による）

図表 97　ハンザ同盟の主要都市と 13 世紀〜15 世紀の欧州交易路
（文献 70 による）

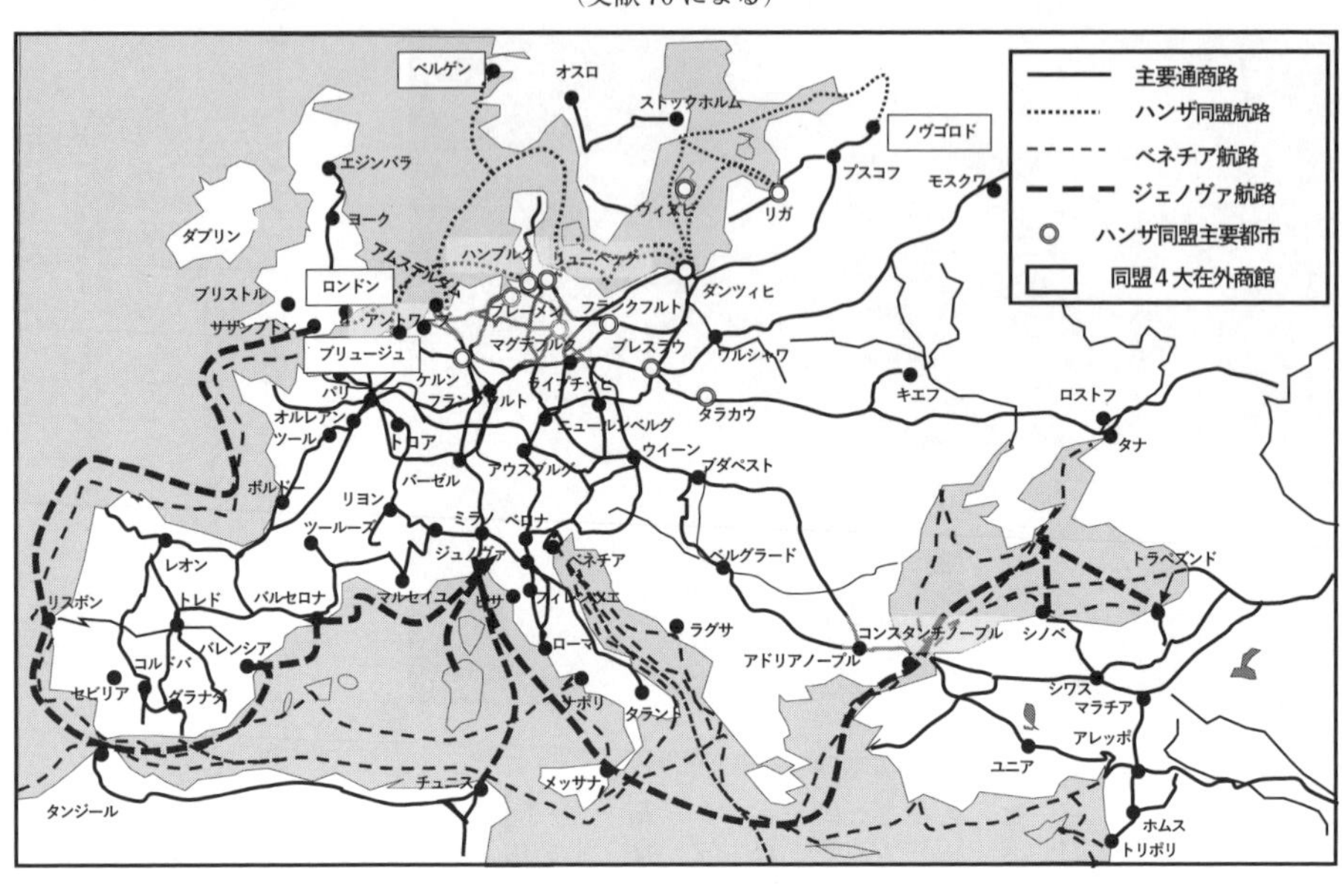

行ったが、その地の状況でその活動状況にはかなり違いがあった。ロンドン商館はロンドン市内にスチールヤードといわれる居住区を持っていたが、イングランド王はハンザ商人の活動を常に統制しようと紛争が起きることが多かった。ブリュージュ商館は商館とはいっても独立した建物はなく、ハンザ商人は現地で家を借りて分散して居住していた、などの違いがある。

ハンザ同盟をはじめとして、北海やバルト海で使われた商船は、ヴァイキングが利用した船と異なりコグ船（**図表 98**）と呼ばれる。コグ船は重ね張り外板だがヴァイキングの船よりもずっと頑丈で重構造、乾舷が高く平底で船型はより肥大している。一本マストに横帆一枚を装備し開き走りもできた。やがて、このタイプの船が地中海タイプの船と融合され大航海時代に活躍するキャラック船を誕生させることになる。

以上のように紀元一〇〇〇年紀の中頃までに海陸のシルクロードが完成するとともに、紀元二〇〇〇年紀に入ると北海・バルト海の交易圏と極東の日本を含む東シナ海交易圏が連鎖的につながり文字通り「海の道」が完成したのである。

それだけでなく、海港の連鎖から始まった国際貿易はそれぞれの背後圏の経済をも刺激し、内陸都市の経

郵便はがき

料金受取人払郵便

新宿局承認

4831

差出有効期間
2023年2月
28日まで

160-8792

195

(受取人)

東京都新宿区南元町4の51
(成山堂ビル)

㈱成山堂書店　行

お名前	年齢　　歳 ご職業
ご住所(お送先)　(〒　　－　　)	1. 自宅 2. 勤務先・学校
お勤め先(学生の方は学校名)	所属部署(学生の方は専攻部門)
本書をどのようにしてお知りになりましたか A. 書店で実物を見て　B. 広告を見て(掲載紙名　　　) C. 小社からのDM　D. 小社ウェブサイト　E. その他(　　　)	
お買い上げ書店名 市　　町　　書店	
本書のご利用目的は何ですか A. 教科書・業務参考書として　B. 趣味　C. その他(　　　)	
よく読む 新聞	よく読む 雑誌
E-mail(メールマガジン配信希望の方) @	
図書目録　送付希望　・　不要	

—皆様の声をお聞かせください—

成山堂書店の出版物をご購読いただき、ありがとうございました。今後もお役にたてる出版物を発行するために、読者の皆様のお声をぜひお聞かせください。

代表取締役社長
小川典子

本書のタイトル(お手数ですがご記入下さい)

■ 本書のお気づきの点や、ご感想をお書きください。

■ 今後、成山堂書店に出版を望む本を、具体的に教えてください。

こんな本が欲しい!(理由・用途など)

■ 小社の広告・宣伝物・ウェブサイト等に、上記の内容を掲載させていただいてもよろしいでしょうか?(個人名・住所は掲載いたしません)

はい ・ いいえ

ご協力ありがとうございました。

(お知らせいただきました個人情報は、小社企画・宣伝資料としての利用以外には使用しません。25.4)

済発展を促すことにもつながった。

(5) ユーラシア循環交易圏の完成—モンゴル帝国の誕生—

世界の激動が始まったのは一二〇六年、モンゴル高原の遊牧民族のクリルタイでチンギスがハーン（皇帝）に選ばれてからであった。大蒙古国（エケ・モンゴル・ウルス）の誕生であった。チンギス・ハーンの軍隊は、黄河平原を支配して南宋と対立していた女真族の金をまずターゲットにしてこれを破り、北京以北の草原地帯を支配下に収めた。次いで、西に転じて西遼とホラズム・シャー朝を征服した。さらに、チンギスの後継者オゴタイはカラコルムに首都を建設すると同時に「ジャムチ」という駅伝制を整備した。チンギスの後継者たちは、西はイランのバグダードを陥落させアッバース朝を滅ぼし、シリアのアレッポを占領した。またロシアを支配下に入れ一時はウイーンに迫った。東ではチンギスの孫クビライがハーンとなり中国全土を征服して大元ウルスを建国して大蒙古の西への拡大進撃がやっと止まった。クビライは朝鮮の高麗を属領とすると、一二七四年（文永の役）、一二八一年（弘安の役）の二度にわたって日本遠征を試みたが二度とも失敗に終わった。しかし、東南アジアへの遠征は続けられ、いずれも朝貢するようになった。さらに、シンハラ・ドゥヴィーバ（現スリランカ）やインド西南端のマラバール海岸までの港市にも朝貢させた。こうして日本と琉球を除くアジアの海域諸国はモンゴルの傘下に入った。一方、フレグ・ウルスの抑えるイランのホルムズやペルシャ湾に至る海上ルートがモンゴルの統制下に入った。インド洋の東西通商は、モンゴルの誘導もあって非常に活発化した。一方、内陸では旧来のオアシスの道や草原の道を利用した「ジャムチ」という駅伝制を整備した。こうして**図表99**に示すように、内陸と海洋のルートが結合し、ユーラシアを循環する交通・輸送体系と「世界通商圏」が出現した。クビライ以降の大元ウルス政権は、国家支配の基盤として、軍事力の保持をはかるのと同時に、経済コントロールをもって国家運営のもうひとつの柱とした。遠距離商人の保護・育成と経由地での中間関税の撤廃を眼目とする自由貿易主義・通商振興政策を掲げて、中華を越えるユーラ

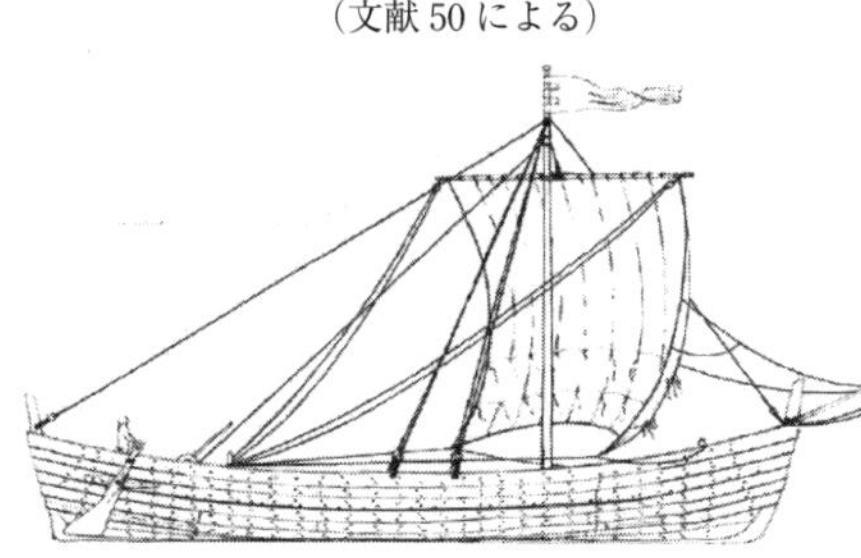

図表98　ハンザ同盟商人に使われたコグ船
（文献50による）

図表99 モンゴル帝国のジャムチ
（文献40による）

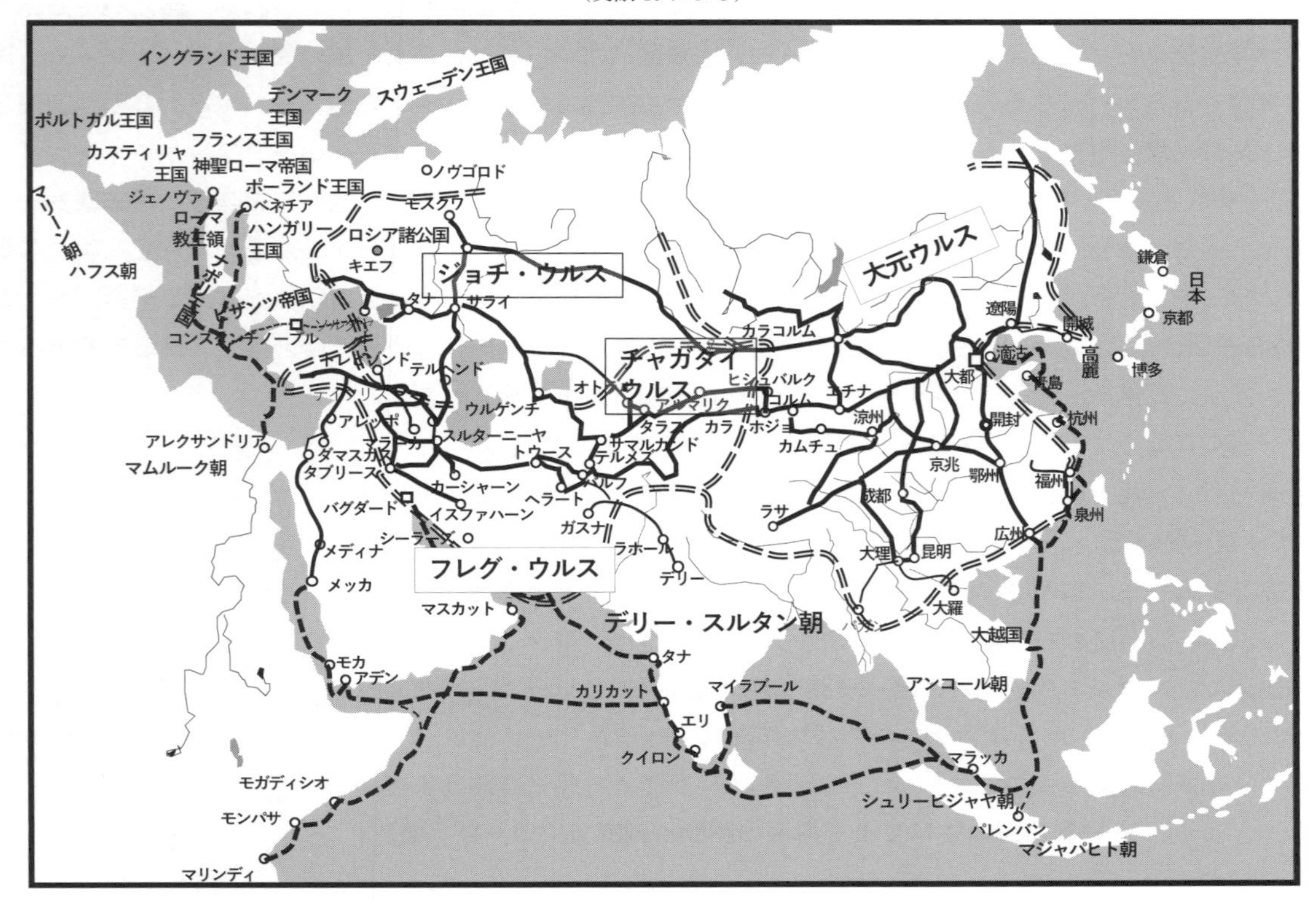

シア規模での流通と通商を国家がすすんで巻き起こそうとした。そして現実には流通の要衝を抑え、そこに課税した収入でもって国家財政の大部分を組み立てた。彼らの経済政策の裏には明らかにイラン系ムスリム商人群とウイグル商人勢力がいた。おそらくはチュルク語に発する「オルトク」という組織は、当時のリンガ・フランカであったペルシャ語では「オルタータ」、漢語では「斡脱」と呼ばれ、内陸世界で発達してきたものであった。モンゴル時代までの内陸商業においては、すでに述べたソグド商人の系譜をひくと思われるイラン系ムスリム商人群と東部天山を根拠地とするウイグル商人群の二つが際立った存在であった。それぞれがモンゴル権力と早くから密接な関係を持っていたが、イラン系のムスリム商業勢力のほうが資本・経営の規模において上回っており、次第にムスリム商人を頂点とする系列化が進み出していた。大元ウルス政権は漢人、契丹人、女真人などを含めて統治に必要な人材を集め、特にイラン系ムスリム商人の主要人物を財務長官に据えて、官民タイアップした経済活動を繰り広げた。しかも、南宋併合後は陸と海のムスリム商人たちは、明らかに大元ウルス政権と一体化した。

このように、モンゴル帝国の実態は、われわれがイメージするような荒々しい遊牧軍事民族の面だけではなく、実に中央ユーラシアの交易商業に精通した商業資本が帝国を運営したのである。同じことが海上交易でも起こった。以前からインド洋を中心に活動していたムスリム商人の交易と大元ウルスとが結びついたのである。江南沿海の港には、すでにムスリムのコミュニティができていた。南宋から大元ウルスに至る時期、泉州に在住し、大きな影響力を持っていた蒲寿庚というムスリム商人が、大元国に与し、南宋の滅亡に加担して貿易の繁栄に尽力した。「蒲寿庚の事蹟」はモンゴル政権とムスリム海上交易のリンクを体現するものだった。

5・9　第八次輸送革命：キャラベル船の開発と大航海時代
（紀元1400年頃～紀元1800年頃）

第八次輸送革命は、大航海時代に始まった新航路（ルート）の開発と銀の流れの大変化である。それまでの物流ルートは世界帝国を作り上げたモンゴルのチンギス・ハーンの亡きあとに変化が始まった。一四世紀に起こった寒冷化の異常気象は世界を混乱の渦に巻き込んだ。輸送革命はこの混乱期を経て実現された。まず、変化はチャガタイ・ウルスが支配する中央アジア、シルクロードの中核地帯に始まる（図表99）。先に触れたように、西進したモンゴルはここで、多数を占めるトルコ人ムスリムと混淆して一体となった。その地は、トルコ化・イスラム化以前からの住民だったイラン系のソグド人以来、ペルシャ語が共通語の地位を占めていた。彼らは一貫して商業金融を掌握し、国際的な財閥であったから、イラン系商人の使うペルシャ語がリンガ・フランカであったことはすでに触れた。この地方は東西の十字路という要衝を占めたがゆえに、かえってともすれば東西に分裂しがちだったが、モンゴル治下でイスラム信仰が定着したこともあって、ようやく一つの文化圏を形作った。チャガタイ・ウルスやフラグ・ウルスなどのモンゴル政権が潰えた後、ティムール（一三三六年～一四〇五年）が現れてサマルカンドを中心に一大帝国を築いた。ティ

紀元 1400 年頃～紀元1800 年頃の交易圏

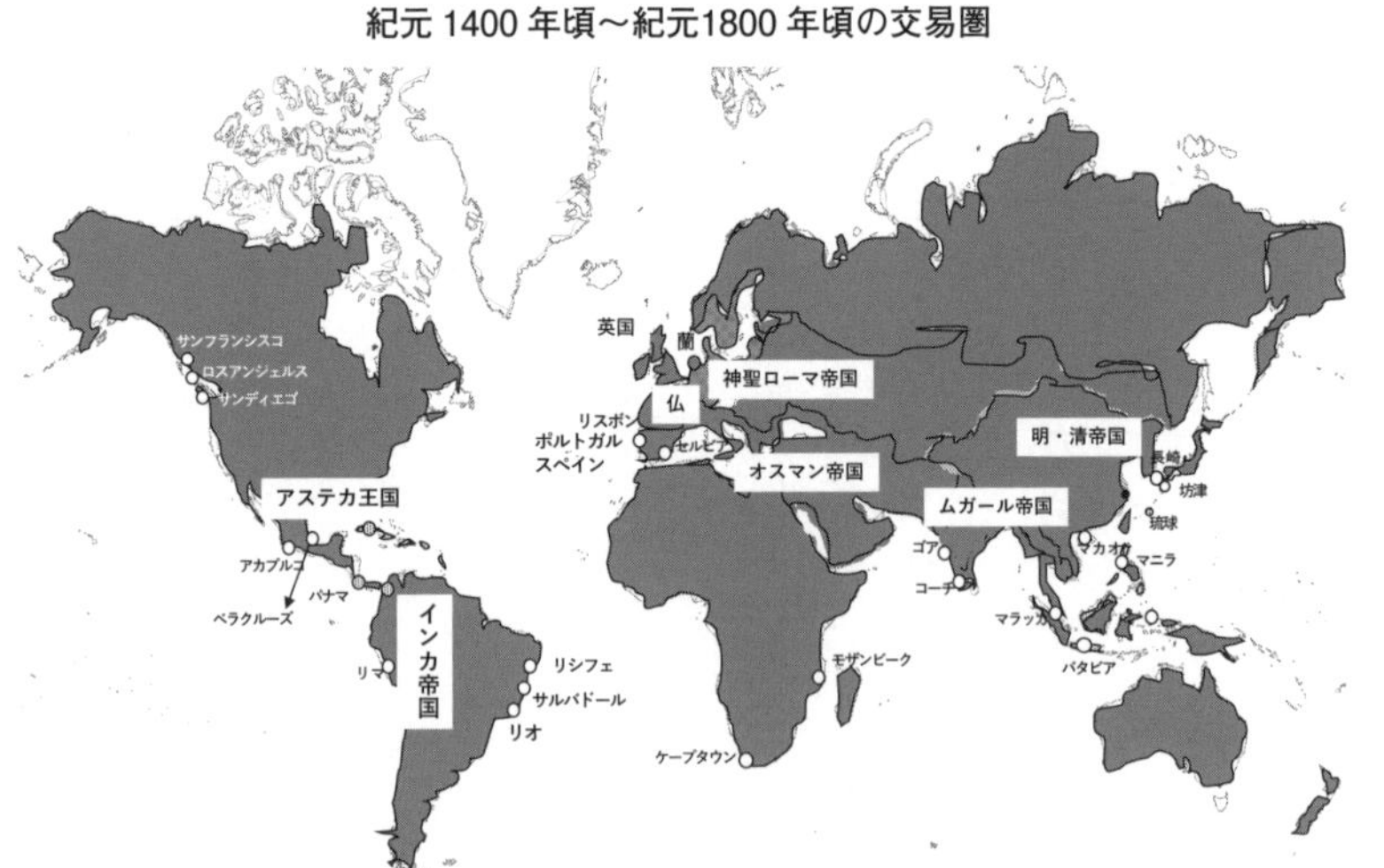

ムール帝国は、政権構造もほぼモンゴルを踏襲したいわばモンゴル後継者である。一五世紀には世界の中心としてへラード、サマルカンドなど主要なオアシス都市に一大文明が開化し、繁栄を誇った。しかし、それも長くは続かなかった。大航海時代の幕開けと同時に、陸路の隊商交易に依存していた陸のシルクロードが衰退していったことが最大の原因であった。ティムール帝国での政争に敗れたティムールの末裔のバーブルは南下してヒンドゥスタンにムガール帝国を打ち立て、海上交易と結びついてその帝国は繁栄するのである。一方、旧ペルシャの領域ではイスラム教シーア派を信奉するイスマーイール一世（一四八七年～一五二四年）がサファヴィ朝を打ち立て、アナトリアのセルジュックトルコを滅ぼしたオスマン帝国と対立した。オスマン帝国は一四世紀の半ばにはバルカンに進出して、相次いでキリスト教諸国を服属させた。やがて、一四五三年にはコンスタンチノープルを陥落させイスタンブールと改名し、オスマン帝国の首都とした。ここに四世紀から千年の長きにわたって延命してきた東ローマ帝国は滅亡したのである。このとき多くのギリシャ人や知識人がイタリアに逃れ、後のイタリア・ルネッサンスの原動力となった。オスマン帝国はさらに拡大を続けモンゴルの襲撃を受けずに残っていたイスラム帝国の支配地であったエジプト、北アフリカをも征服し、アジア、ヨーロッパ、アフリカの三大陸にまたがる大帝国に成長した。このオスマン帝国の支配とともに、古代～中世と続いてきた地中海世界は中継貿易に徹したベネチア、ジェノヴァ以外は、ついに終焉を迎えるのである。地中海の東方貿易の窓口を塞がれた西方のキリスト教諸国は東方の窓口の探索に乗り出した。ポルトガルのエンリケ航海王子に始まる東方への新航路探索活動である。

それでは、東のモンゴル帝国の大元ウルスの後はどうなったであろうか。一四世紀に始まった寒冷化に伴う旱魃で混乱する大元ウルスに「反モンゴル」を掲げた白蓮教徒の集団である「紅巾賊」が反乱を起こした。やがて紅巾賊の首領となった朱元璋がモンゴルを北に追いやり一三六八年に明帝国を建国、首都を南京として明朝の太祖（洪武帝）となった。明はモンゴルの南下を防ぐため長大な長城を復活させ、北からの民族の流入とともに商流をも止めてしまった。これが陸のシルクロードの衰退の直接的な原因となった。一方では、海上貿易に力を入れ、周辺の多くの国々に朝貢貿易を勧めた。やがて、洪武帝の死後、燕王に封じられていた第四子の朱棣は第二代の建文帝を攻め滅ぼし、自ら第三代永楽帝となる。永楽帝は都を北京に遷都し、以降、清王朝や中華民国、中華人民共和国に至る現在まで中国の首都となる。永楽帝はモンゴル勢力を押し返すべく五回にわたって遠征を行うとともに、宦官のイシハに軍を率いさせ遠くシベリア東部も支配下に置き、黒龍江下流から樺太までを支配下に収めた。

運輸革命の大変革である「大航海時代」の先駆けは明朝の永楽帝の時代に始まった。永楽帝は中国の華南と華北の経済を一体化させて活発化させるとともに、鄭和に大艦隊を率いさせ遠くアフリカの東海岸にまで朝貢を勧めた。この頃、先にも触れたが、元朝時代から続く鎌倉・室町時代・戦国時代の日本人の私貿易は次第に拡大し、朝鮮から明の沿岸域で密貿易と海賊行為（倭寇）が流行った。一六世紀の半ば頃、明朝はこれらの「北虜南倭」に悩まされ続けるのである。さらに、戦国時代の乱世を治め全国統一をなした豊臣秀吉の朝鮮への侵略戦争（一五九〇年代）まで引き起こされた。この頃、中華思想の基礎となる朱子学が王陽明によって発展した。科挙の試験科目でもあり、この朱子学が日本に伝わり、江戸時代の儒教教育の必須となって「尊王攘夷」思想となっていくのである。

やがて、モンゴルに服属していた長城北側の満州を中心とする女真族の遊牧騎馬民族がヌルハチによって統一され、後金国を樹立、長城を越えて中国に侵入を開始し出した。ヌルハチの死後、後継者となったホンタイジは、一六三六年、国号を大清と改め東部モンゴルから朝鮮半島にまで配下に入れ、投降した漢人をも含む多民族国家を樹立した。先に触れたように明朝復興に向けて清と最後まで戦ったのは、明の万暦帝の孫を擁して南に逃れた大商人の鄭芝龍と息子の鄭成功であった。これに対し清朝は鄭氏の財源を絶つべく一六五六年に「海禁令」を敷いて沿岸域の交易を禁止した。鄭成功はこれに対抗して、オランダが占領していた台湾に攻め入りオランダを駆逐して抗清戦争を続けたが三九歳で亡くなった。彼の子孫はその後二〇年あまり抗清活動を続けたが、やがて清朝の康熙帝により台湾が征伐され清朝領土となった。

この時期、忘れてはならないのが、ユーラシア大陸の外にも新しい文明が花を開いていたことである。後に、コロンブスによって「発見」された新大陸と呼ばれた南北アメリカ大陸の文明である。メソアメリカ（現在のメキシコ）では古くから都市文明が栄え一世紀頃には、テオティワカンを中心に人口二〇万人に達したとみられ、太陽のピラミッド、月のピラミッドなどの神殿を建設する高度の文明を持っていた。この文明はマヤ文明と呼ばれ、五〇〇から六〇〇年頃には最盛期に入ったが、一〇世紀末には衰退し、代わって北方から流入したアステカ族によるアステカ文明が勃興する。アステカは軍隊の迅速な移動を可能にするため道路網を整備していた。この道路網を通じて諸地域の産物がアステカに集まりその繁栄を支えた。首都テノチティトランの中心部では毎日市場が開かれたという。基本的な商業活動は物々交換であったが、カカオ豆が貨幣として流通し、カカオ豆三粒で七面鳥の卵一個、カカオ豆三〇粒で小型のウサギ一匹、カカオ豆五〇〇～七〇〇粒で奴隷一人と交換できた。トウモロコシや芋類・豆類などの農産物、プルケ酒やタバコなどの嗜好品、専門の職人によって製作された質の高い陶製品やさまざまな日用品が、市場で売買されていた。こうした地域に根付いた商業のほか、長距離交易も行われていた。長距離交易はポチテカという交易者によって行われており、ケツァールの羽やヒスイ、カカオといった熱帯産の高級品を主に取り扱っていた。こうした商品の主な産地は東方のアステカ文明の諸都市やその近隣地方であった。また、支配下諸地域からの貢納もこの道路網を利用して行われており、持ち込まれる大量の貢納品はアステカ経済の大きな部分をなしていた。一六世初めにスペイン人がメキシコ中央高原に侵入してきたときに出会ったのがこのアステカ文明であった。メソアメリカ文明も当然、他文明との交易があったいくつかの証拠はあるが残念ながら文字記録がないため詳細は不明である。

一方、南アメリカのアンデスに花咲いたアンデス文明は六世紀には中央アンデス高原全域に広がり、一三世紀頃にはインカ帝国が統一し、一六世紀にスペインに滅ぼされるまで繁栄を続けた。インカ帝国は首都クスコを中心に南北に全長三万キロにも及ぶインカ王道を建設して帝国全体の軍事・政治・経済のネットワークとした。また、タンポという宿泊所兼食料・燃料の貯蔵庫を設置し、定期的に派遣されるトコイリコックという巡察使のための施設も用意した。彼らは文字を持たなかったがキープ（図表6）という結縄文字でコミュニケーションを図っていた。もし、ピサロによって滅ぼされなかったら、記録体を作り出して文字を残していたかもしれない。

しかし、これらの中南米に栄えていた文明も、スペインの征服者コルテスによってアステカ帝国が、また、ピサロによってインカ帝国が滅ぼされた。さらに、西インド諸島やインカの先住民たちは、スペイン人の入植者が持ち込んだ天然痘、インフルエンザ、麻疹などの彼らにとっての抗体を持たない病原菌やウイルスのために人口は半減、あるいは絶滅に追いやられた。

図表100　室町時代の三津七湊と南海交易路（文献71による）

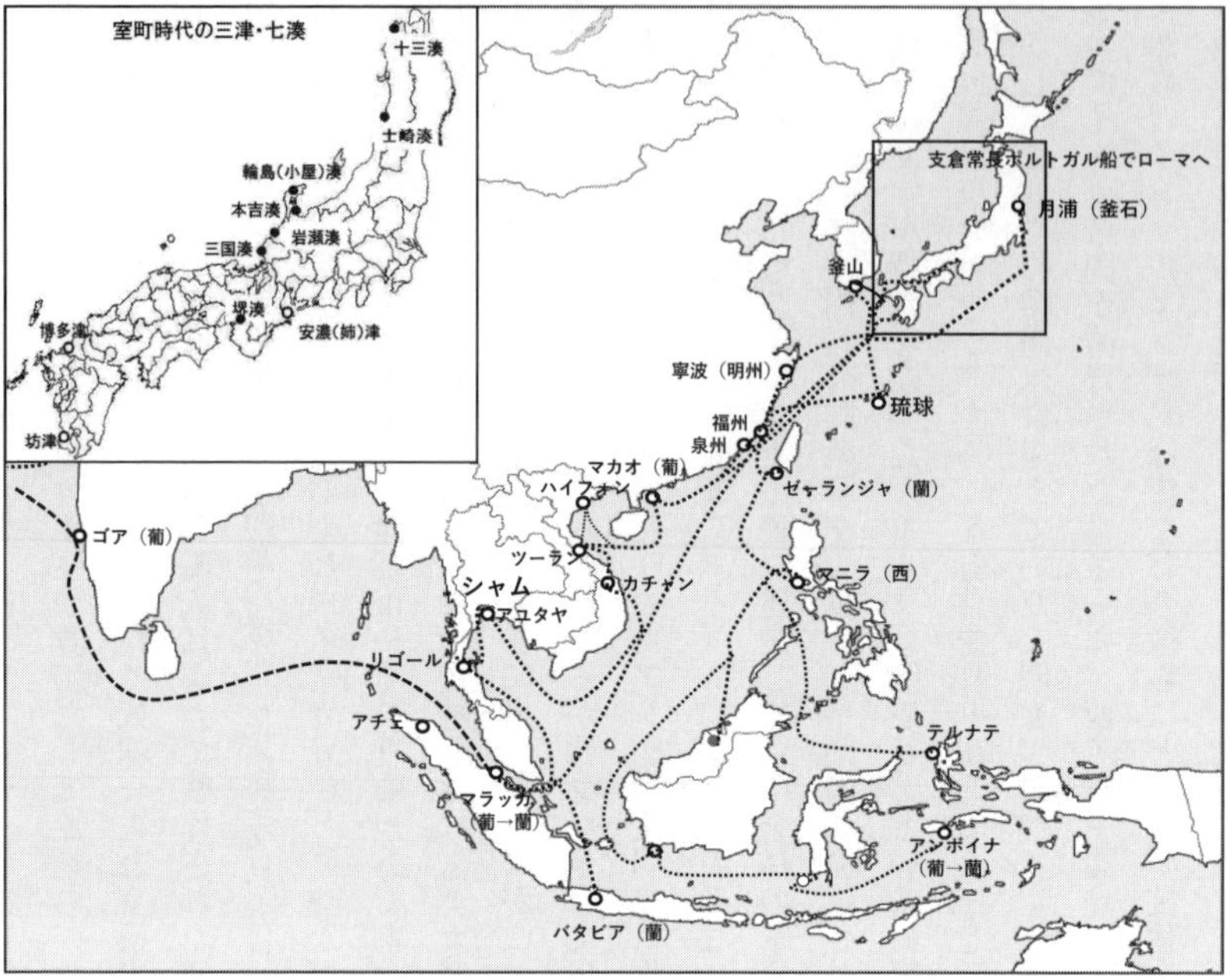

（1）明の朝貢貿易と鄭和の大遠征

明は、洪武帝の時代に南海貿易に力を入れ、東アジア、東南アジアの国々に使節を派遣して朝貢貿易を勧めたことはすでに触れた。これに応えて朝貢使を送ったのは、日本、朝鮮、琉球、東南アジア諸国、南インドなど十数国であった。さらに、先に述べたように、永楽帝の時代には、鄭和に命じ第一次から第七次の七回にわたって艦隊を使節として派遣した。鄭和の大遠征はチャンパ（林邑または占城）、ジャワ、スマトラ、マラッカなどの東南アジア諸地域、セイロン、カリカットなどインド沿岸、ホルムズなどペルシャ湾岸におよび、さらに、鄭和自身は訪れなかったものの、艦隊の一部は、モガディシオ、ブラウなどアフリカ東部まで至った。

　このような朝貢関係の形成は、明の「海禁政策」と表裏するものであるが、先述したように、明朝政府は、沿岸部の抵抗を抑え込むために私貿易を禁止したのである。これがかえって沿岸部の密貿易や倭寇などの海賊の横行を助長することになった。しかし、朝貢貿易が軌道に乗るに従って、沿岸部の秩序も安定してきた。日本は室町幕府の三代将軍である足利義満が明に使節を送り、一四〇四年、永楽帝から勘合を得て、九世紀末の遣唐使廃止（八九四年、菅原道真の献策による）以来、途絶えていた朝貢貿易を復活した。日本は勘合貿易だけでなく、各地で私貿易が盛んとなり、日本の三津七湊（**図表100**）が海外貿易の窓口として知られるようになったのはこの頃である。特に、鎖国後は衰えたが、堺津、博多津および薩摩の坊津は硫黄の輸出で有名であった。堺や博多の発展は地中海におけるベネチアやジェノヴァの発展とほぼ同時期で、洋の東西で商人資本が力を持った沿岸都市が海上交易のターミナルとして発展したことは、この時代の象徴でもある。

一方、琉球王朝は明に入貢して以来、毎年、明に貿易船を送り、中国製品を大量に確保、日本と朝鮮および南海諸国に転売する中継貿易で繁栄し、江戸時代に薩摩藩による遠征によって薩摩の属領となって以来、薩摩の密貿易の窓口を兼ねるようになった。琉球は馬・夜光貝・琉球織物・牛皮・硫黄などの琉球製品や刀・扇・銅などの日本製品、さらに、象牙・錫・蘇木・胡椒などの東南アジア産品を明に輸出した。それに対して、明から輸入したのは陶磁器・生糸・絹織物などであった。この琉球の中継貿易は東シナ海に西欧勢力が登場し、東シナ海貿易に参入してくるまで続いた。

(2) 大航海時代とグローバル・ネットワークの完成

八世紀以降、イベリア半島は三〇〇年余の間、イスラム勢力の支配下にあった。イスラム勢力の支配下に入ると同時に長いキリスト教徒の国土回復運動（レコンキスタ）が開始され、一四九二年、ついに最後まで残っていたイスラム勢力の拠点グラナダを陥落させ、イベリア半島はキリスト教徒の国であるカスティリャ王国（後にスペイン王国となる）とポルトガル王国のものとなった。しかし、地中海は新興イスラム勢力であるオスマントルコの支配下になっていた。それだけでなく、東地中海のキリスト教国の唯一の砦であった東ローマ帝国の首都コンスタンチノープルが一四五三年にはオスマン帝国によって陥落し、長い中世の幕を閉じたと同時に、依然として、東方貿易はイスラム勢力下にあった。すでに述べたように、西欧のキリスト教諸国は、イスラム勢力下ではイタリアのベネチアやジェノヴァなどの港湾都市国家による中継貿易に頼らざるをえなかった。

図表101　コロンブスのカラベラ船とキャラック船
（文献72による）

そこで始まったのがスペインとポルトガルによる新たな大西洋周りのインドへの航路探索競争であった。ポルトガルのエンリケ航海王子はリスボンに造船所と航海研究所を設立し本格的な航路探索活動に入った。そのためには、何よりもまず、それまで地中海世界の主流であったガレー船（ガレオン船）を改良する必要があった。そのヒントは古くからインド洋航海に利用されていたイスラムのダウ船と呼ばれてきた三角帆の船である。強固な船体を造る技術はすでにヴァイキングたちから学んでいた。これらの組み合わせで誕生したのが快速の外洋船である三角帆のカラベラ船と縦帆のキャラック船である（図表１０１）。この航海費用を捻出するために彼らが始めたのは、西アフリカの黄金海岸から集めた奴隷の売買であった。ポルトガルはこの冒険航海の途中で次々と大西洋の島を発見しそこに砦を築いて領土化していった。

この頃、ポルトガル王に、大西洋航海の許可と援助を求めてきたジェノヴァ人のクリストファ・コロンブスがいた。しかし、時のポルトガル国王ジョアン二世はこれを拒絶した。ポルトガルはすでに、一四八八年にバーソロミュ・ディアスが喜望峰を発見しており、アフリカ東海岸を北上してインド洋に入る寸前までできていたのである。そこで、やむなくコロンブスはスペイン王国の女王イサベルに同じことを懇請した。彼はフィレンツェの学者トスカネリ（一三九七年～一四八二年）の唱えた「地球球体説」を信じており、彼の計画ではマルコ・ポーロが伝えた黄金の国ジパングに大西洋を西周りで到達し、その先のインドまで航海して香辛料を手に入れる、というものであった。女王はちょうどグラナダを陥落させイスラム勢力を追い出した年に、このコロンブスの要請を受け入れた。コロンブスは一四九二年の八月三日にパロス港を出帆し、ほぼ二カ月後の一〇月一二日にバハマ諸島のウォトリング島にたどり着きサン・サルバドル島と命名した。このときコロンブスは計算上ジパングの近くの島々に到着したと信じていたので、周辺を航海しエスパニョーラ島に到着した。島の奥地にはシバオという金山があることを知った彼はジパングに到着したと断定した。コロンブスはこの航海を四度にわたり繰り返したがインドには到着できなかった。彼に続いて一四九九年

図表102　トルデシリャス条約の境界線とポルトガルの航海ルート
（文献73を基に筆者作成）

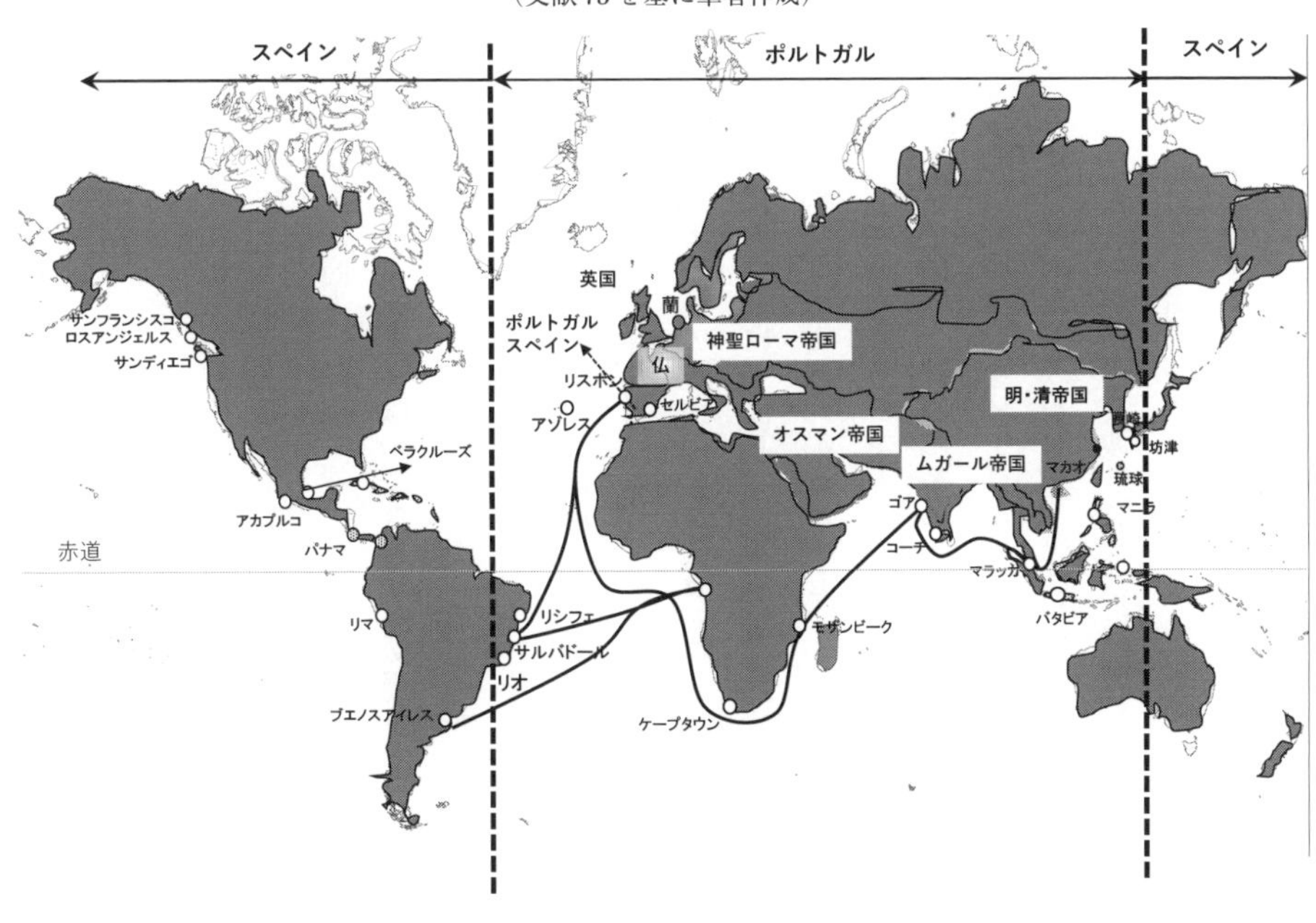

に航海を行ったフィレンツェの航海者アメリゴ・ベスプッチはスペインの遠征隊に加わって、コロンブスが到着していたのは、今までに見たこともない「新大陸」であることを「発見」した。

一方、ポルトガルのバスコ・ダ・ガマは一四九八年に喜望峰を回ってインドのゴアへの航海を成功させた。こうして、スペインとポルトガルは航海ごとに新しい非キリスト教の天地を発見していくことになり、両者は発見した領土の帰属で紛争を繰り返した。そこで、当時の教皇はトルデシリャスで両者に条約を結ばせ、アフリカ沖のヴェルデ岬諸島の西約二〇〇〇キロメートルを通る経線（**図表102**）を境に、西で発見された非キリスト教徒の土地はスペインに、同様に東はポルトガルに権利があることを認めた。驚くべきことに、当時（室町時代）の日本人が知らない間に、現在の広島県福山市を境として、西はポルトガル、東はスペインに分割されてしまっていた。こうして、「新大陸」はスペイン領土に、アフリカと東シナ海に至る「非キリスト教の新領土」はポルトガルの植民地になっていった。バスコ・ダ・ガマの喜望峰迂回インド航路の発見は単にインドに到着した、という事実だけにとどまらない。何よりも重要なことは、彼がアレクサンドリアやベネチアを経由しないで香辛料輸入ルートを開発したことにあった。これでポルトガルはオスマン帝国の息のかからないルートでインドに行けることになり、その後の香辛料貿易の利益を独り占めできることになった。彼らはこの香辛料ルートを確保するために東アフリカのモザンビーク、インドのゴアとディウ、ペルシャ湾のホルムズおよびマレー半島のマラッカに拠点を築き、ゴアには砦だけでなく、造船所も作った。彼らは常に大砲や銃を搭載した船団で行動したゆえに、インド洋を支配していたムスリム商人は対抗する手段を持たず次第に東方貿易から駆逐されていった。

これに対し、スペイン王室は未だ香料諸島に到着できないのを焦っていた。ところが、ポルトガル人のフェルディナンド・マゼランが母国を裏切り、スペイン王カルロスとバイエルン公国のフッガー家の支援を得て、一五一九年八月一〇日、旗艦トリニダード号とヴィクトリア号を含む四隻の遠征船団を組み、セビリア港を出帆した。そして新大陸を迂回して太平洋に出る海峡に到達した。それは一五二〇年一〇月二一日のことであった。彼らは一カ月の探索で海峡（マゼラン海峡）を通り抜けることができた。同年一一月二八日であった。やがて船隊は一五二一年三月六日に太平洋の真ん中にあるグアム島にたどり着いた。同年三月一六日にはフィリピンのスルアン島に着き、レイテ島を経由して四月七日にセブ島に上陸した。ここで原住民との戦闘で隊長のマゼランは戦死、残りのスペイン人乗組員はヴィクトリア号を含む三隻で香料諸島をめざしたが、ブルネイを経てティドール島に到着できたのは二隻だけだった。一二月二一日、二隻のうちヴィクトリア号は、他の一隻と残留者に別れを告げ、香辛料を満載してインド洋から喜望峰を回り再び大西洋に出て一五二二年九月六日に南スペインのサンルーカル港に寄港し、世界一周を成し遂げたとともに、ポルトガルに邪魔されないで待望の香料諸島へのルートを確立したのである。しかし、これ以降、香辛料の島をめぐってスペインとポルトガルは対立を繰り返すことになる。このようなポルトガルとスペイン両者の香料諸島での覇権争いや現地人との闘争や交渉の詳細は生田滋著「大航海時代とモルッカ諸島」[73]に詳しい。続いて、スペインのフェルナンド・コルテスが新大陸に上陸し、メキシコのアステカ帝国を滅ぼしたのは一五二一年であり、フランシスコ・ピサロが南米のインカ帝国を征服したのが一五三三年であった。以降、北米南西海岸、メキシコ、南米の新大陸文明は次々と征服されスペインの植民地となっていった。この頃、スペインは現在のメキシコシティやペルーのリマなど本格的なヨーロッパ式都市を建設した。一方、ポルトガルはブラジルのバイーアやリオ・デ・ジャネイロさらに南のサン・ヴィセンテに植民都市を築いていった。サン・ヴィセンテは後のサン・パウロへの入り口にあたるサントス港になる。次いでスペインはキューバを基地にフィリピンを占領しマニラに東方貿易の基地を開いた。一方、一足早く東洋に乗り出したポルトガルは一五一〇年、インドのゴアを占領し、翌一五一一年には香料諸島の入り口であるマラッカを占領し、アジア貿易の基地を築いた。

このような、ポルトガルとスペインの東南アジアへの進出の中で戦国時代の最中であった日本に一つの出来事が起こった。一五四三年にポルトガル人が乗船していた明のジャンク船が種子島に漂着し、日本人に初めて鉄砲の存在を知らしめた。以後、この鉄砲は「種子島」と呼称され、堺に伝えられるとともに日本国内で製造が始まり、それまでの武士の戦いから鉄砲足軽の戦いに様相が変わっていく。いち早くこれを取り入れたのは織田信長であり、全国統一に向ける信長と豊臣秀吉の野望が達成されることになった。また、細川氏や大内氏さらに豊後の大友氏などは東南アジアの南蛮貿易に乗り出した。やがて、ポルトガル船やスペイン船が日本まで来航するようになり、日本人に「世界の中の日本」の存在を知らしめるようになった。特にカソリックの布教に熱心であったスペインのイエズス教会に属する神父たちが日本国内で布教活動を行うとともに、西洋事情を日本に伝えた。戦国大名の一人であった大友宗麟がいわゆる「天正遣欧少年使節」をスペインに派遣し、フィリップ二世に謁見したのはこの頃であった。

それでは、ポルトガルやスペインによる新航路や新大陸の発見は物流にどのような変化をもたらしたのであろうか？

読者は、ここで東西の文明（地中海世界とインド・中国）の交易は、紀元前から一五世紀まで一貫して東の絹・香辛料などの奢侈(しゃし)品と陶磁器などを、地中海世界が金または銀で購入する交易が続いてきたことを振り返って欲しい。西からの交易品はせいぜい、ペルシャのガラスか絨毯程度しかなかった。つまり、西から東へ売る商品はほとんど何もなかった。その貿易構造は新航路が発見されたからといって何も変わらなかった。新航路の発見で変化したのは地中海中継貿易が衰退し、新航路貿易が興隆してきたに過ぎない。ユーラシア循環ネットワークがモンゴル帝国によって完成してから二〇〇年が経過し、新大陸とユーラシア大陸が一つの交易圏となり、文字どおり物流のグローバル・

図表103　16世紀〜17世紀の交易品
（文献5を基に筆者作成）

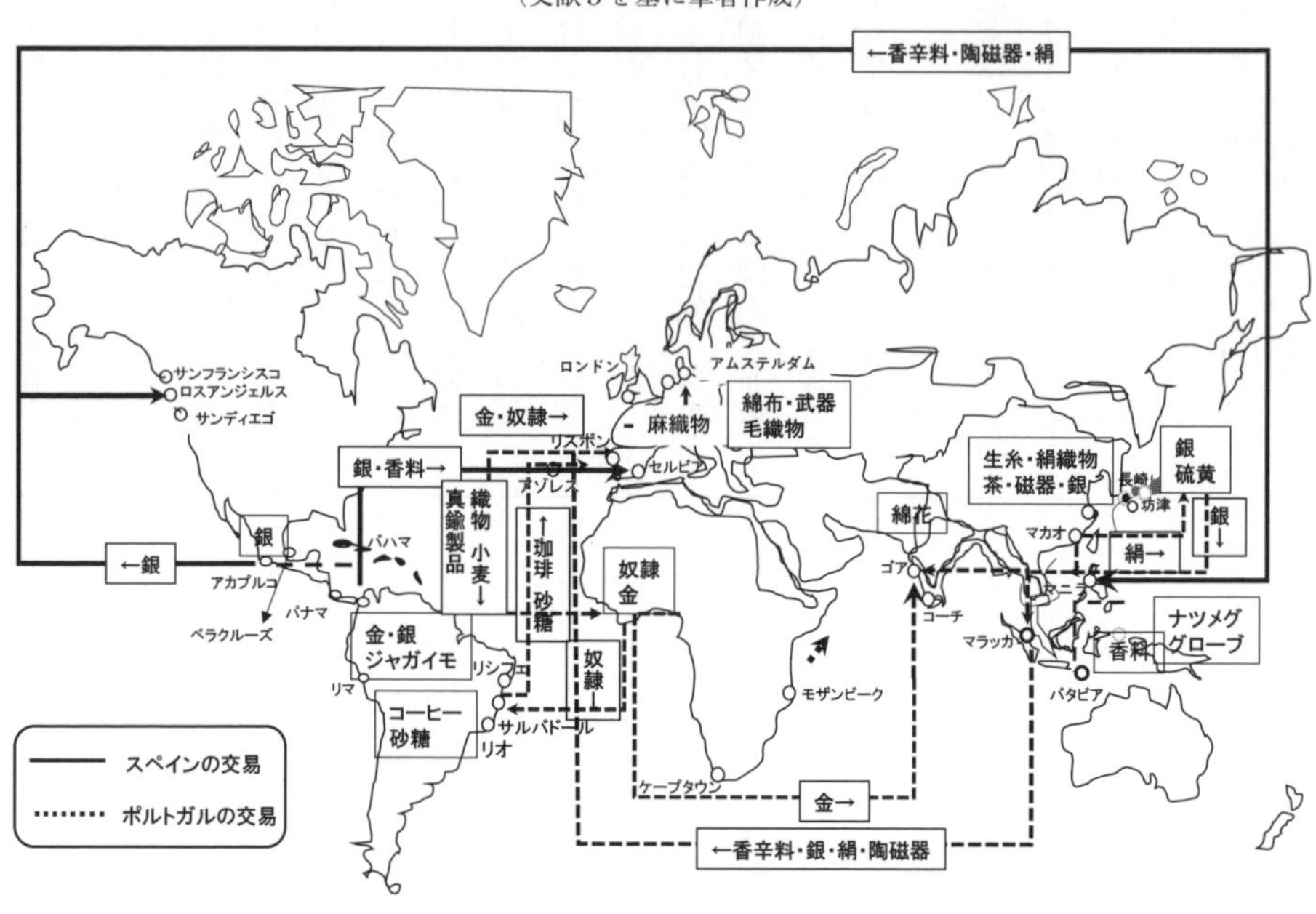

ネットワークが完成した。しかし、西のヨーロッパ世界から東洋に売る製品は依然として何もない。変化したのは「銀」の流れだけである。

それでは、ヨーロッパ世界はどうして「銀」を生み出したのであろうか?

その謎は、やはり「新世界」にある。**図表103**はその構造変化を示したものである。東西交易という視点からのみ眺めると、先に述べたように何の変化も生じていない。東から西へ流れる商品は絹・陶磁器・香辛料・茶であり、西から東へは銀とブドウ酒である。しかし、大西洋を挟んでアフリカと新大陸の新しい物流構造が生まれた。それは西欧〜アフリカ〜新世界の間の流れである。西インド諸島の先住民たちがヨーロッパから持ち込まれた疫病によって人口のほとんどが失われたことは先に触れた。この労働人口減少を埋め合わせるため、ポルトガル・スペインは大量の黒人奴隷をアフリカから中南米に輸送し、中南米では彼らが現地人とともに銀の採掘に働かされた。この大量の銀はヨーロッパと東アジアにもたらされたのである。スペインは新大陸で得た銀を本国およびメキシコのアカプルコからフィリピンのマニラを東方貿易の基地として大量の絹や陶磁器・香辛料を仕入れた。

同時に、この頃日本でも戦国大名によって多くの銀山（石見・生野など）が開発され大量の銀が中国をはじめ、南蛮貿易によってポルトガル・スペインに流れた。この銀のおかげで堺は大航海時代の窓口として繁栄した。また、先に述べたように一五四三年に明のジャンク船が漂流して種子島に漂着した。たまたま、この船に乗り合わせていたポルトガル商人が持っていた火縄銃が伝えられ、紀伊の雑賀衆や堺に伝えられ、以降、戦国武将の織田信長がこれをいち早く採用して豊臣秀吉によって全国統一が実現されていったことはすでに触れたとおりである。

図表104　1600年頃の銀の流れ
（文献５を基に筆者作成）

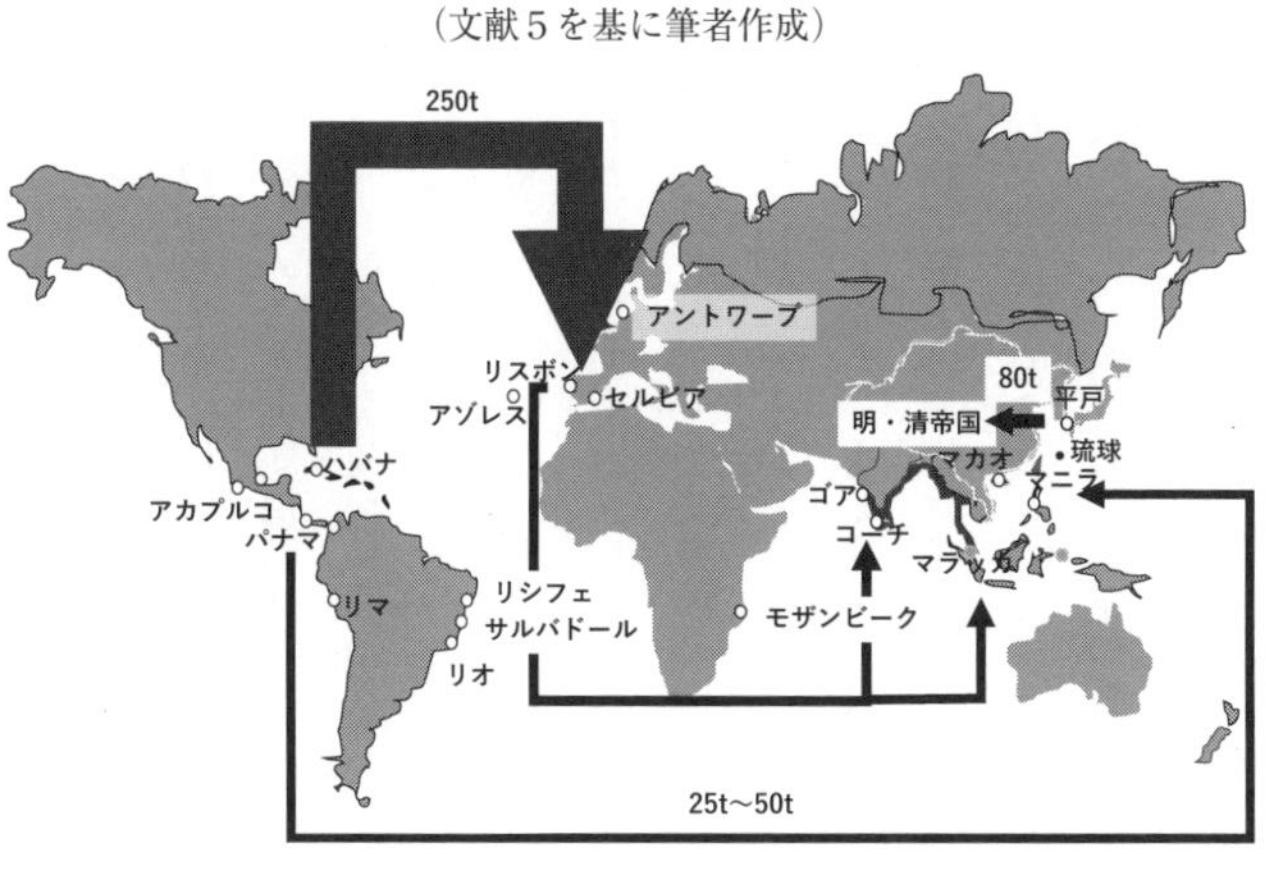

さて、先述のように大量の銀が世界に供給されたが、その銀の流れを整理したのが**図表１０４**である。日本から中国にこの頃八〇トンの銀が、中南米からスペインに二五〇トンにも上る銀がもたらされている。そのうち二五トン〜五〇トンが香料諸島に流れている。日本から中国に大量の銀が流れた理由は、当時、明王朝が海賊に手を焼き「海禁政策」をとり、日本で需要の高い中国絹の輸入が困難であることに気付いたマカオに居留地を置くポルトガル商人が、ゴアのポルトガル総督の許可の下、日本の銀と引き換えに、中国からの絹を中継貿易したことによっている。当然、ポルトガルは莫大な利益を得た。結果的に、この大量の銀は国際貿易と商業を活発化させた。しかし、スペインもポルトガルもこの銀を一切、国内の産業投資には回さなかった。むしろ織物産業に過酷な税を課し産業を衰えさせた。政府の銀収入はすべて王室の消費に回ってしまったのである。必然的に市場には銀が溢れ猛烈なインフレを起こした。この価格革命は物価を高騰させ貴族階級の没落につながり、以降の絶対王朝時代の引き金となった。一方、

このスペイン経由でヨーロッパにばらまかれた銀は、ようやく生産革命を起こしつつあった他のキリスト教国には追い風のインフレだった。すでに触れたとおり、スペインは毛織物産業が衰退した後、新世界の銀の産出量が衰えると財政的に破綻して帝国は沈んでいった。

以上、まとめると大航海時代とはポルトガルとスペインによる喜望峰回りのインド洋航路の開発と大西洋航路の開発および新大陸の「発見」による新しい奴隷貿易と銀の流れの変化であるといってよい。しかし、この二国によって喚起されたのは「海洋帝国」という概念であった。ハプスブルク家出身のスペイン国王フィリップ二世の時代には、地中海に覇を誇っていたオスマン帝国の海軍をレパント沖の海戦（一五七一年）で打ち破り、さらにポルトガルを併合（一五八〇年）した。スペインはキューバ、メキシコを征服し、東洋ではフィリピン（フィリップ二世の名前が起源）を植民地化し、一方で無敵艦隊を擁し「太陽の沈まぬ帝国」と呼ばれた。この頃、日本は戦国時代の最中であったが、すでに触れたとおり、キリシタン大名の大友宗麟が派遣した天正遣欧少年使節はこのフィリップ二世と会見したのである。しかし、その繁栄も長くは続かなかった。新しく勃興してきたイギリス海軍に一五八八年にはアルマダ海戦で敗れ、海上の覇権はイギリスに移った。やがて一六〇九年にオランダがスペインからの独立を果たし、世界の海に飛び立っていくことになる。また、次第に衰退しつつあった陸のシルクロードとオアシス都市は完全に海の道に取って代わられ、約一五〇〇年の長い歴史の舞台から退場した。

(3) 東方貿易の覇権争いと物流の変化

ポルトガルとスペインによって開かれた新航路が物流の流れを変えたことはすでに触れた。そして、ポルトガル・スペイン王国はイギリスに無敵艦隊をアルマダで沈められて以降、衰えていったこともすでに触れた。これら王国の次に台頭してきたのは、資本主義の発達過程にあるオランダとイギリスであった。オランダは早くから隣接するフランドル地方を中心にイギリスから羊毛を輸入し毛織物製造の加工貿易で栄えてきた。また、玉木俊明著「物流は世界史をどう変えたのか」[74]によると、オランダを繁栄に導いたのはバルト海中心の海運業であった。オランダはバルト海地方から輸入される穀物、さらには海運資材をヨーロッパ各地に運搬することで巨額の利益を得てヨーロッパの物流の中心として栄えた。やがて、スペインの属領であった頃、オランダは一六〇二年に「連合東インド会社」を設立し、東方貿易への参入を進めた。さらに一六二一年には「西インド会社」を設立してポルトガルの植民地ブラジルに目をつけ、次第に植民地を蚕食していくとともに、一六三七年にはアフリカ西海岸のエルミナを占領し植民地としアンゴラの奴隷貿易を独占するようになり、ブラジルの植民地にこの奴隷を供給するようになった。しかし、ブラジルに住み着いたポルトガル人の反乱が起こり、ついに、一六五四年にはブラジルを撤退した。これ以降、オランダは西インド会社を廃止し、連合東インド会社の経営に力を注ぐようになった。年代は前後するが、オランダは一六四一年にはポルトガルを追い出してマラッカを占領し、一六一九年にはインドネシアのバタビア（現ジャカルタ）を占領した。次いで、一六二二年には台湾に進出して台南にジーランジア城を建設し、台湾統治の中心とした。また、鎖国政策をとった徳川幕府時代には、キリスト教を布教しない、入港する度に「オランダ風説書」（内容は松方冬子[75]の秀作がある）という形式の国際情勢を報告する、という条件で、長崎出島での独占貿易を許可された。こうしてオランダはポルトガル・スペインに代わりアジア内中継貿易を兼ねる東方貿易を独占するに至るのである。

一方、北海・バルト海・地中海を結ぶ貿易で発展の基礎を築いてきたイギリス資本はポルトガル・スペインの大西洋貿易や東方貿易に参入する機会を窺っていた。イギリスとフランスの二国はスペインの大西洋貿易の市場を簒奪すべく、国王黙認の海賊がカリブ海周辺でスペイン商船を襲い、金・銀や香辛料の略奪を続けた。ジョン・ホーキンスやフランシス・ドレイクは歴史に名を残したエリザベス女王公認の海賊であった。また、オランダの独立を密かに支援した。そして、ついにイギリスとスペインは戦争状態となり、先に述べたように一五八八年、スペインのフェリペ二世はイギリスを攻めるべくその無敵艦隊を派遣した。しかし、ドレイク率いる英国艦隊に無残な敗北を喫し、スペインの制海権は急激に衰えていった。この頃から、イギリス、フランスの北米大陸への移民活動が活発化していった。イギリスは一六〇〇年に東インド会社を設立し、東方貿易に乗り出した。イギリスの東インド会社は東インド（インドネシア）の香辛料貿易をめざしてジャワ島のバンテンやインドのスーラトに拠点を置き、マレー半島のパタニ王国やタイのアユタヤ、日本の平戸、台湾の安平にも商館を設けた。アジアの海域の覇権をめぐるスペイン、ポルトガル、イギリス三国と新規参入したオランダの四カ国は、必然的に衝突を繰り返した。そして、オランダの東インド会社が

図表105　18世紀のグローバル・サプライ・チェーン
（文献72を基に筆者作成）

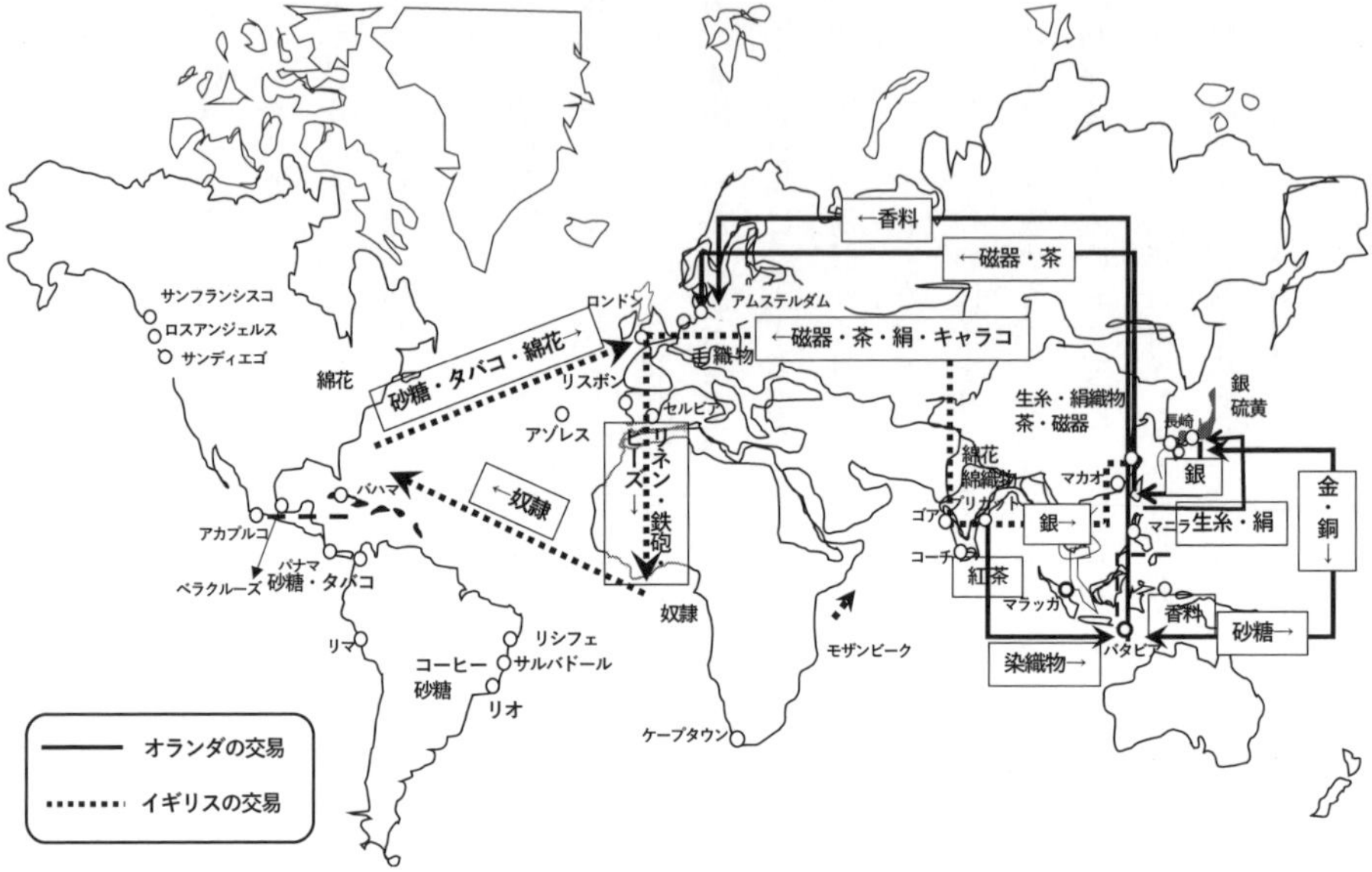

一六二三年にモルッカ諸島のアンボイナにあるイギリス商館を襲撃した事件（アンボイナ事件）後、イギリスは活動の重心を東南アジアからインドに移した。これ以降、イギリスとオランダは戦争状態に入り、幾度も海戦を繰り返した。

インドにおけるイギリス東インド会社の拠点はベンガルのカルカッタ、東海岸のマドラス、西海岸のボンベイである。しかし、一六〇四年に設立されたフランスの東インド会社と抗争し、一七五七年にプラッシーの戦いで、同社の軍隊がフランス東インド会社軍を撃破し、インドの覇権を確立した。以後単なる商事会社のみならず、インド全域における行政機構としての性格をも帯びるようになった。

この間、中国では明朝が滅び、女真族の王朝清帝国が興ったことはすでに触れた。明末はちょうど、日本では徳川幕府が安定し、鎖国政策に転換した頃であり、貿易の窓口は長崎一港に絞られ、しかも、オランダ船と中国船に限られた。明朝とそれに続く清朝も鎖国を基本とし、広州のみ窓口を外国に開いた。オランダはこれ以降、日本の金・銀を独占した。オランダにアンボイナの戦いに敗れて一時、東南アジアから撤退したイギリスは一六五一年に航海条例を定め、イギリスの植民地には他国籍船を寄港できなくさせた。これをきっかけに英蘭戦争が始まったがオランダが敗れ、海上支配権はイギリスに移り、これ以降、オランダは日本との貿易が中心となり、イギリスは中国貿易に乗り出して広州や寧波で貿易を行った。

以上のような経緯で東方貿易にポルトガル・スペインの後にオランダ、イギリス、そして大西洋貿易にはイギリスが新たに参入してきた。この頃のサプライ・チェーンを示したのが**図表105**である。図表103と比較してわかることは、オランダはインドの染織物を東南アジアに転売して香料を仕入れ、中国の磁器・生糸・絹を仕入れて日本にこれらを転売し、日本から金・銀を手に入れ、茶・香料・絹・磁器・金・銀を本国に持ち帰るというパターンの貿易であったということである。図表104に示したように、中国にはその中継貿易の過程で日本の銀が大量に流れた。

一方、イギリスはスペインの大西洋貿易を排除できたので、大西洋三角貿易を握った。本国から綿織物（リネン）・鉄砲・ビーズなどを西アフリカに輸出し、西アフリカから大量の奴隷を中南米と北米に輸出した。中南米・北米からは植民地の砂糖・タバコ・綿花を仕入れこれを本国に持ち帰った。さらに、銀を支払って中国から磁器・絹・茶を買い込んで本国に輸入した。後には、中国貿易の赤字を埋めるため、インドでアヘンを栽培しこれを中国に輸出した。このアヘン貿易が本格化するのは一八世紀後半から一九世紀に入って本国で産業革命を遂げた後になる。

5・10　第九次輸送革命：動力輸送機関の登場と産業革命（紀元１８００年頃〜紀元１９６０年頃）

第九次輸送革命は、人類が成し遂げた四大輸送技術革命の一つでもある。四大輸送技術革命の第一は車輪の発明による畜力輸送であり、第二は風帆船の発明による自然エネルギーの利用であった。第三が動力エネルギーの発明による動力輸送機関の開発である。第四は、次節で述べるコンテナの発明である。特に動力機関の発明が物流をドラスティックに変化させた。以下、そこに至る過程をたどって物流をどう変化させたか見てみよう。

(1) イギリスの重商主義と物流の変化

一五世紀末に始まった大航海時代は新大陸の発見と新航路の開発にとどまらなかった。ヨーロッパを豊かな国に転換させたのはポルトガル・スペインが新大陸からもたらしたジャガイモやトウモロコシなどの新食料であった。それまでのヨーロッパの農業は、三圃制（さんぽせい）と呼ばれる小麦等と休耕地をローテーションを組んで耕作する方法が主体で、痩せた土地に豊かな収穫をもたらす食料はなかった。しかし、ジャガイモは痩せた土地でも十分に育ち飢饉に陥ることを防いでくれた。また、根菜類（カブやジャガイモなど）などに加え、この頃から家畜の餌になる牧草（クローバーやウマゴヤシなど）を

紀元 1800 年頃〜紀元 1960 年頃の交易範囲

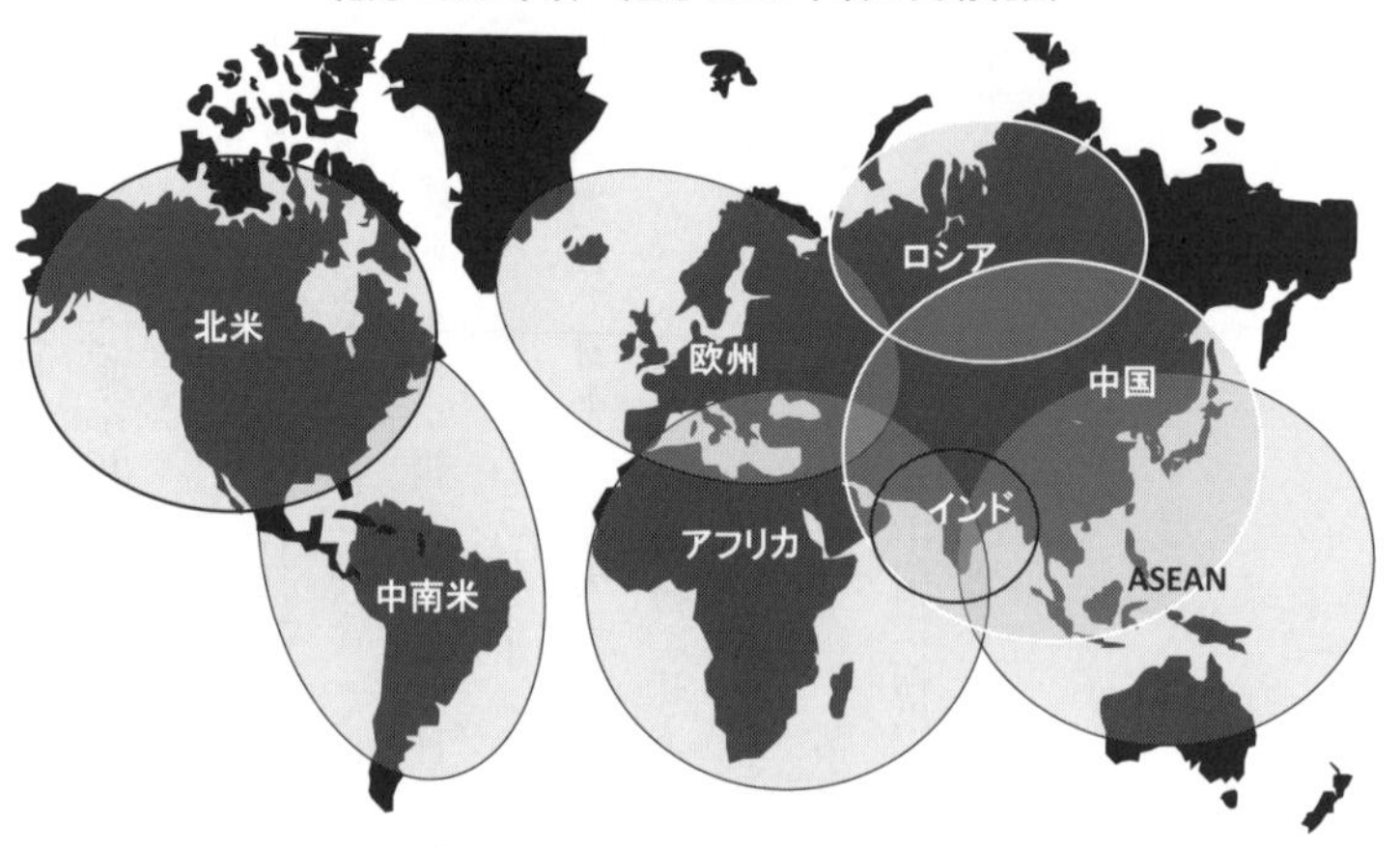

栽培し、それまでの粗放な放牧をやめて家畜を集約的にたくさん飼育し、その家畜の糞尿を、厩肥という形で有効に利用することを考え出した。これによって、農業生産の安定的な増大が実現できるようになり、急激な人口増大を支えることができるようになった。

一八世紀になると、経済の営み、特に商品経済のあり方は、一六世紀や一七世紀の場合に比べて大いに様子が変わってきた。農民をはじめとする国民の大多数が次第に深く商品経済に巻き込まれるようになった。農業生産が発展すると、農民の一部は副業として家内工業を始め商工業に従事するようになってきた。彼らはそれを**図表106**のような農村市場に売り出すようになって貨幣経済の仲間入りを果たすようになった。農村共同体の一員であった彼らは自由な経済活動の主体として「自由」を知るようになった。その自由は上昇中の富農やブルジョアにとっては、ますます富裕になることへの自由であり、没落中の貧農や職人にとっては、無産の労働者になることへの自由であった。このことがやがて、新しい「身分」と「階級」を生み出した。

図表106　ヨーロッパの農村市場の風景
（文献76による）

一方、都市ではギルド共同体が崩壊しはじめた。ギルドのさまざまな制約から離れて工業を営みたい人々は、解体しつつある農村地帯の余剰労働力を求めて農村工業という形で新しい工業を展開するようになった。工業化といえば普通、産業革命がその出発点として説明されるが、それに先立って、ヨーロッパのさまざまな地域で展開された農村工業こそが、工業化の出発点であった。このような農村工業はイギリスでは早くも一六世紀から毛織物工業が、一八世紀にはフランスやフランドル地方やドイツの一部などでも、各種の繊維工業などが展開していたのである。こうして富裕な農村工業の経営者や都市の問屋商人たちは資本を蓄積し新しいブルジョアジー（富裕層）となり政治的な発言力も増大させ

ていった。

　このような状況を背景にポルトガル・スペインに代わって世界の貿易に登場したのがすでに述べたオランダであり、イギリスであった。オランダは大きな産業を自国内に持たず、もっぱらヨーロッパや東洋での中継貿易で繁栄していた。その首都アムステルダムの繁栄はその象徴でもあった。しかし、先に触れたように、イギリスが航海条例で自国領土内の貿易には自国船以外の船の取引を禁止して以来、寄港地の少ないオランダは風帆船による遠距離貿易が困難となり、幾度か戦争も試みたが、戦争に敗れ次第に世界貿易から閉め出されていった。これに代わって市場の支配に乗り出したのがイギリスとフランスであった。一八世紀の初頭、イギリスは、すでに北アメリカの東部のニューイングランドをはじめとする植民地を建設し、インドでも、マドラス、ボンベイ、カルカッタなどを拠点にして東インド会社の武力で勢力を広げつつあった。一方、フランスも新大陸ではルイジアナやカナダと西インド諸島のアンティルに植民地を築き、インドにおいてもポンディシェリやシャンデルナゴルなどの拠点を建設していた。両国のこのような植民地の経営は綿花やサトウキビのプランテーションの建設を中心に進められたが、不足する労働力を補うためにアフリカの西海岸からの大量の奴隷が供給された（**図表107**）。やがて、海軍力においてフランスを凌駕するイギリスは制海権を掌握して、北アメリカではフランスおよびその同盟国スペインを圧倒し、特に、フランス領カナダではケベックとモントリオールを占領してこの地のフランス勢力を一掃した。また、インドではフランス軍と土侯軍との連合軍をプラッシーの戦いで破りインドにおける勢力をさらに強固なものとした。こうして、一七六三年のパリ条約によって、イギリスはフランスから、カナダとミシシッピ川以東のルイジアナおよびアフリカの仏領セネガルを獲得したほか、スペインからフロリダを得ることができた。

　イギリスのこのような相次ぐ戦争は必然的に本国の財政や東インド会社の財政を圧迫した。これを解決するために、一六五一年に航海条例でオランダ商船を市場から追いやったことはすでに述べた。これに続き、イギリスは植民地からの収奪を強化していった。一六九九年には、本国の羊毛業者保護のため羊毛品条例を制定し、植民地の羊毛製品の輸出禁止、一七三二年には本国の帽子業者保護のため帽子条例を制定、植民地の帽子輸出を禁止、一七三三年には、英領西インド諸島の砂糖業者保護のため、糖蜜条例を制定して糖蜜・砂糖に高い輸入税を課し、一七五〇年には本国の製鉄業者保護のため、鉄条例で植民地での製鉄の加工を禁止した。一七六五年には印紙条例を制定して、植民地発行のすべての出版物や証書類に印紙を貼ることを強制した。さらに、一七七三年に茶条例を制定し東インド会社の北アメリカ植民地内での茶の直接販売を承認した。これに反対する植民地の人々はボストン港に入港してきた東インド会社の茶船を襲撃して茶を海に捨てた（ボストン茶会事件、一七七三年一二月）。そして、一七七六年七月四日、フィラデルフィアで独立宣言が発せられ、独立戦争が拡大していくことになる。

イギリスはこのような一連の政策により世界の市場を制圧していったのである。この頃の世界貿易の概要を示したのが**図表１０８**である。まず、ヨーロッパ〜西インド諸島〜西アフリカの間には三角貿易が成立しており、ヨーロッパから西アフリカへはリネン・武器・雑貨、西アフリカから西インド諸島へは奴隷、西インド諸島からヨーロッパには砂糖・綿花・染料などが輸出された。北アメリカからヨーロッパには毛皮・魚、タバコ・綿花が輸出された。この三角貿易には、西アフリカからアメリカに向かう奴隷貿易が絡み合っており、また、ブラジルからは金がヨーロッパ向けに積み出され

図表107　アフリカで売り渡された黒人奴隷

サトウキビのプランテーションで使われた奴隷たち
（ウィリアム・クラーク作、文献77による）

図表108　19世紀前半のイギリスの交易品
（文献77による）

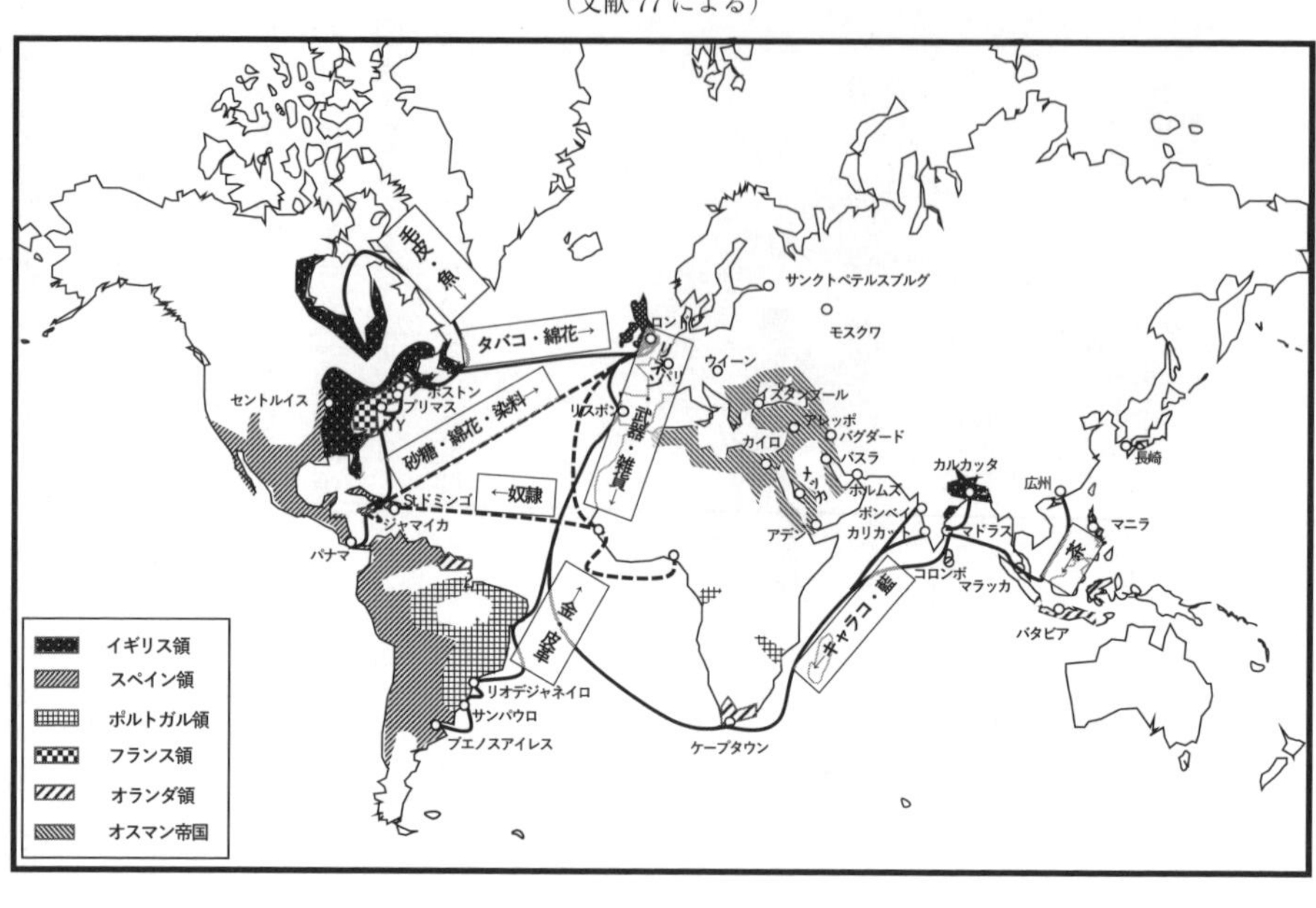

ていた。他方、アジアからヨーロッパへは中国の茶とインドの綿製品（キャラコ）が輸出され、その代価は銀で支払われた。このような世界貿易の中で、イギリスに洋の東西で敗れ、しかもフランス革命やナポレオン戦争で疲弊したフランスとしては西インド諸島からの砂糖やコーヒーを輸入しそれを再輸出するという道しか残されていなかった。一九世紀に入ると独立を達成したアメリカと英国植民地であるカナダをめぐって米英戦争（一八一二年）が発生、アメリカが勝利した。これによりアメリカ産業がイギリス依存から完全に脱して独自の工業化が始まり、ジャクソン大統領の時代の一八三〇年にインディアン強制移住法が出されてインディアンが排除されたジョージアやアラバマに入植した白人開拓者によって、広大な綿花プランテーションが創られていった。

このようなアメリカの南東部に綿花プランテーションが広がったことによって労働力が不足し、黒人奴隷に依存する割合が急速に高まった。特に南部のプランター（プランテーション経営者）は黒人奴隷労働が不可欠であったので、黒人奴隷制の維持を主張し、また生産された綿花は東部の綿工業の原料となっただけでなく、イギリスなどに輸出されていたので、貿易を制限する保護貿易には反対し、自由貿易を主張した。もともと自立心も強かったプランターはアメリカ合衆国連邦政府による統制の強化には反対であったので、次第に北部の連邦主義、保護貿易主義、奴隷制廃止に対して反発、この対立が南北戦争へとつながっていった。

(2) 動力革命と物流革命

イギリスの最大産業は農村工業としての毛織物業であったが、織物工業の技術革新は綿織業であった。紡績機・織機の機械化をきっかけとして産業全体の機械化が始まったが、最大の技術革新はニューコメンによる蒸気力の発明であった。これはワットによって蒸気機関に応用され、生産動力として導入されると産業の生産性は飛躍的に向上した。石炭やコークスを燃料にすることは中国の宋代に開発されていた。これらの燃料は火薬・羅針盤・印刷術とともに中国の宋からイスラム帝国を経て地中海世界に伝えられたことはすでに触れた。イギリスが幸運だったのは、蒸気力を得るのに必要な燃料としての石炭と機械化に必要な鉄鉱石を自国内に豊富に持っていたことだった。蒸気機関の発明は陸上では馬車に代わる蒸気機関車（スティーブンソン、一八二五年、**図表109**）を生み、海上では蒸気船（フルトン、一八〇三年、**図表110**）を生み出した。この蒸気船ではスクリューが未だ開発されていなかったので外輪を推進力としており、帆も兼用された。これまでに述べてきたように、大量の物流を担うのは主として船であった。欧州では川と運河建設による舟運ネットワークが中心であった。しかし、運河には閘門や橋という厄介な障害が付きものだった。鉄道はそれに代わる陸上輸送機関として注目され、急速にネットワークを拡大していった。イギリスではジョージ・スティーブンソ

図表109　スティーブンソンの蒸気機関車
ノーサンブリアン号（文献78による）

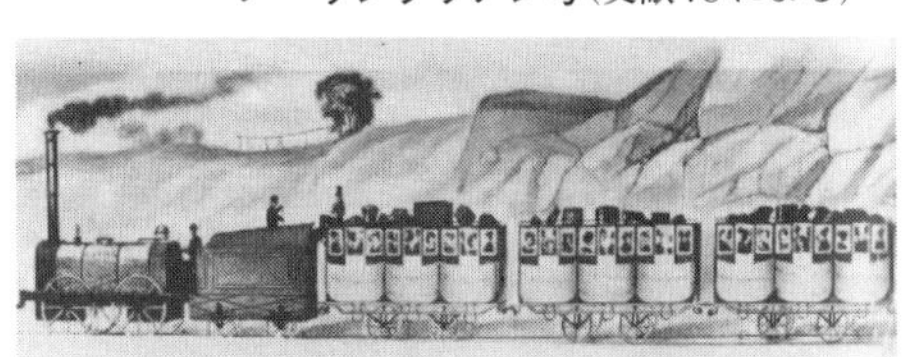

図表110　初期の蒸汽船（文献76による）

ンが設立したストックトン&ダーリントン鉄道会社が、一八二五年九月二七日、炭鉱の町ニューシルドンからダーリントンを経てストックトンまでを結ぶ約二二キロを「ロコモーション号」に石炭貨車と客車を牽引させて走ったのが最初だった。次いで、一八三〇年五月一五日、マンチェスター～リバプール間約五〇キロを旅客輸送専用鉄道として、ジョージの息子のロバート・スティーブンソンが開発した「ロケット号」を機関車とし客車八両を牽引して走らせて世間の注目を浴び、以降、イギリスで鉄道ブームが巻き起こった。**図表111**はイギリスにおける一九世紀の鉄道網の広がりを示したものであるが、鉄道営業距離数は一八三〇年の一五七キロが一九〇〇年には一九一倍の三〇、〇七九キロとなっている。

鉄道はその後、急速に世界に広がった。**図表112**に主要国の一九世紀における鉄道営業距離の推移を示した。図からわかるようにイギリスに続いて、フランス、ドイツ、ロシアなどが、続いて日本が鉄道整備を進めていった。アメリカはその国土が広がると同時に、ヨーロッパからの投資を呼び込んで大陸横断鉄道など急速に鉄道網を整備し、東海岸から西海岸への移住を安い土地付きで促す政策をとった。このような鉄道の発展は人の移動だけでなく、定期性

図表111　イギリスの鉄道網の発達
（文献63による）

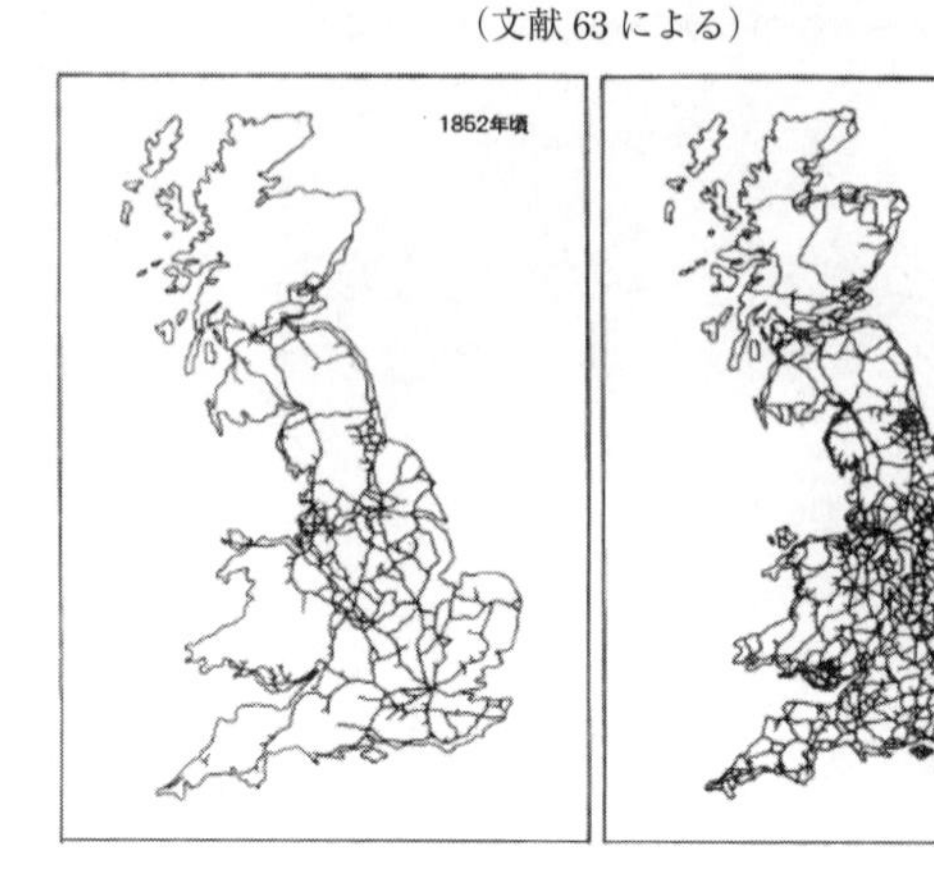

図表112　19世紀の主要国鉄道営業距離の推移
（文献63による）

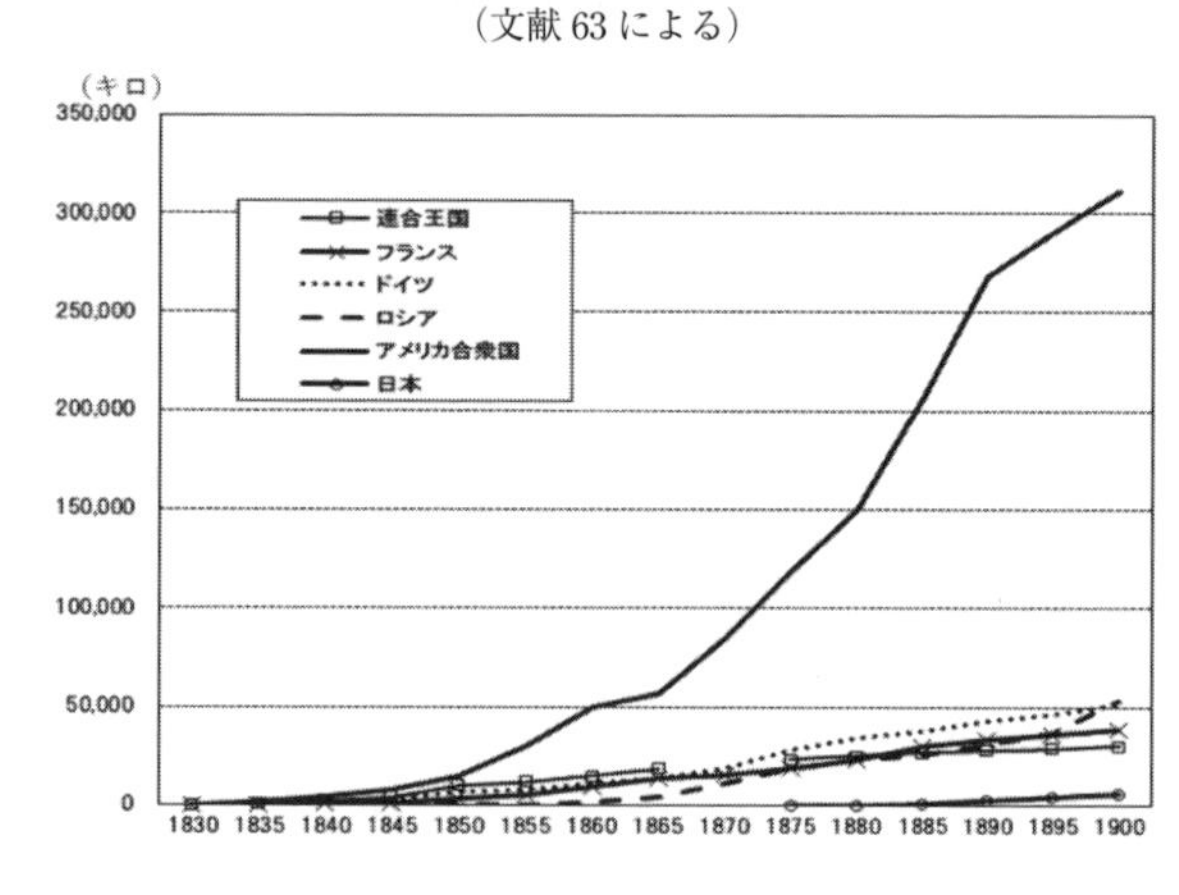

と運賃の安さから河川舟運や馬車運送に競り勝ち陸上物流の主流となっていった。

一方、蒸気船は一八〇七年にロバート・フルトンがクラモント号で、ニューヨークとオールバニー間に定期航路を開設して以来、急速に航路ネットワークを拡大していくとともに、船型の大型化が進んだ。木造帆船では、一八〇五年にネルソン提督がイギリス艦隊を率いて、フランス・スペイン連合艦隊をトラファルガーの戦いで破ったときの帆船旗艦ヴィクトリー号は、全長五七メートル、幅一五・八メートル、排水量でいうと約二二〇〇トンであった。また、中国からの茶の運搬に使われた快速帆船ティー・クリッパーは全長八〇メートル、三〇〇〇総トンを超える船もあったが、木造帆船としては強度の限界でもあった。この船では満載時の喫水が四メートル前後でよかった。しかし、イザムバード・ブルネルが一八四三年に進水させた錬鉄製蒸気船のグレート・ブリテン号は、全長九八メートルで排水量は三〇一八トンであり、一八五四年に進水したグレート・イースタン号は全長二一一メートル、排水量三二、〇〇〇トンという巨大船であった。平均トン数でいうと、一八五〇年代には二〇〇〇トンであった蒸気船は一九〇〇年には一五〇〇〇総トンとなっており、定期航路の旅客船の中には八〇〇〇総トン級の船も就航するようになった。貨物船では二〇世紀初頭に大型化が一段落し、二万トン級が最大となった。このクラスの貨物船では最大水深が一一メートル～一二メートルが必要であった。しかし、この水深を持つ港湾はそれほど多くはなかったので、寄港地が限定されていった。ちなみに、一八五三年に浦賀沖に突然現れたアメリカ海軍ペリー提督の旗艦サスケハナ号は、蒸気船ではあるが木造の外輪船で、全長約七八メートル、排水量二〇五〇トンの大きさだった。当時、日本の最大の貨物船は千石船と呼ばれていたが、積載トン数でいえば、わずか一五〇トンであったので、千石船の一〇倍以上の大きさで、しかも風なしで動く船を見て驚愕した様子は容易に想像できる。蒸気船の普及はヒトとモノの移動の定時制の確保と、移動時間とコストを短縮し、地域による価格差を小さくして消費市場の拡大を促すことになった。一九世紀半ば頃から西欧列強は競って蒸気船を導入し、中国貿易には遠洋航海用の蒸気船を投入した。中でも、イギリスは海運帝国をめざし、七つの海を支配した。**図表113**は中国の港に入港した遠洋航海用蒸気船の累積トン数の推移を示している。これからも明らかなように、イギリスの中国航路船腹量が突出している。また、中国近海の沿岸航海用蒸気船の中国の港への入港船腹量の推移を示したのが**図表114**である。この図の意味するところは、イギリス商船のアジア参入

図表 113　中国の港に入港した遠洋航海用蒸気船のトン数推移
（文献 78 を基に筆者作成）

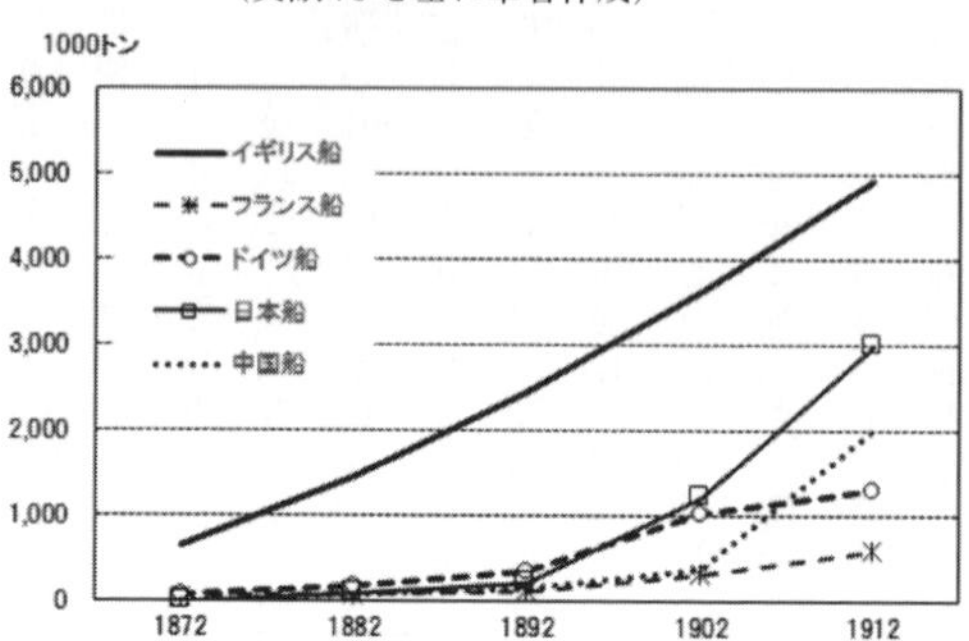

図表 114　中国の港に入港した沿岸航海用蒸気船のトン数推移
（文献 78 を基に筆者作成）

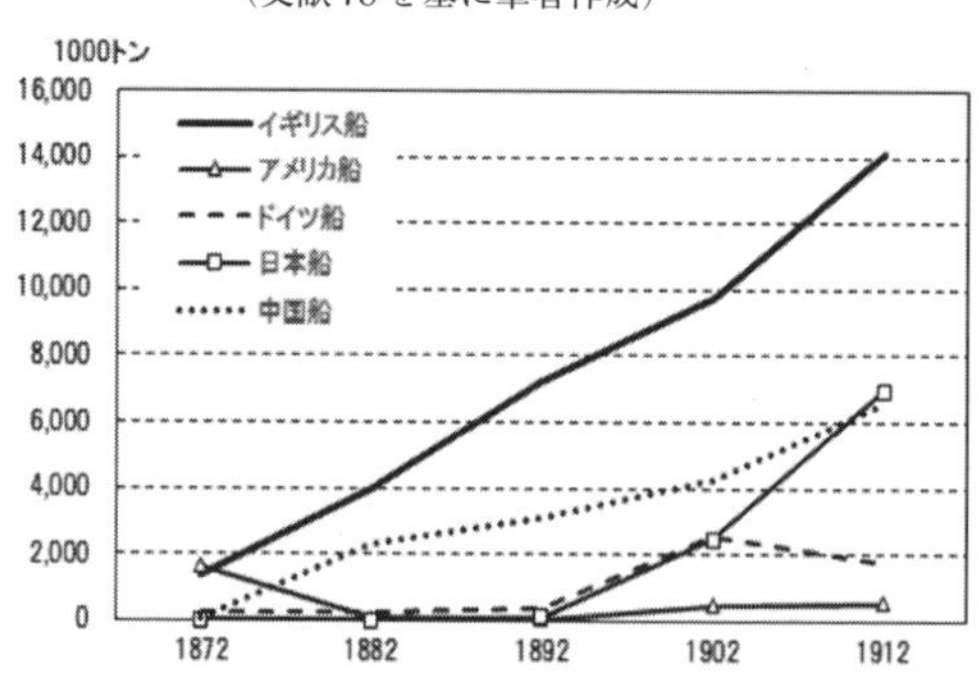

により、アジア内物流がイギリス商船に支配されていた様子が見て取れる点にある。「七つの海の支配」の言葉どおり、イギリスは世界の物流を支配したのである。この頃、日本でも英米の船会社に内外航路を握られており、国家のセキュリティ確保や国内産業を保護するために、明治政府は国内の物流を支配するアメリカ船やイギリス船の駆逐に躍起となり、三菱商船に航路就航援助金を出してコスト競争をさせ、やっと国内物流から外国籍船を追い出した。

先にも触れたように、モノの流れはアジアからヨーロッパへという時代が二〇〇〇年近く続いてきたが、産業革命による消費財の大量生産は本格的な消費生活を促すことになり、あらゆる工業製品が世界の隅々に届けられるようになった。産業革命の起こった当初は、ヨーロッパの輸出品は織物しかなかったのでアジアでは売れなかった。香辛料やコーヒー、茶、キャラコなどがアジアからヨーロッパに流れ、銀のみがヨーロッパからアジアに流れた。イギリスの時代になってもその流れは大きく変化しなかった。新大陸の植民地化が進むにつれて、大西洋三角交易が出現したが、アジアとの貿易は常に輸入超過であった。

一方、中国の清朝は基本的には、朝貢貿易のみ承認し、外国貿易は広州一港のみに限定し、「広東十三行」といわれる商人ギルドに独占的に取引させた。これに対し、広州における正規・不正規の税の重さに耐えかねていたイギリ

図表 115　19 世紀の各国植民地とイギリス三角貿易の構造
（文献 77 を基に筆者作成）

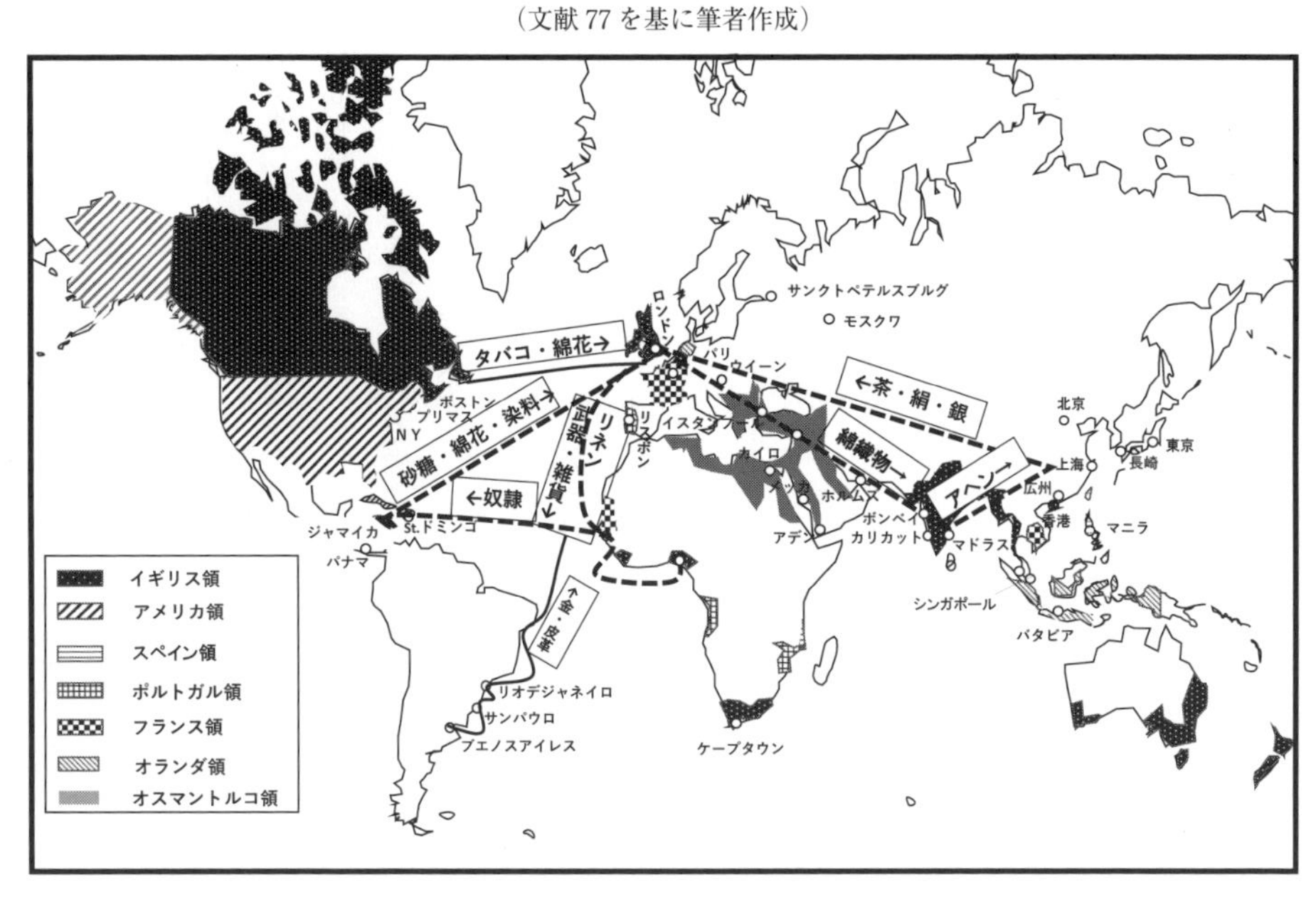

ス東インド会社の商人は、より自由な貿易と負担の軽減を求め、広州を避けて浙江の寧波に入港した。しかし、清朝はイギリスのこの要求をも認めず、かえって管理貿易を強化した。尾形・岸本編「中国史・下」[79]によれば、一七五〇年前後の年間貿易額は四〇〇万両～五〇〇万両であったものが一八〇〇年前後には一五〇〇万両程度と五〇年間にほぼ三倍になっている。ロシアとの交易もこの期間に一〇倍前後に急増している。この時期、先に触れたように大量の銀が中国に流れ、国内に激しいインフレを起こし、貧農民を苦しめた。一方、イギリスの再三にわたる自由貿易の要求はすべて却下された。そこでイギリスが着目したのはインドであった。インドでアヘンを栽培し、これを銀に代わる茶の代金として中国に密輸出し、それまでの銀の流れを逆流させた。本国からは植民地のインドへ工場生産の安い綿織物を輸出する、というアジア版三角貿易である（**図表115**）。清朝はアヘンの輸入を禁止していたのですべて密貿易であった。そこで一八三九年、清朝は林則徐を欽差大臣として広州に派遣し、大量のアヘンを没収し焼却させた。これが引き金となってアヘン戦争となり東インド会社は艦隊をもって中国を砲

撃させた。その結果、清軍が敗れ、南京条約が結ばれた。条約の主要な内容は、

①カントン（広州）、厦門、福州、寧波、上海の開港と、領事の駐在
②香港島の割譲
③引き渡したアヘンの賠償金六〇〇万両の支払い
④行商制度の廃止
⑤イギリスの戦費一二〇〇万両の支払い
⑥中英両国官憲の対等交渉

などであった。

これ以降、中国は列強による領土の蚕食の場と化していった。

同じ頃、ロシアが盛んに南下膨張政策をとり、一八七七年には露土戦争でオスマン帝国に勝利し、ルーマニア、セルビア、モンテネグロなどの独立を承認、ブルガリアをロシアの自治国として実質的に領土を奪った。さらに、ロシアの南下政策はシベリアから沿海州に向けられ、清朝と衝突して屈服させアイグン条約を結んで黒龍江以北をロシア領とした。ロシアはこれで沿海州の不凍港を手に入れウラジオストックを建設し、極東進出への足掛かりを築いた。

このような中国清朝の惨状は長崎奉行に定期的にオランダが提出する「オランダ風説書」[75]で記述されており当時の江戸幕府もこの状況は知っていた。やがて、アメリカのペリー提督が浦賀に現れ、日本に開国を迫り、詳述は避けるが明治維新となって日本が近代化に向けて歩み出すのである。また、ロシアの南下政策は止まらず、江戸時代末期には樺太にまで侵入し、日本の保護下にあったアイヌや日本人居住者との間で紛争が絶えず、明治政府は一八七四年に榎本武揚を全権大使としてペテルスブルグに派遣し、樺太・千島交換条約を締結、日本は樺太を放棄し千島列島全島を支配下に置くことが合意された。なおもロシアの膨張政策は止まらず、後に、日本との日露戦争を引き起こす原因となった。

(3) スエズ運河の開通

この時代の物流に与えたもう一つの大きな出来事は一八六九年に開通したスエズ運河である。すでにこれまで述べてきたように、古代のエジプト王朝や地中海世界、さらに、近世以降のヨーロッパにとって、インドや東南アジア・中国へのアクセスは大変な苦労と努力の歴史であった。そして、長い時間をかけて、いわゆるシルクロードが形成された。しかし、ヨーロッパにとって、インドや中国への道は直接つながってはいなかった。地中海から陸路オアシス経路や草原の道を利用する陸のシルクロードか、地中海から紅海またはペルシャ湾まで陸路を利用してからインド洋やシナ海を航海する海のシルクロードを利用するしか方法がなかった。

そこに新しく喜望峰周りの航路が発見されて、ヨーロッパ世界は、地中海世界の中継なしに直接アジアに到達できるようになった。しかも、蒸気機関の発明で季節に左右されず、また、船型も大型化が可能になった。とはいえ、喜望峰周りの航路には多くの燃料と日数がかかった。そこで、イギリスは、オスマントルコのエジプト総督に資金および技術援助を申し出、ポート・サイド～スエズ間に鉄道を敷設して船～鉄道～船と貨物を積み替えても、喜望峰周りよりコストや日数が少なくてすむルートを開発した。

一方で、フランスの駐エジプト公使であったフェルディナン・ド・レセップスは、エジプト総督のサイード・パシャに働きかけ運河建設とその後の運河経営権を獲得し、一八五八年に「スエズ運河会社」を設立、運河開削を着工した。フランスは、イギリスのアジア貿易支配力を低下させるため、新たに運河を支配することによって、その海上支配権を弱体化することを狙った。運河は一八六九年に開通した。しかし運河開通後に、エジプト総督のイスマーイール・パシャは外債に苦しみ所有していた株式をすべてイギリスに売却してしまった。これ以降、イギリス商船はすべて運河を通航するようになり、実質上イギリスが運河を支配することになり、フランスの目論見は崩れ、前述の「海の帝国・イギリス」を誕生させる大きな要因ともなった。

5・11　第十次輸送革命：コンテナの発明
（紀元１９６０年頃～現在）

（1）コンテナの発明と物流革命

第十次輸送革命は紛れもなくコンテナ輸送の発明である。これまで長い輸送革命の歴史を紐解いてきたが、貨物を遠く離れた大陸や島嶼部まで運ぶには莫大な輸送費用と手間暇がかかっていた。人類の文明の歴史は物流手段の開発と交易拡大の歴史といっても過言ではない。二〇世紀半ばに発明されたコンテナ輸送は、これらの輸送費用と手間暇をドラスティックに変えた物流大革命といえる。

コンテナ輸送の話に入る前に、一九世紀後半からの動力機関の技術革新について少し触れておこう。まず、一八六七年にドイツのオットーがパリ万国博覧会に内燃機関を発表した。一八八九年には同社のダイムラーとマイバッハが四サイクルの自動二輪車を開発した。さらに一九二六年にはダイムラーベンツ社がガソリンによる四輪自動車を開発、それ以降、動力は蒸気機関から内燃機関に代わり、燃料は石油が主力になった。内燃機関は、軍事用の戦車や航空機、トラックなどにも搭載されるようになり、輸送に大きな変革をもたらした。これは船舶エンジンにも利用されるようになり、遠洋航海でも効率の悪い薪炭の頻繁な補給が必要なく

世界の物流を変えたコンテナ（紀元 1960 年頃～現在）

なった。このような動力機関の技術革新を経て、世界の海運に画期的な変化をもたらしたのは、輸送用コンテナの発明だった。

港湾荷役の方法は船で貨物を運ぶようになって以来、六〇〇〇年近く人力に頼っていた。それでも貨物の量がそれほど大量でなく、小型の船で輸送できる場合の繋岸時間はそれほどかからなかった。しかし、船型が大きくなると荷役に時間がかかり、運送コストの内で荷役コストが占める割合が膨大になってきた。これを機械化したのがＬＯＬＯ(Lift-On Lift-Off)というクレーンによる荷役方式である。これはパレットと呼ばれる台の上に貨物を乗せ、これによって荷揚げ、荷下ろしを行う方式である。さらに、陸上輸送と一体化するために考え出されたのがＲＯＲＯ(Role-On Role-Off)船である。この方式は、トラックがそのまま船に乗り込む方式で、貨物を乗せたシャーシのみを船内に残して、トレーラーと運転手は乗船しない方式である。しかし、依然としてＬＯＬＯシステムは荷役に時間がかなりかかり、港に到着した船は先着の船の荷役時間が長いため、岸壁が空くまで沖待ちしなければならなかった。またＲＯＲＯシステムは時間が短縮できるが、船内スペースの無駄が増えた。そこで登場したのがコンテナ船であった。コンテナの海陸一貫輸送システムはアメリカのマルコム・マクリーンによって考え出された。その物語は、マルク・レビンソン著・村井章子訳の「コンテナ物語」[80]を参考されたい。

コンテナは最初、鉄道輸送に利用されたが、マルコム・マクリーンはこの鉄道コンテナをそのまま船に積み替えることを思いつき、船を改造して大量のコンテナを積めるようにした。コンテナ船は最初、北米～中南米航路に投入されていたが、一九六八年、初めて太平洋航路に就航し、同年、横浜と神戸に寄港して日本の港湾関係者を驚愕させた。神戸では在来船用に開発途上であった摩耶埠頭を急遽計画変更し、日本で最初のコンテナ埠頭ができた。横浜では建設中の本牧埠頭がコンテナ用に改造された。埠頭にはコンテナ蔵置用の広いスペースを用意し、岸壁にはガントリークレーンが建設された。当時、このようなコンテナターミナルは東洋では日本しか整備されなかったので、アジアの貨物は神戸・横浜に輸送され、ここでコンテナ専用船に積み込まれて北米航路を走った。やがてこのコンテナターミナルは世界の主要港で整備されるようになったが、それまで栄えていた港も広いコンテナターミナルを整備する空間のない港湾は寂れていった。このコンテナ一貫輸送は内陸部の工場であってもドア・ツー・ドアの輸送で運送費をドラスティックに引き下げることができた。コンテナ輸送の導入により、それまでは港の周辺で原材料を加工し、そこで製品として輸出する、といった一貫製造システムが普通であったが、その必要がなくなり、いつでもどこでも部品を調達し組み立てを行えるようになり、グローバルなサプライ・チェーンの実現を可能ならしめた。

(2) グローバル・サプライ・チェーンを可能にしたコンテナ輸送

第二次大戦後、ソビエトを中心とする共産圏とアメリカを中心とする自由主義諸国とに分裂はしていたが、世界的な自由貿易が経済発展と平和に欠かせない、という認識が世界に広がった。しかし、東西対立の中、一九七八年に中国が鄧小平国家主席の「改革開放」政策を導入、一九八九年にベルリンの壁が崩壊、続いて、一九九一年にソビエトが崩壊すると、世界の市場は統一され、一九九五年の世界貿易機関（ＷＴＯ）の発足とともに、文字どおり世界市場のグローバル化が加速された。市場が広がると、需要が増える半面、供給サイドでの市場競争は熾烈となってくる。そうすると、経済先進諸国の企業は労働力の安い発展途上国に生産工場を移して、原材料調達・デザイン・材料部品の製造・最終材の組み立てといった生産工程を、多くの国に分散配置した工場で分担させ、最終消費財の価格競争を行うようになった。それとともに、どこに工場を配置するか、どこからどこへ材料・部品・製品を運ぶか、どのような手段で、どのような経路で輸送するか、といったロジスティックスが市場での勝敗を決するようになってきた。そのようなプロセスを経て、グローバル・サプライ・チェーンが広がっていった。最近のアパレル製品（布・糸など原材料を除く）のアジア内サプライ・チェーン（ＳＣ）の一例を貿易額で示したのが**図表１１６**である。また、**図表１１７**はアジア外のアパレル（衣料）のＳＣを貿易額で示したものである。これらの図が示すように、世界の衣料製品はカンボジア、ベトナム、バングラデシュ、インドなど労働賃金の安い国で生産され、これらの国々からコンテナに積み込まれて世界の市場に供給されている。その消費国は圧倒的に経済先進国が占めている。読者の大多数は気が付いていないかもしれないが、肌着の製造地ラベルをご覧になれば、カンボジアかベトナムか、さもなくば、バングラデシュまたはインド製であることがわかるであろう。このような安いアパレルが生産地から遠く離れた消費地まで輸送して利潤を生むことができるのはコンテナで大量にしかも定期的に運送でき、輸送費がそれに見合う低価格で輸送

図表116　アパレル（HS61,HS62）のアジア内SC
（ITC2016年データベースより筆者作成）

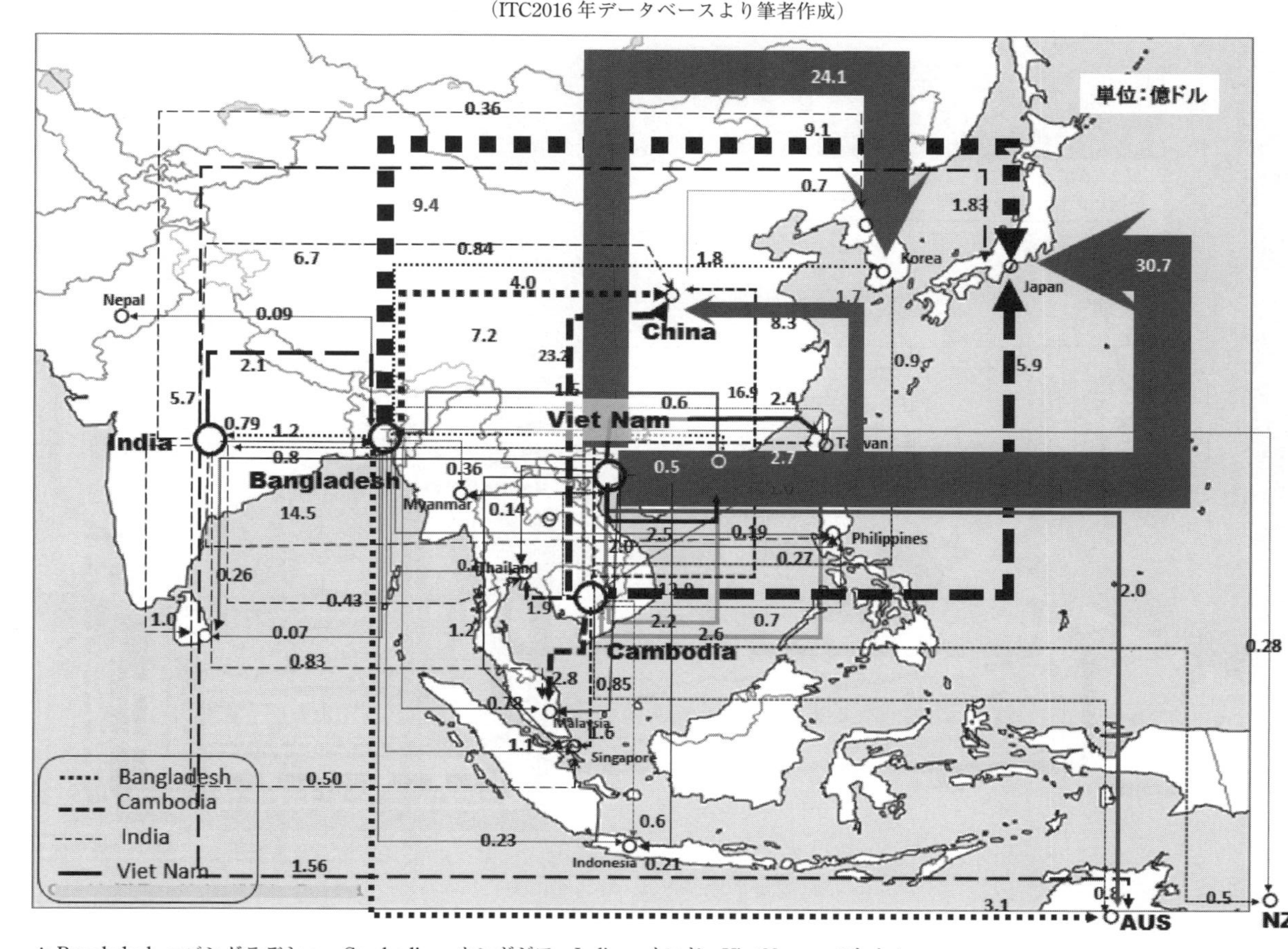

* Bangladesh＝バングラデシュ、Cambodia＝カンボジア、India＝インド、Viet Nam＝ベトナム

図表 117　アパレル（HS61,HS62）のアジア外 SC
（ITC2016 年データベースより筆者作成）

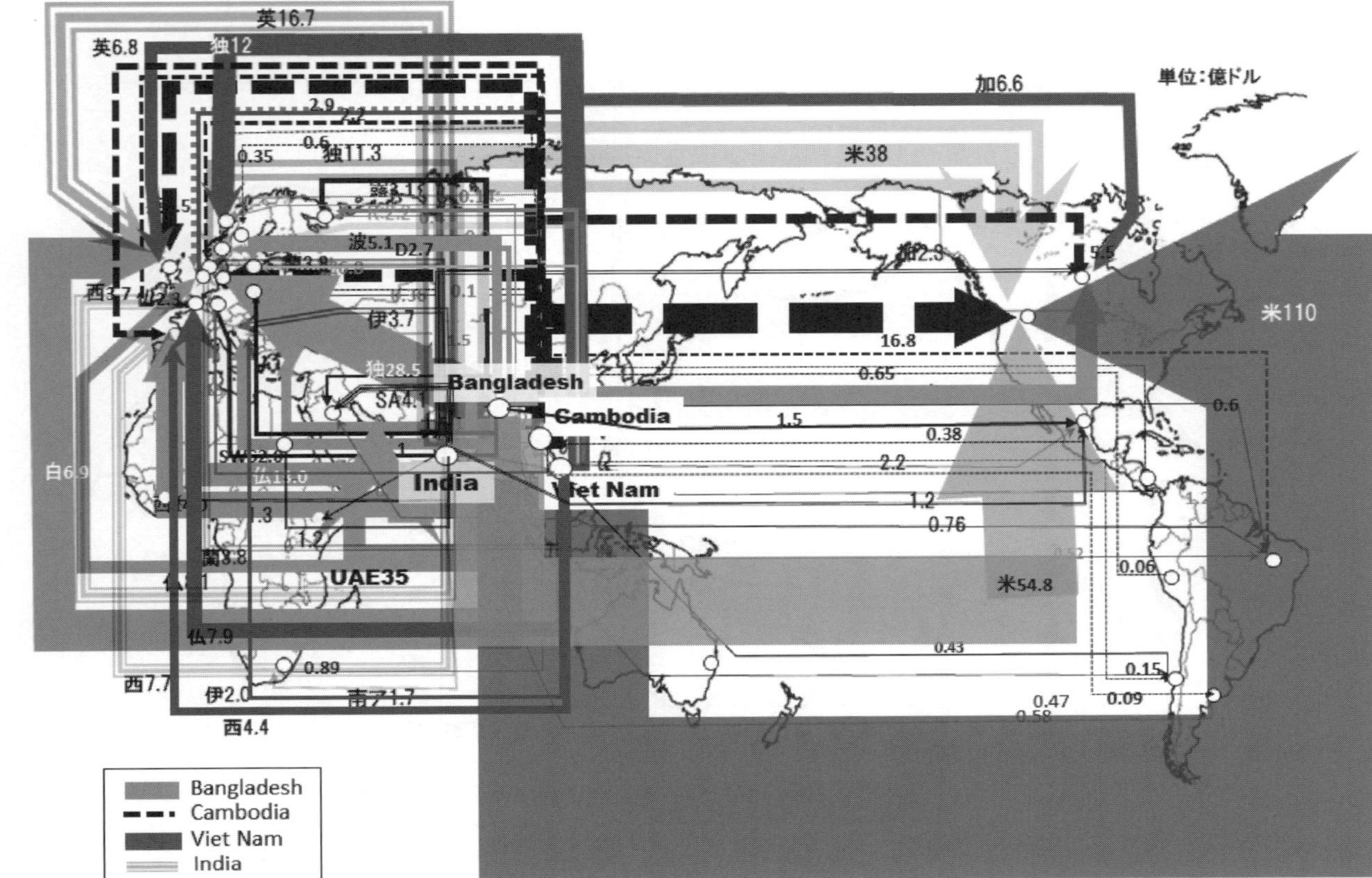

＊ Bangladesh ＝バングラデシュ、Cambodia ＝カンボジア、India ＝インド、Viet Nam ＝ベトナム

できるようになったからである。忘れてならないのは、一九九五年発売のパソコンに搭載されたウインドウズ95である。これによって、世界のパソコンがネットワークでつながり、先進国で開発された新しいデザインや寸法などの情報は即座に現地工場に送られ、現地で材料を揃えて試作品を製造し、航空機で本国に送られて修正や確認が実施され、再度現地工場に指示が行く、といった情報のやりとりが短時間で可能になった。市場のグローバル化は資本だけでなく、ヒト、モノ、情報が低コストで自由に動けることから実現されている。

コンテナの数量を数えるときにはＴＥＵ（Twenty Feet Equivalent Unit）という単位が使われる。これは、最初に利用され出したコンテナ一個のサイズが長さ二〇フィート、高さ八・五フィート、幅八フィートが基準となったことからきている。最近では長さ四〇フィートのコンテナが標準となっているが、四〇フィートのコンテナを一つ取り扱うと二ＴＥＵと換算される。**図表１１８**は二〇一九年度のコンテナ取扱量が上位一〇〇に入る港湾を地図上に示したものである。また、**図表１１９**は、二〇一八年度の世界のコンテナの動きを示したものである。この図からわかるように、北米、南米、東アジア、ＥＵの四大極を中心に今や世界の隅々まで、コンテナでモノが運ばれていることがわかる。特に注目されるのは、東アジア域内のコンテナ輸送量であり、東アジアから他地域に出ていくコンテナ量である。東アジアでは、材料・部品が相互に流れてパーツ化され、さらに、いくつかのパーツが合わさって最終製品に組み立て（アセンブル）られ、輸出される。今や、東アジアが一体の工業製品生産基地となり、文字通り「世界の工場」の役割を担っている。東アジアでは日本が最初に自国資本で明治・大正時代に産業革命を達成して工業生産国の仲間入りを果たしたが、その他のアジア諸国は長らく低迷が続いていた。韓国は戦後補償として日韓基本条約による日本からの賠償金や外債を基に一九六〇年代後半から国内生産設備を増強し、一躍先進工業国に仲間入りして「漢江の奇跡」と呼ばれる高度経済成長を果たした。また、中国では先述したように、一九七六年の毛沢東の死後、政権を握った鄧小平が「改革開放」政策に踏み切り、外資導入による国内の工業化を進め、以降、急激な経済成長を遂げて、今やアメリカに次ぐＧＤＰを持つ世界第二位の経済大国に躍進した。この成功は国営による鉄鉱産業や安い賃金の優位性を基にした繊維産業など、欧米や日本の資本投資を招く政策によっている。このような中国の発展を見た東南アジア各国は自国の市場を開放し、次々と外資を導入する方法で工業化に離陸していった。このような経緯の結果、中国

図表 118　2019 年コンテナ取扱上位 100 港
（各種データより筆者作成）

図表 119　世界のコンテナ貨物の動き（2018 年）
（（公財）日本海事センター：Shipping now 2019 による）

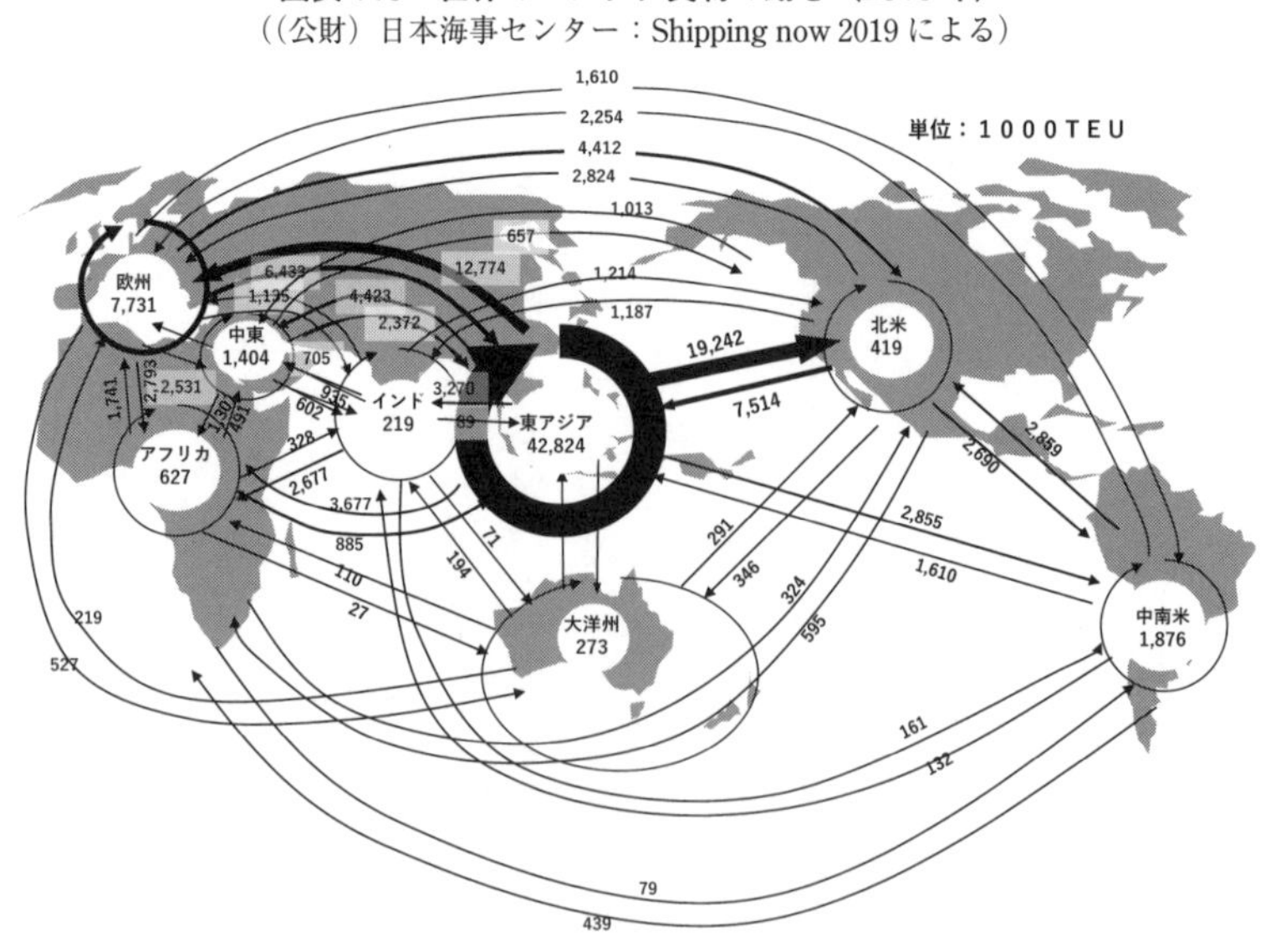

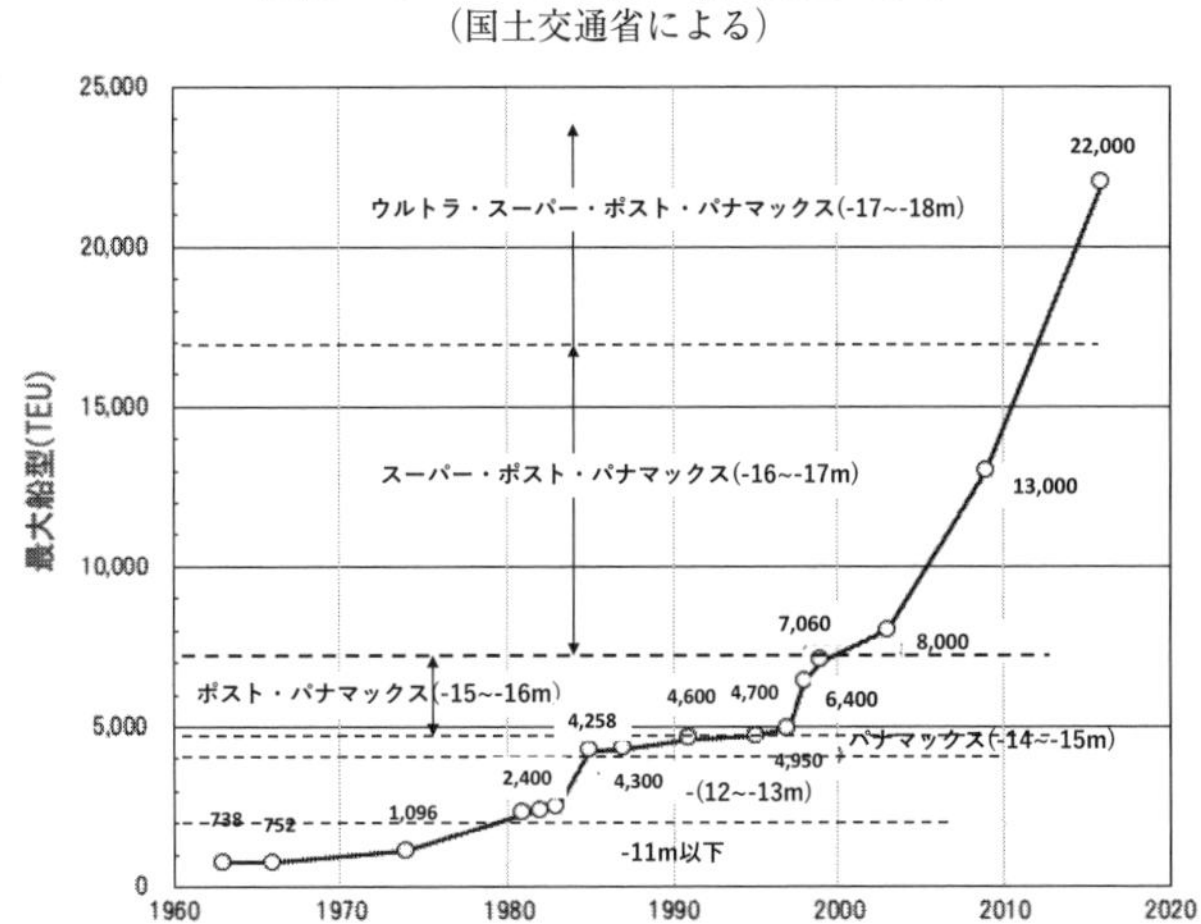

図表120　コンテナ船の最大船型の推移
（国土交通省による）

を核とする東アジア地域の「世界の工場」が実現したのである。

二〇一八年の統計では、わが国の輸出入貿易では、海運が重量で量ると九九・六％、価値で量ると約六六％を占める。そのうち、コンテナで輸送される貨物（原油、鉄鉱石、石炭、天然ガスなどを除く乾貨物）の比率は約四六・九％である。つまり、鉱物資源以外の乾貨物はほぼすべてコンテナで運ばれている。非常に高価で運賃に耐える品物や生鮮食料品や花などは航空機で運ばれている。また、最近では生鮮食料品の輸出入が増えており、これらを運ぶための冷蔵・冷凍装置付きコンテナも開発され、リーファー・コンテナと呼ばれている。

コンテナ輸送費を下げる方法は、原則的に二つある。一つは、コンテナ船を大型化し、多くのコンテナを一度に運び一TEU当たりの運航費用を下げる方法である。実際、コンテナ船の大型化は**図表120**（マイナス数値は必要岸壁水深）に示すように、一九七〇代半ばから始まり、一九九〇年代にはパナマ運河を通航可能な船型（パナマックスという）が最大といわれていたが、二〇〇〇年代になると六〇〇〇TEUを超えるポスト・パナマックス時代に突入した。このクラスになると岸壁水深は一六メートル必要となり、また大型のガントリークレーンも必要になってくる。そのために、寄港できる港は限定され、ハブ・アンド・スポークス型の航路ネットワークが組まれるようになった。しかし、中国が世界の工場に成長してくると、中国～北米、中国～南米、中国～中近東・欧州と、長距離を運ぶ貨物が増えてきた。そうなると、船型はさらに大型化し、現在では二二、〇〇〇TEUのコンテナ船が就航してくるようになり、アジア～北米、アジア～南米、アジア～中近東・欧州などの長距離輸送では振り子輸送する航路に変わっていった。ただし、問題は中国を含めて東南アジアでは、北米や欧州の高価な貨物を買い入れる国力のある国はなく、せいぜい日本向き貨物しかないことである。そこで、アジアへの帰り荷は、飼料や木材など安い貨物でも空気を運ぶよりましなので、ほとんどすべてのドライ貨物がコンテナ化され積み込まれるようになった。日本では、二二、〇〇〇TEU級のコンテナ船が着岸できるターミナル（水深一七～一八メートル）は横浜港南本牧のMC3ターミナルが一つだけであり、寄港本数が限られているため、大水深ターミナルを持つシンガポール、上海洋山港や釜山港などで多くの日本向け貨物が積み替えられて中継輸送されている。

運賃を下げる第二の方法は、船の稼働率を上げ資本の回転を速くする方法である。これには、まず、①船速を上げる、②港湾での係留時間を短くする、の二通りがある。①はコストに見合うエンジンの開発であり、②は港湾荷役時間の縮小である。そのために、コンテナターミナルでは一隻当たりのガントリークレーンの数を増やさなければならなくなり、ターミナル経営を圧迫する。そこで、ターミナルの経営者が考え出したのがターミナル内のコンテナ移動（シャーシおよびヤード内ガントリークレーン）や船への積み込み・積み下ろしのガントリークレーンを自動化して人件費を削減する方法である。今では、自動化コンテナターミナルは世界の主流になりつつある。しかしながら、これも日本では半自動化されたターミナルが名古屋に一つあるだけである。もう一つの港湾滞留時間の縮小方法は港湾における検疫・税関・入出港手続きのオンライン化である。これらは港湾手続きの情報化と呼ばれ、世界のほとんどの主要港は完全に情報化されている。

コンテナ一貫輸送の発明は、港湾荷役に限って見ても、約一〇、〇〇〇トンの貨物の荷役時間がそれまでのLOLO方式では二カ月程度必要であったのに対し、コンテナでは数時間で終わってしまうほどのインパクトであった。このような港湾における荷役時間のドラスティックな短縮は港の風景をすっかり変えてしまった。コンテナ輸送が導入される以前の港は多くの船員が荷役中、何日にもわたって上陸し、港町で食事をし、観光し、娯楽を楽しむといったことが日常で、いろいろな国の外国人が町を歩く風景が普通であった。しかし、コンテナ輸送が導入されるとこのような時間がなくなり、それとともに港で船員を相手にしていた店や旅館がなくなっていった。詩情豊かな「みなとまち風景」は今や、昔のものとなってしまった。交易の窓口である港や国境の市場はモノだけでなく文明と異文化の流入窓口でもあった。「モダン＝みなと」という方程式は今や成り立たなくなった。むしろ日本では「みなと＝レトロ」といった意味合いが強くなってきた。航空機の発達がヒトの移動を、コンテナ輸送の発達がモノの移動を、インターネットの発達が情報の移動を支える現代では、トーマス・フリードマン(81)が指摘するように、「世界をフラット化」しているのである。

Ⅵ　二一世紀のヒトとモノの移動と文明

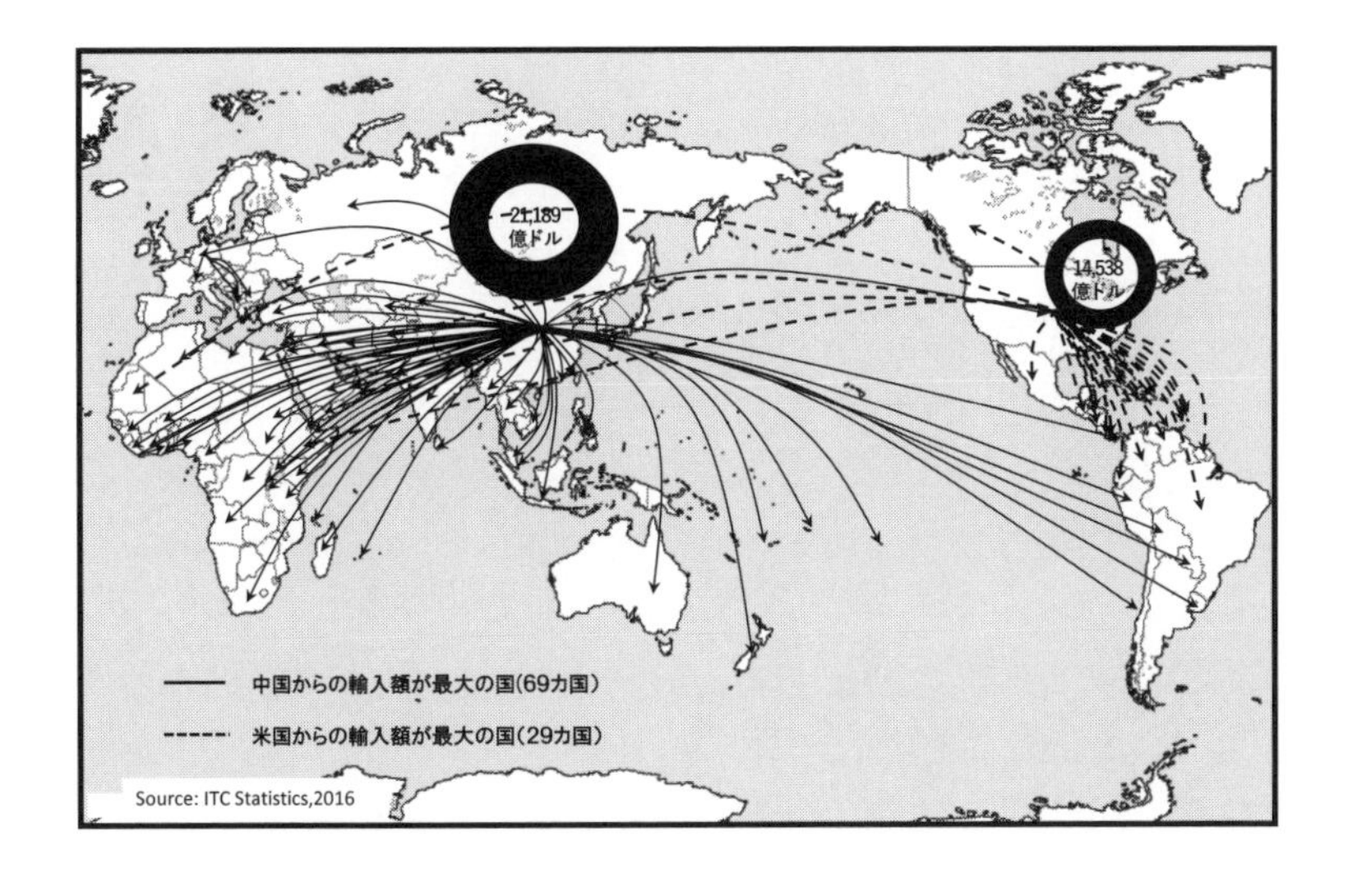

6・1　文明と交易（人類が歩んだ足跡）

（1）交易が生んだ都市文明

　これまで述べてきたように、人類の祖先は、気候の激変で東アフリカの森の恵みが減っていき広大なサバンナに変化していったとき、樹上生活を止めて、サバンナに住む動物を狩猟する二足歩行のアウストラロピテクスからホモ・エレクトス、さらに、ホモ・サピエンスへ進化した。やがて、彼らは獲物を追って移動狩猟生活を送るようになり、その誕生の地、東アフリカを後にして広大な未知の大地へ旅立った。しかし、今から約一万二〇〇〇年前頃から最後の氷期を終えて地球は温暖化に向かった。氷床はどんどん融け出し、森林の北上とともに、サバンナ地帯は乾燥化していった。食料になる動物も周辺にいなくなった。しかし、この温暖化は北緯三〇度～北緯四〇度の河川や湖の周辺に豊かな野生穀物の繁殖をもたらした。人類は動物を追う移動生活を止め、河川の沖積平野で野生穀物や魚の採集生活へと生活様式を変えていった。こうして、定住生活が始まった。やがて人々は集住して野生穀物を栽培することを覚えた。さらに、野生のイノシシや牛、ヤギなどの家畜化に成功した。こうして人類は定住農耕牧畜生活を始めた。

　農耕牧畜生活は土地にしばられた生活であり、自然災害・飢饉・疫病などの厄災は常に身近であった。それは神（天）の仕業と考えられ、神（天）を鎮めるための祭祀が必要であり、祭祀を行う人（々）が崇められた。やがて、人々に崇められた人は神（天）の意思を具現する人として、自らを王と称し、神官団（官僚）を統率し人々を支配するようになった。集住する人々の生産物は全員の共有物であり、共有物を増やしそれを貯蔵することは、より安定な生活を送ることに結び付く。さらに、人口の増大は生産拡大を余儀なくならしめた。やがて水や穀物の貯蔵のために土器が広く製造されるようになった。そして織物の生産を専門とする者も現れ、集団として農耕地を増やし、技術を改良し、灌漑や収穫を指導者（官僚）の下で協働した。こうして都市が誕生した。人々は協働で豊穣を願い、厄災や飢饉をなくそうと神に祈りを捧げた。そのために都市の中心地に神殿を造りそれを守るようになった。やがて、都市には穀物の貯蔵に必要な倉庫が建設され、犂（すき）や鍬（くわ）などを作る専門職が誕生した。また、共有物の管理や配分、耕作地の配分などに必要な記号が発明され、文字を誕生させた。しかし、すでに述べてきたように、集住地には生活に必要なすべての材料や食料が存在していることはなかった。そこで、それらを産出する他の集団との「交換」が必要になった。こうして集住と交易が不可分になっていった。このようにして、一定数の集住と分業、文字、公共物、統治組織、交易といった「文明の要素」が揃い「都市文明」が開化したのである。必然的に都市には「交易を専門」とする商人も現れた。都市では、こうした専門職を養うために、さらには、遠隔地交易の交換物を生み出すためにも、余剰生産物が必要になったのである。従来、農耕牧畜の余剰生産物が都市を誕生させた、と解釈されていたが、交易のために余剰生産物を生み出す必要があったのである。交易なくして余剰生産物だけで決して都市は誕生しない。

都市は、ヒト・モノ・情報の交流の場であり、交流ネットワークのノードの役割を果たし、やがてノードが大きくなり、周辺の都市を吸収すると領域国家となり、大文明と呼ばれる文明が成立する。中心ノードは経済的にも政治的にも文化的にも「首邑」として機能していく。大文明は周辺文明に交易を通じてさらに影響を及ぼし、また、周辺文明からも影響を受ける。四大文明において成立する統一国家も、都市と都市の交易によるネットワークを基礎にしている。統一国家としての機能の一つは、交易の管理や保護、交易路の整備や安全確保にもあった。逆に、これらが整備できないとき、統一国家は短命で滅んでいった。

そもそも、都市が成立するためには飲料水や灌漑農業のために大河川や湖沼が必要なだけではなく、交易の利便性が必須である。チグリス・ユーフラテス川の流域に発達したメソポタミア文明も、舟運や駄獣を利用した陸運によって他地域の石材や木材、金属や宝石などと織物や余剰農産物でもって交易できたがゆえに都市文明を開化させえた。エジプト文明も、ナイル川の舟運や駄獣陸運を通じたシリアやメソポタミアとの交易でレバノンの木材やイラン高原のラピスラズリさらに銅や錫を、ナイル川の上流地方との交易で得た金との交換で手に入れることができなかったら成立しえなかった。エジプト文明やメソポタミア文明は、交易を通じてその周辺にヒッタイトやクレタなどの文明を勃興させた。

ハラッパーやモヘンジョ・ダロに代表されるインダス文明も早くからの海陸を通じたメソポタミアとの交易なくしては、文明の花を咲かせることはできなかったであろう。また、メソポタミアの周辺文明として成立したイラン高原のエラム文明やペルシャ湾岸文明も両文明の交易なくしては存在しなかった。

さらに、中国大陸の長江下流域の浙江省河姆渡(かぼと)遺跡や江蘇省草鞋山(そうあいさん)遺跡に見られる都市遺跡は、すでに紀元前三〇〇〇年~紀元前四〇〇〇年頃に文明が存在したことを想像させるし、水上交易を行っていた証拠として丸木船や櫂も遺跡から出土している。これら長江文明は次第に北上し、紀元前二〇〇〇後半には夏や殷の黄河文明と融合していった。この黄河文明も北方の遊牧民との交易によって、青銅や鉄、後には騎馬が伝えられ一大領域文明に様変わりしていった。

一方、メソアメリカでは、紀元前二〇〇〇年頃には集落ができ、紀元前一〇〇〇年頃から紀元前三五〇年頃にかけて定住農耕が本格化し、紀元二五〇年頃には都市国家が誕生していた。それらの最大の都市はテオティワカンであり、後に一六世紀になってスペインのコルテスに征服されるまで、交易を中心とする文明が栄えた。マヤ文明や後のアステカ文明も文字を持った都市文明であり、都市国家間の交易も盛んに行われていた。さらに南米アンデスの都市文明とも互いに盛んな交易があったことは知られている。アンデスの都市文明は紀元前二〇〇〇年頃興ったともいわれ、スペインのピサロに滅ぼされた最後のインカ帝国に至るまで、神殿を中心とする高度な文明と広域の交易で栄えた。もっともアンデス文明には文字がなかったが、交易や通信のために利用された結縄文字は存在していた。

やがて、広大な帝国が誕生すると、交易の範囲は拡大し、交換される文物も次第に種類が広がり、交易量も拡大していった。遠隔地交易では、自地域では手に入らないものが紹介され、それらが生活の必需品となっていくと、ますます需要が増え、一度の旅でより多くの量を輸送する必要が生まれた。こうして、最初はロバの隊商が、やがてラクダの隊商が発生した。さらに、外洋航海に耐える帆船が開発され、船の寄港地が中継港湾都市として盛衰を繰り返した。古代から地中海を支配したフェニキアやギリシャの植民都市をはじめ、後のコンスタンチノープル、アレクサンドリア、ジェノヴァ、ベネチア、ピサなどの地中海沿岸都市やアラビア半島のアデン、マスカット、バスラ、さらにインドの西海岸のゴア、カリカット、スリランカのコロンボあるいは東南アジアのマラッカ、中国の広州、泉州、杭州、揚州などの沿岸諸都市や日本における那の津（博多）、堺津などはいずれも海上交易都市として栄えた。近世のバルト海沿岸のハンザ同盟諸都市も同様である。このような港市だけでなく、ほとんどの陸上の商業都市は地域や広域の市場を提供して発展するか、あるいはまた、交易物資の中継都市としての機能を中心に発達していった。

近世になると、大航海時代の始まりとともに、世界は海で結ばれ、文字通りグローバル化が始まった。しかし、対等なグローバル交易には、現在でもそうであるが、相手国の交易ルールと自国のルールが一致していなければならない。例えば、相手国が国内で自由に販売してはならないものを輸入させることはできない、といったルールはいつの時代にも、どこにおいても存在する。しかし、このようなルールの合意は単なる民間の私商人同士では難しく、どうしても国家権力が必要になる。交易は広域になればなるほど、ルールが大きく異なり、単なる私商人の経済活動ではいっそう難しくなる。こうして国家権力が介入し、国家が交易に従事するように変化していった。何よりも難しかったのは、交換の共通価値基準であった。場所が異なれば同じ商品でも価値が変わった。そのために、通貨が発明される以前は交易相手と共通の価値を持つ、小麦や織物、銅や金などが貨幣として利用された。その最初の典型は、メソポタミアの都市間交易やエジプトのファラオによる交易であった。領域国家になるとやがて貨幣が製造されるようになり、王による交易上の規則や約束事が定められるようになった。このようなルールが普遍的になれば、私的商人たちでも自由に交易ができるようになった。一方、このようなルールが成立しない場合は「略奪」するか、軍事力を背景とした一方的なルールの押し付けによる交易（武装交易）が行われた。このような武装交易は古代から存在し続けたが、近代に典型を求めればイギリスの重商主義が挙げられる。イギリスの王立東インド会社は自分たちの交易ルールを他国にも強要し、そのルールが採用されない国に対しては会社に行政権と軍事権まで付与し、統治によって交易ルールを強要してきた。インドへの綿製品輸出や中国へのアヘン密輸などはその典型である。近代になってもその例は多い。西欧先進諸国は、鎖国政策を採っていた国々（中国清朝、日本江戸幕府、朝鮮李王朝など）に軍事力を背景に無理やり開国させ、自分たちのルールを押し付け交易を強要した。このような近代西欧の方式によるグローバル交易はやがて植民地帝国主義へと変容していった。当然、その帰結として異国の文明や技術・思想・文化が流れ込み自国の文化と融合して新しい文明を作り出した。現在のグローバル交易はさらに進展しているが、その課題については後述する。

（2）輸送革命と交易

人類が狩猟採取生活を止めて定住農耕生活に入った頃、すでに丸木船を開発し、河川や島々を利用して近距離の海上交易を始めた。人類は文明の花を咲かせる前からすでに交易を始めていた。人類の歴史は輸送革命の歴史でもある。カール・ポランニー[31]はメソポタミアの粘土板に遺された記録から、市場制度の発展過程として、地域（対内）市場と対外市場を分類した。地域市場は都市国家の域内の産物を国家が中央に集めて再配分する形態、都市内の市場で域内の食糧を商人が生産者から購入して市場で消費者に販売する形態、生産者自らが市場に持ち込み物々交換する形態、の三つである。域内交易の形態では、人が袋に入れてそれを持ち寄る（持ち帰る）方法でも可能であった。牛が家畜化され車輪が発明されると牛荷車（ワゴン）が使われた。牛荷車の発明は大きな輸送革命であり、域内交易の拡大に役立った。しかし、遠隔地間の広域交易では、人力や牛荷車は道路の整備されていない時代には不向きで、別途、遠隔地への輸送手段が必要になる。そこで登場したのがロバであった。ロバは重い荷物を背負い、急な山道を歩くこともできた。ロバを家畜化しこれを駄獣として利用する方法の発明は、一挙に遠隔地交易を可能ならしめた。森林を抱える地域では、新石器時代には丸木船を造り出し、水上輸送による遠隔地交易に使われた。また、木材の入手が困難なメソポタミアやエジプトでは、葦船やパピルス船が考え出された。これらは、最初、河川の上流地域と下流地域との交易に利用された。牛荷車の発明とロバの駄獣化と丸木船や葦船の発明は人類の大きな輸送革命でもあった。メソポタミアやエジプトではこれらの発明はほぼ同時期であった。これらの遠隔地輸送手段の発明は遠隔地の都市文明との交流を可能ならしめ、都市文明をつなぐネットワークとして機能するようになった。このネットワークは単に物資を移動させる物流ネットワークとして機能するだけでなく、文字や情報、技術を含めた諸々の文化を相互に伝播する機能も果たした。このような技術のひとつに青銅器の鋳造・加工技術があった。この技術の伝播が引き金となり次の輸送革命を引き起こした。青銅器の鋳造・加工技術はアナトリア北部やカスピ海周辺のポントス・ステップ地方で開発されたといわれているが、エジプトやメソポタミアがこの技術を手に入れたのは紀元前三五〇〇年頃とされている。この技術はイラン高原やユーラシアステップの遊牧民によってオアシス経由で約一〇〇〇年かかってインドに、そして、約一八〇〇年かかって遥か遠方の中国黄河地帯にも伝えられた。日本に青銅器技術が伝えられるのは、中国よりさらに一五〇〇年遅れた。青銅器の発明は複雑な道具を作り出すことにつながった。青銅器道具の使用によってエジプトで発明された木造帆船はさらに遠くの遠隔地交易を可能にしただけでなく、輸送できる物資の大型化、重量化、大量化を可能にした。この輸送革命は、大神殿や王宮の造営に必要な石材や木材の輸送を可能にし、都市国家から領域国家の成立を促すことになった。従来の歴史はこのような輸送技術の開発が文明に及ぼした影響をほとんど無視してきた。ローマの繁栄は豊富な食料を生産するエジプトからの穀物輸入なくしては考えられないし、中国の統一も江南の豊富な米の輸送なくしては考えられない。南船北馬と言われるように江南の豊富な食料は運河と河川を利用した舟運によって黄河流域に運ばれたのである。古代の日本の都である平城京は大和川の舟運、平安京は淀川の舟運や瀬戸内海の海運、さらに江戸時代には西回り航路や東回り航路の開発なくしてはその発展はなかった。やがてこの木造帆船は外洋航海に耐えられる帆船を生み出し、地中海貿易の発展を促すとともに紅海からインド洋にまでその航路を延ばし、後のインド洋を中心とする東西交易の基礎となっていった。この帆船の発明なくして東洋文明と地中海文明との交易はありえなかったし、後のアラビア科学もイタリア・ルネッサンスも開花しなかったであろう。

外洋船の次に登場するのは車輪を使ったワゴンであった。メソポタミアで発明された車輪はポントス・カスピ海の遊牧民に伝わり、ハブとスポークスからなる新型車輪を創り出した。この新型車輪はまずチャリオット（戦車）に応用され軍事力を飛躍させ戦争の様態を一変させたが、やがてワゴンにも適用され人と荷物の輸送に使われるようになった。これも大きな輸送革命であった。現在でも利用されている馬車や牛車はこの改良型車輪の発明なくしてはありえない。チャリオットはやがて騎馬の発明とともに消え去るが、このハブ・スポークス型車輪は後にワゴン馬車や鉄道馬車、さらに動燃機関の発明と結びついて自動車や鉄道といった動力輸送手段につながっていった。チャリオットと騎馬を大規模な軍事力に利用したのはアナトリアに勃興したヒッタイトであった。彼らは青銅器に代わる鉄器を開発した。精巧なハブ・スポークス型の車輪を持つチャリオットや強靭な鉄製の剣や槍は青銅製の武器を圧倒した。ヒッタイト滅亡によって秘密にされていた鉄の鋳造法は世界に広まっていった。鉄器は青銅器に比べて遥かに速いスピードで世界に広まった。ヒッタイトが鉄器を開発したのは紀元前一五〇〇年頃であったが、メソポタミアには紀元前一二〇〇年頃、エジプト・インドには紀元前一一〇〇年頃、中国に紀元前一〇〇〇年頃には伝播した。青銅器がメソポタミアから中国に伝わるのに一八〇〇年を要したのに対し、鉄器はわずか二〇〇年ほどで伝播している。その大きな謎を解く鍵はこの間に勃興した遊牧騎馬民族にある。騎馬そのものはポントス・カスピ海に住む遊牧民の発明であったが、遊牧騎馬民族は紀元前一二〇〇年頃からユーラシアステップ全域で生活していた。鉄器が青銅器に比べてその伝播速度が格段に速くなったのは遊牧騎馬民族と農耕民族との交易があったからである。

やがてアラビアとイランのホラーサーン地方でラクダが駄獣として使われるようになり、厳しい砂漠を横断する交易も可能になった。ラクダはロバに比べて遥かに重い貨物を運ぶことができたが急峻な山岳地方は通ることはできなかった。したがって砂漠を横切って点在するオアシス間の輸送にはうってつけであった。この輸送手段の発明はユーラシアの東西を結ぶ陸のシルクロード交易には不可欠であった。軽くてかさばらない荷物はいわば特急便として騎馬が利用できたが、普通便としてのラクダ輸送が東西陸路の輸送の主役でもあった。

ラクダと帆船による遠隔地交易は一九世紀に動力革命が起こるまでの約三〇〇〇年間にわたって世界の輸送の主役を務めてきた。この間、東洋の香辛料や絹や茶そして陶磁器、西洋のガラスやブドウ酒が物流の太宗であった。ペルシャ、ローマ、アラビアそして中国の各王朝はもとより、その大文明の周辺に咲いた小文明もこのような交易を抜きにして語ることはできない。さらにヨーロッパの近代文明も東西の長い間の交易による歴史的遺産の結果ともいえるのである。

やがて一九世紀になると動力機関が発明され、鉱山や紡織などの産業はもちろん、新しい動力輸送機関である鉄道、蒸気船さらに後には自動車が生み出された。鉄道や自動車は、それまで遠くて移動が困難な地域にまで、モノとヒトを運べるようになり、都市と田舎が近くなり、都市の巨大化を促す要因ともなった。また、蒸気船はそれまでの帆船と異なり、天候に左右されずに輸送が可能となるとともに、鋼鉄製の巨大船も動かすことが可能になって、輸送コストをそれ以前の帆船に比べてドラスティックに引き下げた。さらに内燃機関や電気の発明は鉄道、自動車や汽船に利用されるだけでなく、ついには航空機の発明にまでつながった。

さらに、輸送コストはコンテナの発明により、よりいっそうドラスティックに引き下げられた。これによって、陸上のトラック貨物および鉄道貨物はコンテナのままコンテナ船に積み込まれ、ドア・ツー・ドアの輸送を可能ならしめた。

このような輸送ネットワークのシームレス化による世界の隅々に至るグローバル市場の実現は、人類の文明史上においてはじめてのことであり、それゆえに、かつて人類が経験しなかった課題にも直面するようになった。このことはグローバル化のパラドクスとして後述する。

6・2　ヒトの移動と文明

人類はその誕生以来、移動を繰り返してきた。そして、定住牧畜農耕民と遊牧民に分かれた。文明の交流や移転の面で、遊牧民が果たした役割は大きい。遊牧民は基本的に「移動の民」である。紀元前三五〇〇年頃成立したメソポタミアの農耕都市文明も、アッカド、カッシート、アッシリアなどの遊牧騎馬民族がしばしば侵入してくることによって、常に新しく変容していった文明であった。メソポタミアの農耕都市文明に、遊牧民の文化や技術が侵入してくることによって、新しい科学や法律も生み出された。チャリオットや騎馬の技術はその典型でもある。鋭利な青銅器とチャリオットを伴ったアーリア人の紀元前二〇〇〇年頃に始まった大移動は、インダス川流域のハラッパーやモンヘジョ・ダロの都市文明を滅ぼしたといわれ、アナトリア、バビロニア、エジプト一帯にも侵入し、土着の文明を滅ぼすとともに、それを吸収した新しい文明も創造していった。彼らの一部族のドーリア人はギリシャにも侵入して後のギリシャ文明を築き上げた。

また、紀元前一二〇〇年頃から、西はポントス・カスピ海ステップから、東はモンゴル高原、興安嶺(こうあんれい)にまで広がるユーラシアステップで遊牧を始めた騎馬民族は、単に農耕文明からの略奪だけをしていたのではなく、通常は交易に携わり、青銅器や鉄器、絹や馬を運び、東西の文明変動に大きな役割を演じてきた。遊牧民の馬だけでなく、「砂漠の船」と呼ばれたラクダを操り、遠く砂漠を横断する隊商を組織し、北アフリカ、アラビア、イラン高原、中央アジアのオアシスを結んだのは「交易の民」であった。彼らは、中国から絹を、インドからは綿織物を地中海世界にもたらし、ペルシャからはガラス製品や絨毯を東にもたらした。また、アラビア沿岸部の漁民は商人としてラクダの代りにダウ船を操り、インド洋に乗り出してインドの香辛料、中国の茶・陶磁器などを地中海世界へ、ガラス製品やブドウ酒、金銀をインド・中国にもたらした。後には、遊牧騎馬民族であるモンゴル民族がユーラシアの海陸交易路を統合し、文字通り、「ユーラシア循環交易ネットワーク」を完成させた。

また、四世紀には異常気象によって、遊牧騎馬民族の匈奴（フン族）の大移動が始まり、玉突きで移動を始めたゲ

図表121　フン族の移動と西ローマの滅亡
（文献82による）

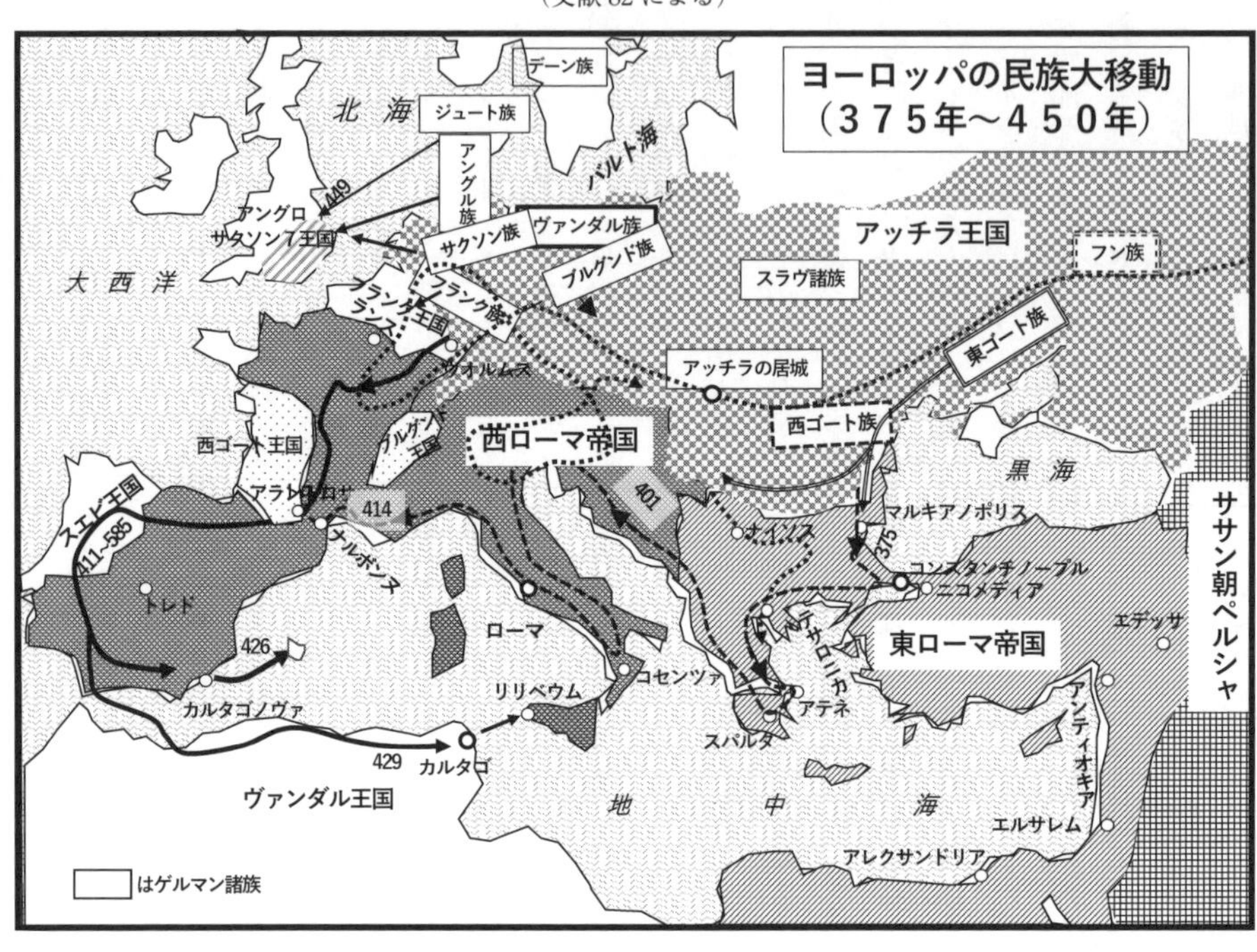

ルマン諸族（図表121）は西ローマ帝国を滅亡に追いやった。西ローマ帝国に侵入したゲルマン民族は、その地にキリスト教西欧文明を発達させることとなる。

さらに、明石茂生[83]によれば、六世紀半ばにも異常気象による、政治的大変動が起きた。すなわち、五三〇年頃、地球の気候は混乱の極みにあり、その後の百年間に、既存の国家が崩壊ないしは衰退に向かい、新しい政治勢力が台頭して世界の勢力図を変えていった。東ローマ帝国は北からの異民族の侵入と南からのアラブによる圧力そして帝国内の伝染病（ペスト）の蔓延により崩壊寸前になった。また、中東では同じく異常気象による洪水のためアラビア南部の古代文明（ササン朝ペルシャ）が消滅し、ペストの流行も加わって、政治的・精神的に不安定な状況に陥った。その結果、すでに述べたように、アラブが急速に台頭し、ササン朝ペルシャを滅亡させて、サラセン（イスラム）帝国が拡大するきっかけとなった。一方、中央アジアではこの天災が引き金になって、突厥（トルコ）という遊牧国家が勃興し、以後の東西の政治勢力に影響を与えることになった。異常な乾燥化にあって、突厥は経済的打撃を受けていた柔然の支配下から抜け出して、最終的には柔然を追い出して東西にわたる遊牧大帝国を築いた。さらに柔然は西に移動して、アヴァール人として勢力を拡大し、ハンガリー平原に定住して東ローマ帝国に圧力をかけることになるのである。また東アジアでも異常気象は、天災（旱魃）、飢饉をもたらし、反乱などを引き起こして、南北朝下の中国に大きな影響を与えている。政局の不安定化は、最終的に中国再統一を促して、隋・唐大帝国の成立を見るのである。

図表 122　ノルマン人の移動範囲（9 世紀〜 11 世紀）
（文献 84 による）

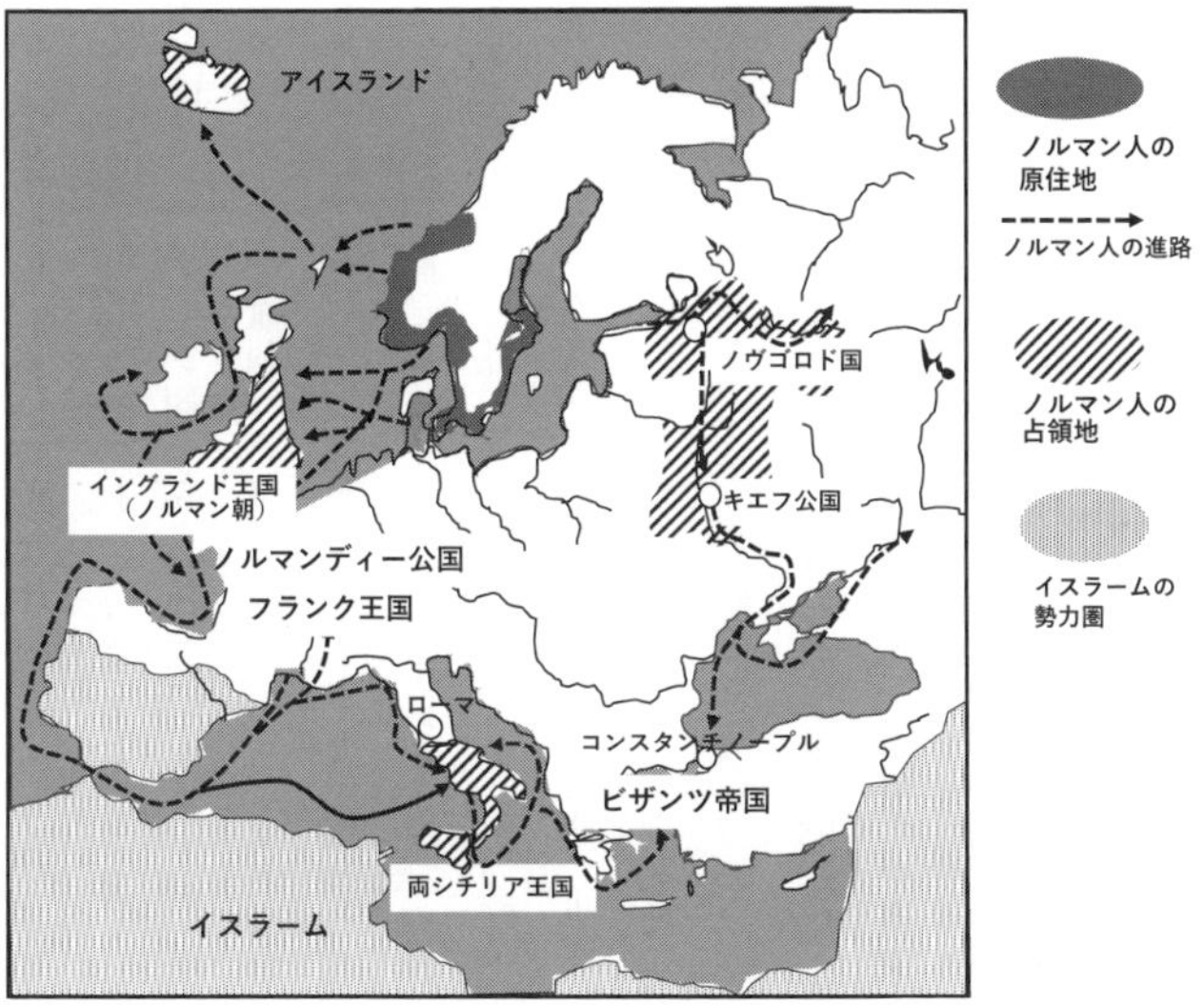

また、少し後ではあるが、民族の移動はこのような異常気象に起因する、いわゆる「環境移民」だけでなく、商業・植民（移住）・略奪・征服などの意図的な活動も多い。古くは、ギリシャ人やフェニキア人の植民活動がある。また、九世紀〜一一世紀半ばにわたるノルマン人の移動（**図表122**）も挙げられる。彼らの移動は人口の急激な増加と寒冷化による外部への食（土地）を求めたことが原因といわれている。ノルマン人は北方に住むゲルマン民族であり、ノース（ノルウェー）人、デーン（デンマーク）人、スウェード（スウェーデン）人に分けられる。彼らはまたヴァイキングとも呼ばれた。ノース人の活動は、主としてアイルランドを中心とするブリテン諸島に向けられ、九世紀後半には先住民のいないアイスランドに永住的な植民を開始した。

デーン人は八世紀末から九世紀前半にかけて、沿岸伝いに北西フランスや東部イングランドに侵入した。まず海岸の主要都市を襲い、続いて河川をさかのぼって内陸諸都市を略奪した。一度は撃退されたが、一〇世紀になると再びデーン人の侵入が開始された。今度はデンマーク王国を拠点とする組織的かつ大規模なもので、アングロ・サクソン王国は毎年多額の貢納により宥和（ゆうわ）を図ったが、一〇一六年、ついにデンマーク王子クヌートに征服された。クヌートはイングランド王に即位し、デーン朝を成立させた（クヌート一世（イングランド王））。クヌートはその後デンマーク王を継承、さらにノルウェー王を兼ね、スウェーデンやスコットランドの一部をも支配して、北海を内海とする一大海上帝国を建設した（北海帝国）。だが、その帝国もクヌートの死とともに急速に瓦解し、イングランドではアングロ・サクソンの王家が復活した。この当時、西ヨーロッパの主要都市で、ヴァイキングの脅威にさらされない都市はなかった。これらの略奪的活動と並んで定住化も進んだ。特に、セーヌ河口一帯に定着したデーン人は、ノース人出身のロロ（徒歩王）を首領にたびたび西フランクを脅かし、九一一年シャルル三世からその地の領有を認められた。これがノルマンディー公国である。

一方、ノース人・デーン人と並ぶスウェード人は、七世紀以来スウェーデン南部のメーラル湖のビルカからバルト海東南岸やゴトランド島を結ぶ交易網を持っていたが、九世紀～一一世紀のいわゆるヴァイキング時代には北西ロシアに進出し、スラヴ人やフィン人との交易や略奪により毛皮・奴隷などを手に入れた。そして、西欧諸国とガラス・陶器・毛織物などで取引したほか、遠く東ローマ帝国やアラブ・イスラム世界ともドニエプル川やヴォルガ川を経由して取引を行い、東ローマ帝国の絹やアラブ銀貨を獲得した。またスウェード人はロシアの起源をなすノヴゴロドやキエフの国家形成にも関わった。伝説によれば、八六二年、部族同士の抗争に苦しむ東スラヴ人は、ルーシ（スウェード人の一派。ロシアの古名になったともいわれる）のもとに自分たちの支配者を求める使者を送り、リューリクを招いてノヴゴロド国を建設し、混乱を収めたという。リューリクの死後、その遺児イーゴリを奉じたオレグ（キエフ大公）が後を継ぎ、さらに南下してドニエプル川中流の都市国家キエフを占領した（八八二年）。リューリクの物語は伝説的要素が濃いものの、オレグの実在は東ローマ帝国の文献でも確認されている。いずれにせよ、オレグのもとで南北の東スラヴ人は統合され、前ロシア的なキエフ公国（キエフ・ルーシ）が誕生することになった。しかし、他のノルマン国家と同様、キエフ公国のノルマン人もまもなくスラヴ化していった。

視点を現代に向けると、多くの人々が国境を越えて移住している。その理由は、職（食）を求める、国際結婚、亡命、難民（飢饉、戦争、環境等）などさまざまであるが、古代からの移住の理由とさほど変わらない。図表123は

図表 123　現在の移民の様子
（文献 85 による）

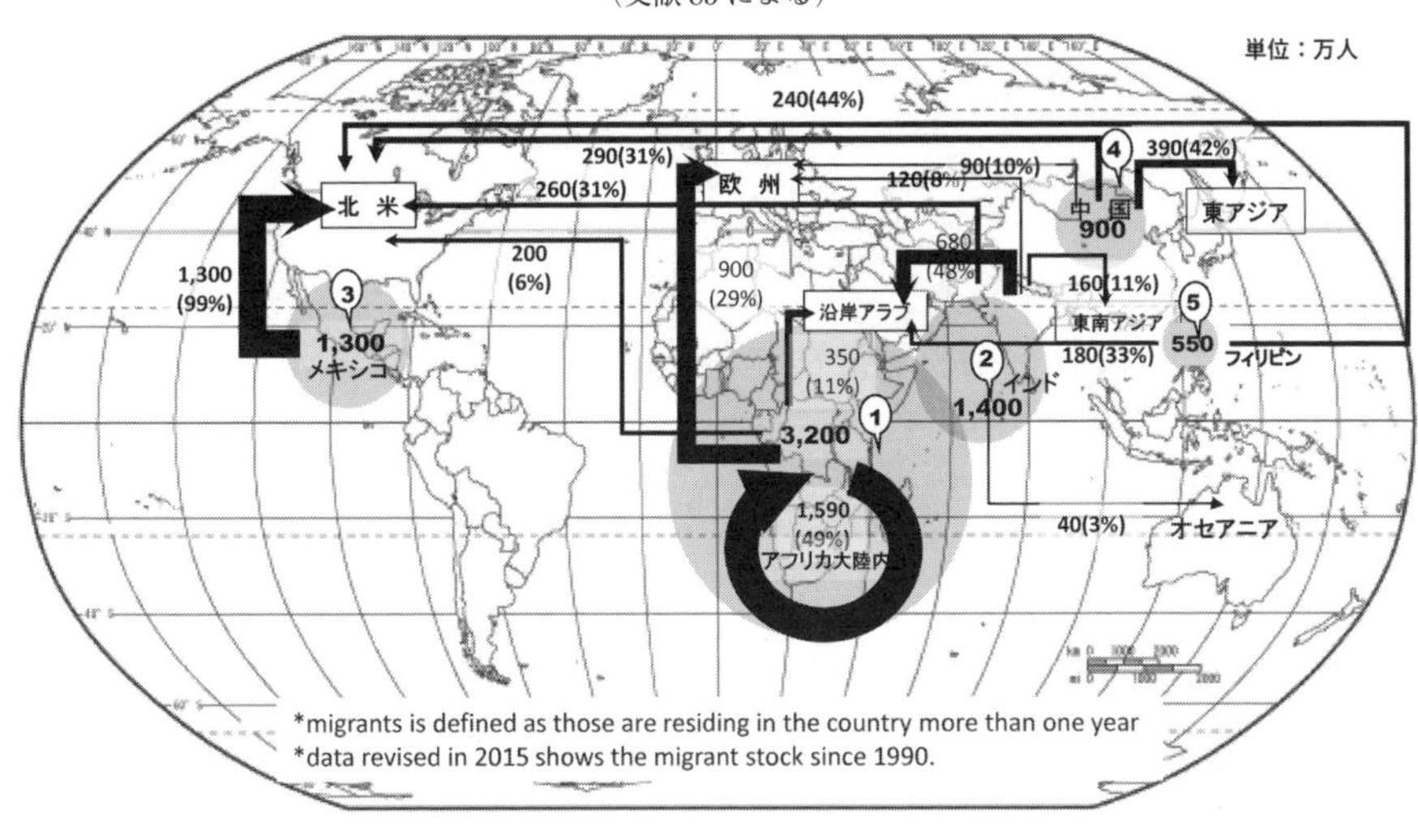

パラグ・カンナ[85]による現代の移民の様子をまとめたものである。ただし、ここでの数値は一年以上の滞在者（移住、赴任、研修などを含む）をすべて含んでいる。また、移民数の数値は一九九〇年以降、二〇一五年までの二五年間の累積数を示している。この図から明らかなように、二五年間の地域別移民発生数はアフリカ（三二〇〇万人）、インド（一四〇〇万人）、メキシコ（一三〇〇万人）、中国（九〇〇万人）、フィリピン（五〇〇万人）の順となっており、移民受け入れ地域は北米（二二九〇万人）、沿岸アラブ（一一二〇万人）、欧州（一一一〇万人）、東アジア（韓国、日本：三九〇万人）となっており、途上国から豊かな国への職（食）を求める移民が主体であることが伺える。

以上のように、国境を越えた民族の移動によって、彼らが持っている文化が長い年月の間に移動先の文化に影響し、あるいは融合して新しい文化を生み出し、文明そのものへ影響を与えてきた。われわれは歴史を定住者の視点からのみ理解しがちである。しかし、交易（物流）が人類の進歩を促した歴史から得る重要な示唆は、人類の歴史は定住者だけでなく、移動する人々と定住者がともに織りなしてきたものであり、この相互作用のダイナミックスを理解することである。このような文化融合はグローバル化の進展とともにますます加速していくであろう。そして新しいグローバル文明を生み出していくことになる。

6・3　グローバル交易と文明

グローバル交易は確かに世界の経済的な発展を促してきた。グローバル化とは国境の障壁を乗り越えた自由なヒト・モノ・資本・情報の流れによって保障される。生産は土地・労働・資本の投入によって支えられる。これらの関係を整理したのが**図表１２４**である。近代資本主義の経済主体は政府を除けば家計と企業である。家計は自己の所有する土地と労働と資本を市場に提供し、企業はこれを購入して生産に投入して財とサービスを生産し、財・サービス市場で売り出す。家計は土地・労働または資本を売り出した収入によって企業が生産した財やサービスを購入する。このモノ・労働・カネの循環は自由に取引される市場を通して行われる、というのが近代資本主義社会の経済的側面の枠組みである。経済学では、完全競争市場では需要と供給は自由な競争に任せると「神の見えざる手」によって需要と供給が価格という指標によって制御されると考える。そうすると、利潤を生まないが社会全体で必要な財（公共物）やサービス（公共サービス）を誰も供給しなくなる。そこで、社会が必要とする財やサービスを、企業と家計から「租税」を徴収して自ら供給する役割を担っているのが政府である。また、政府は、所得の低い人への再配分（福祉）の役割なども担っている。このように、政府の市場での役割を考慮した経済体制は混合経済体制と呼ばれている。このメカニズムにおいて国境を越えて、市場に参入できるようにするのがグローバル化である。この図からグローバル化が引き起こす種々の問題を想像することができる。まず、自由な取引市場に政府が規制を入れることが考えられる。例えば、政府が特定の財の売買に税金を課すと消費者はその財が高くて購入できなくなり、その財を生産している企業は利潤を上げられなくなり、生産をストップするだろう。そうすると家計が必要とする財が市場で購入できなくなる。歴史上このよう

図表 124　自由市場の経済主体とモノとカネの動き

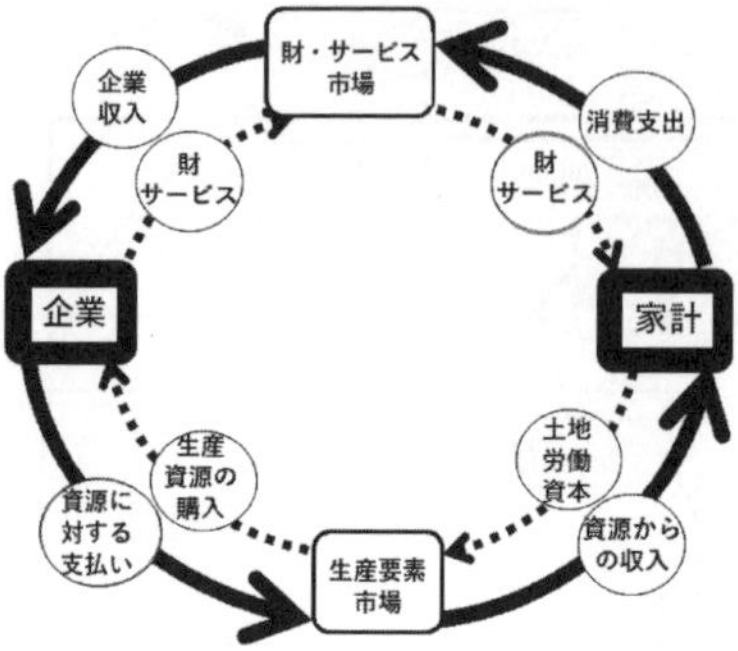

な政府の市場介入は繰り返されてきた。古代から例が多く見られる塩や鉄への課税などが典型的である。一方、市場を自由に開放しておくと、他国の企業が安い財を輸出して自国の企業を倒産させることも考えられる。そこで、政府が自国産業を保護するために多額の輸入税を課す。こうなると保護貿易に走り、国際貿易が自由でなくなるし、結果的には消費者は自国の高い財を購入せざるをえなくなる。このような国家間の自由貿易の保証と貿易に関する国際合意規制をするために世界貿易機関（ＷＴＯ）が設置されて監視している。もちろんＷＴＯに加入するかしないかの選択は国家の意思によっているが、ＷＴＯに加入するためには、さまざまな国際ルールを自国内に適用できる環境を整える必要がある。そうなると自国民のすべてが満足できないルールも適用され、国家としての自由な選択や政策が拘束される。

ここに挙げた例だけで想像できるように、グローバルな自由市場化はさまざまな問題を引き起こす。これらの問題をトルコの経済学者ダニ・ロドリックはその著「グローバリゼーション・パラドクス」[86]において、トリレンマと呼んでいる。その概念を**図表１２５**で説明しよう。ただし、ここでは「グローバリゼーションとは財とサービス、資本と労働の地域または国家の境界を越えた自由な行き来の程度」と定義する。

図表125　グローバル化のパラドクス
（文献86を基に筆者作成）

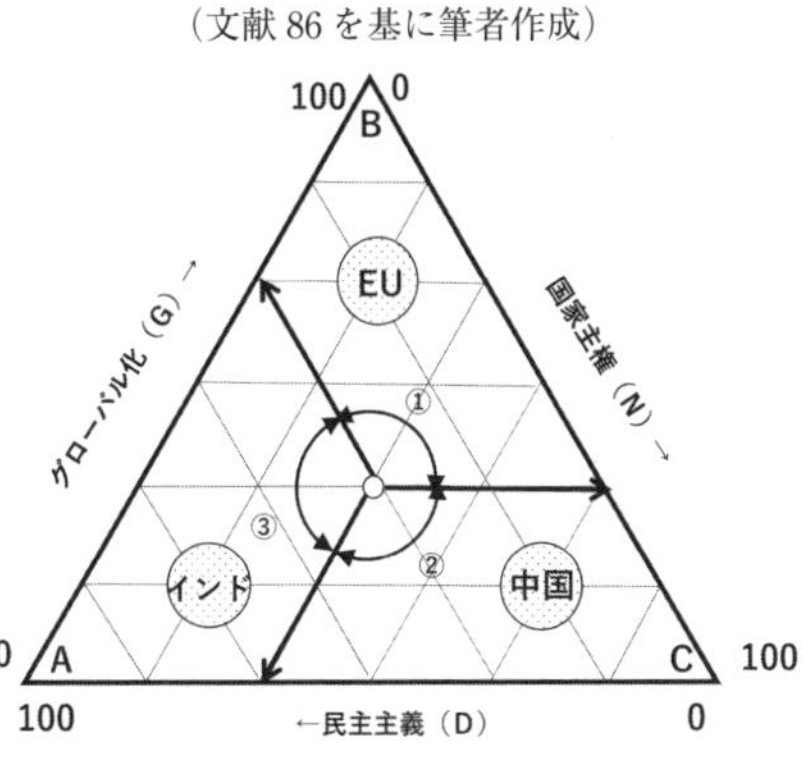

図の△ＡＢＣにおいてＧ軸はグローバル化の程度を示し、Ａ点から左辺の上へ行くほどグローバル化の程度が大きくなり、Ｂ点で一〇〇％とする。Ｎ軸は国家主権の程度を表し、三角形の頂点Ｂは国家主権がゼロとし、三角形の右下頂点Ｃ点は国家主権が一〇〇％とする。また、Ｄ軸は民主主義の程度を表し、Ｃ点は民主主義の程度がゼロで、左に行くほど民主主義の程度が大きくなり、頂点Ａで一〇〇％とする。このような三軸を考えたとき、国民民主主義とグローバル市場の間の緊張に、どう折りあいをつけるのか。われわれは次の三つの選択肢を持っている。

① 国際的な取引費用を最小化する代わりに民主主義を制限して、グローバル経済が生み出す経済的・社会的な国内問題には無視を決め

込むことができる（これは現在の中国に近い）。

② グローバリゼーションを制限して、民主主義的な正当性の確立を願ってもいい（インドがこれに近い）。

③ 国家主権を犠牲にしてグローバル民主主義に向かうこともできる（例えば、現在のEU）。

これらが世界経済を再構築するための選択肢である。このように考えると、選択肢は、世界経済の政治的トリレンマの原理を示していることがわかる。ハイパーグローバリゼーション、民主主義、そして国民的自己決定の三つを、同時には満たすことはできない。つまり、われわれは三つのうち二つしか実現することができないのである。もし、ハイパーグローバリゼーションと民主主義を同時に望むなら、国民国家はあきらめなければならない。もし国民国家を維持しつつハイパーグローバリゼーションも望むなら、民主主義の深化にはさよならだ。

ダニ・ロドリックはこのように、グローバル化のパラドクスを指摘したあと、国民が民主的に自分たちの意思を反映させるための国家を望むなら、無制限なグローバル化を止めて、国家の意思を反映したグローバルガバナンスが必要であり、グローバルガバナンス機構は専門家による自由な議論と透明性が確保されていなければならない、と主張している。とはいえ、WTOのようなグローバルガバナンスがパラドクスを完全に解決できるわけではなく、その限界、したがってグローバリゼーションにも限界があることも指摘している。

ここに取り上げたように、将来においては、グローバリゼーションに歯止めがかかり、現在より財やサービスの国境を越えた自由な往来は制限される可能性もある。歴史上においても、人類は、たびたびモノやヒトの自由移動が制限されていたことを経験している。強盗や盗賊といった通行障害を別にしても、むしろ制限や規制のない時代は少なかった、という方が正しい。都市が誕生して以来、城郭からの出入りは許可なくできなかったし、夜の移動はほとんど禁止されるのが普通であった。また、領域国家が誕生した後も、商人たちは国家の通過許可や商業活動の許可を必要とするのが当たり前であったし、国家そのものが鎖国して他国との交易を禁止した歴史も多い。その視点から言うと、歴史上の交易は無秩序と規制の繰り返しであった。武力による略奪交易や遊牧民による強要交易から密貿易、さらに、モンゴルによる世界基準の交易、鎖国、近代の植民地貿易、戦後の自由貿易化などを考えれば、ある意味で歴史は繰り返されている。とはいえ、交易なくして文明の発展はありえない。また、いかにグローバルガバナンスを発達させても、一部あるいは複数の覇権国が自国の利益のみを最大化しようとするとき、市場交易の前提となる「公平性」が失われ、結果的には地球規模の「効率性」が損なわれる。このことは、現在のアメリカと中国の間で起こっている「貿易戦争」を見れば明らかである。特に、近代の歴史ではこのことが顕著に繰り返された。イギリスの著名な経済ジャーナリストであるマーティン・ウルフ[87]も「人類の未来」という本のインタビューで以下のように述べている。

「過去二〇〇年間の間にうまく発展した国々は、国家が弱かったところではなく、国家が強かったところだった、ということです。これは偶然ではなく、国家がある程度強くて遠い将来にまたがった市場を作り出すために必要な規制を、責任をもって施行することができた国だけです。」

世界がこのような方向に進めば、現在の国際分業体制や労働収奪型の産業立地も制限されるようになるだろう。そうすれば、現在とは少し異なった国際物流体系に移行していくと思われる。

文明は交易によって成り立っていることは幾度も触れた。しかし、交易を契機として国家や文明が破壊されることも忘れてはならない。中国の歴代王朝と遊牧騎馬民との軍事力インバランスが王朝の遊牧民への貢納貿易を約束させ、歴代王朝の財政を圧迫し、周辺蛮族への討伐軍の派遣がさらに財政を圧迫し、増税の結果、民衆の反乱で王朝が崩壊したことは幾度かあった。また、中南米に栄えたメソアメリカ文明もポルトガルやスペインの植民地貿易のために滅んだ。清王朝もイギリスによるアヘン貿易を契機に戦争が始まり、列強による領土の蚕食を招き、やがて、「扶清滅洋」を旗印にあげた「義和団」の反乱が起こり、ついには二六〇余年続いた王朝は滅んだ。ここにも資本の論理による無秩序な交易が文明を滅ぼす例を見ることができる。

繰り返すが、交易はモノだけでなく、情報や技術や諸文化をも同時に運ぶ。鉄器やチャリオット、騎馬、火薬、鉄砲、大砲などの軍事力を優位ならしめる技術やモノを同時に運ぶ。これらの交易が結局、軍事力の強弱を生み出し、大文明を滅ぼし、その周辺文明の勃興を可能ならしめたことも歴史は示している。しかしながら、二〇世紀最後から始まったグローバル化はそれまでの軍事力を背景としたグローバル化ではなく、暴力に訴えない市場の統一といった方向でのグローバル化である。一九七八年の鄧小平による中国の改革開放政策から始まり、一九八九年に旧共産圏が崩壊した後の市場経済への転換によって世界が歴史上で経験しなかったグローバル単一市場経済が生み出された。二一世紀に入りグローバル経済化に拍車がかかるとともに、ダニ・ロドリックが指摘したように、国家間や国民の間での貧富の格差が拡大し、富める者はますます富み、貧困に喘ぐ人々が置き去りにされる、といった格差問題や地球環境の破壊といった問題が表面化してきた。このような課題を解決するために、現代のグローバル化文明の行き着く先を、ハイパーグローバリゼーションではなく、民主主義が国家主義と適度に調和した適度なグローバル化に向かうべきだと主張しているのである。一方、パラグ・カンナは、その著「接続性の地政学」(85)で、世界は機能的な地理が政治的な地理を超越し、より多数の単位（筆者註：民族的な）への権限移譲による連邦制（筆者註：ＥＵのような）に向かっていくだろう。そしてその機能的地理特性は経済的な結びつきを促すサプライ・チェーンにあり、これこそが「接続性の地政学」だと主張している。グローバル・サプライ・チェーンは確かに、国家を飛び越えた都市と都市との経済的・地理的結びつきを強くするものである。逆に、接続性を強める都市はあたかも都市国家であるかのように振舞うだろう。しかし、都市国家連邦制への志向がダニ・ロドリックのいうパラドクスといえるかもしれない。

6・4　二一世紀のＡＩ文明と物流

(1) 歴史のトレンド

二一世紀の長期にわたる「交易と文明」を考えとき、目前の目まぐるしく変化する政治・経済情勢や技術にのみ目を奪われるのではなく、歴史上で時代を超えた普遍的な「トレンド」を再考しておく必要がある。それらは、キーワードを箇条書きで示しながらまとめると、次のようになる。

① 人類は、絶えず移動してきた。移動の起因は、食糧難と飢饉・疫病・テロ・戦争・迫害・自然災害などの危険からの逃避などで、その都度、移住を行ってきた。これらの危険がなくなるとそこで定住するようになった。やがて条件付き定住と制限的な移動を保証する合意が形成されるようになってきた。その結果、次第に政治的・経済的理由による植民、貧困から逃れるための職を求める移住、結婚のための移住、政治・経済・宗教上の理由からの自発的移住、留学・研修、取引、観光、会議など短期の移動などが可能になってきた。遊牧民の移動は一定区域の中での移動であったが、騎馬の発明以降、その移動範囲は次第に広がった。そして多様性の双方向の刺激により、創造性が膨らんだ。

② 人類は、定住生活とともに、統治権力（神官・王・国家）を誕生させ、その統治組織として官僚組織を生み出してきた。これらは都市国家となりさらに領域国家を生み出した。中には覇権国家になった王朝もあったが、やがて周辺に勃興した王朝に滅ぼされるという歴史を繰り返してきた。その結果、現在では領域国家が世界のほぼ全体を占めるようになってきた。

③ 人類は、絶えず衣食住の安定的な確保のための諸道具や材料を開発しそれらの生産拡大を図ってきた。やがて生産やサービスに係る専門職が生まれ、多様化していった。その結果、現在では多くの生産ロボットが開発され、先進国では余剰食料が廃棄されるまでになってきた。今ではグローバルに展開する物流ネットワークのおかげで余剰食糧も世界の隅々に届けられるようになり、飢餓で死ぬ人はほとんどなくなってきた。

④　人類は、その誕生以来、食料、資源の入手、製品の交換のために絶えず交易してきた。交易の主体は統治者交易、半官半民交易、民間交易が制度形態を変化させつつ三者とも永遠に続いている。その結果、現代ではグローバル交易のための制度が整備され、国際合意下の交易が普通になってきた。

⑤　人類は、統治と交易のために文字を発明し、改良するとともに、コミュニケーション手段を絶えず発明・改良してきた。その結果、現在ではＩＣＴを発達させ、ＳＮＳが一般的となり、絵文字などがＬＩＮＥで共通言語として使われるようになり、情報の共有という意味で世界のフラット化が進展してきた。

⑥　人類は、統治組織の確立とともに、被治者に「租庸調」またはそのいずれかを課してきた。これらは、権力維持の施設や軍隊の保有、民衆への再配分、または、国に必要なインフラの整備に回された。その結果、現在では多くの国で道路・鉄道や上下水道・電気が整備され、社会的な分配制度も整備されるようになってきた。

⑦　人類は、交易のための移動路の整備、運輸交通手段の発明・改良をするたびに交易範囲や統治領域を拡大してきた。統治範囲の拡大には戦争・植民・移住・貢納交易（軍事圧力）を手段としてきた。その結果、現在では世界の隅々にまで移動することが可能になった。一方で、交通・運輸インフラの発達はストロー効果を生み出し巨大都市の誕生となり、新たな都市問題を生み出している。

⑧　人類は、その誕生以来、健康の維持・回復のための祈祷から始まり、薬物の発見・発明、医療技術を開発してきた。その結果、総人口は増加を続け、平均寿命も長くなって、医療も受けられるようになってきた。

⑨　人類は、共通の脅威から自分たちを守るために、絶えず、合従連衡（がっしょうれんこう）を繰り返してきた。そして、国際的な連盟組織を作り出した。その結果、現在では大国であっても勝手に他国を完全な支配下に置くことができなくなった。

人類はここに列挙した以外にも、例えば、楽器の発明や音楽・舞踏の創造、絵画やさまざまな美術品の創造など文化的な発明や創造活動を絶えず繰り返してきた。

このような歴史のトレンドを見る限り、人類は自分たちを取り巻く環境を利用したり改変する方向に技術の目を向けてきたことがわかる。それらの技術は人体以外の環境の改変や人体の補助手段といった人体以外の技術であった。

しかし、今や人類は人体そのものの中身を変える方向に技術を転化させようとしている。その筆頭が生命科学であり、人工知能（ＡＩ）であると考えられている。ＡＩとは換言すればコンピュータに計算させるためのアルゴリズムのことで、インプットデータを入力すれば、特定のルールに従って計算（演算）を行い、エキスパートの判断と同じ出力を得られる。最近では、ニューラルネットワークモデルを使ったディープ・ラーニングという階層化アルゴリズムが開発され、クラウドコンピューティング（ネットワークでつながる無数のコンピュータ）に保存されている大量のデータ（ビッグデータ）の利用などが可能になった。現在、「将棋」、「囲碁」、「株価予想」など、さまざまな分野別に開発されているアルゴリズムを統合化することにより、計算機（すなわち統合型人工知能）が人間の知能と同じ、または、それ以上の働きをするようになるのは二〇四五年頃と言われている。なぜ、二〇四五年頃かというと、数十年前からのコンピュータの技術開発速度を俯瞰すると指数関数的に上昇しているが、二五年後には統合アルゴリズムを計算することが可能になる計算速度が特異点に到達する、という予測に基づいている。この特異点をグーグル研究所のレイ・カーツワイルはその著「シンギュラリティは近い―エッセンス版―人類が生命を超越するとき」[88]で、シンギュラリティ（数学用語で不連続な急変を生む点をいう）と呼んでいる。ＡＩが人間の知能を代替するという考えは「生体器官の機能はアルゴリズムで代替できる」という脳神経科学を含む生体科学の知見に基づいている。

さて、先述した①〜⑨の歴史的展開に見られる「トレンド」は未来のＡＩ文明（実現するか、実現するとすれば何十年後かは不確実ではあるが）にも敷衍（ふえん）できるであろうか？　その前に想像しうるＡＩ社会とはどのようなものか、筆者のイメージを説明しておこう。

（２）ＡＩ社会とは？

まず、**図表１２６**をご覧いただきたい。人類が誕生して以来、古代から近代に至るまで、定住・非定住を問わず、人類社会は（図ａ）に示すように、「自然＋労働」を入力とし、生産活動（狩猟・採取から農業・牧畜）を行って生産物を得てきた社会であった。ただし、ここで「自然」とは畜力や風力を含んで考えている。生産物は租税および消費・貯蓄に回された。いわば自然・人間系の文明であった。しかし、この貯蓄が貧富を生む要因となった。やがて一九世紀に入ると、動力機械が発明され、人間労働の一部および人間にはできない労働を機械が分担するようになった

図表126　文明転換の歴史
（文献89を基に筆者作成）

(a) 人間・自然系社会

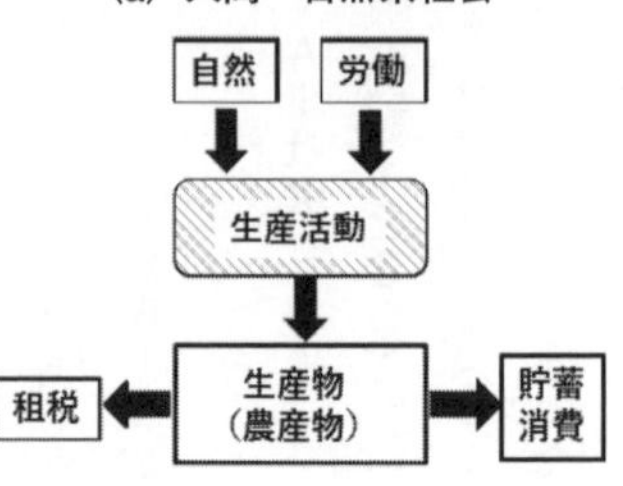

人間が自然の一部であった時代

(b) 人間・機械系社会

人間・自然系の中に機械装置が大きく入り込んだ時代

(c) AIロボット社会

機械が人工知能ロボットに置き換わる時代

（図ｂ）。いわば、自然・人間系から人間・機械系に変化した。ここでは、労働の分化が始まり、いわゆる単純労働と知能労働に分化した。ホワイトカラーとブルーカラーの分離である。つまり、装置型文明時代への転換であった。ここでは生産物は租税と消費以外に余剰生産物は貯蓄に回され、次の拡大生産への新たな機械や装置への投資に回されるようになり、資本家と労働者という新たな階級を生み出した。とはいえ、完全に人間の労働を代替するところまではいっていない。しかし、現在、急激に発達しているＡＩが完全に人間の知能を代替できるようになると、現在の生産機械はすべて知能を持ったロボットに置き換えられ、ブルーカラーが行っている労働を必要としなくなる（図ｃ）。さらに、現在のホワイトカラーの労働者が行っている多くの分野もＡＩが代替するようになる。このようなＡＩ社会では一次産業、二次産業だけでなく多くの三次産業もＡＩやそれを搭載したロボットが代替する。ただし、このようなＡＩ社会が実現するためには、視覚・聴覚・触覚・味覚・臭覚といった人間の五感を代替するセンサーの開発とロボットのための材料開発も必要である。このことを考えると、ロボットよりサイボーグ（人体の一部のロボット化）

の実現の方が早いかもしれない。

いずれにせよ、現在の職業体系は大幅に変化するだろう。**図表127**は野村総合研究所(90)がまとめたＡＩ時代の職業に関する調査結果である。これによると、事務員・技能職・作業員・運転手などは消え去っていき、医師や看護師、教員やクリエイティブな職業などは残っていく可能性が高い。図表127に列挙されている職種の中にはすでにそれらの要員を雇用していない企業も増えつつある。また、当面、任期付き臨時職員に切り替えている例も多い。何年か前に、筆者が東北地方にある自動車会社の生産ラインを見学したが、広大な屋内の組立工場には、各要素を組み立てるロボットを監視する技術者が数人いるだけであった。また、最近、滋賀県にある大規模流通センターを訪れたが、そこには一棟がすべて見学用に建造された大規模な物流ロボットのデモンストレーション用施設があり、人は全く見当たらなかった。さらに、最近では、大病院の会計にはほとんど会計マシンが導入されており、支払いを済ませるとマシンが「アリガトウゴザイマシタ。オダイジニ」と音声を流す。さらに飲食店では、店員が注文を聞きに来る代わりに、各テーブルにあるタブレットで注文する仕組みが大勢を占めるようになってきた。ＣＯＶＩＤ−19で急速に普及しつつあるオンライン授業やオンライン会議などはもはや当たり前になるだろう。このような変化は現在も進行しつつある。それよりも、少し先になるかもしれないが、イスラエルの歴史学者ユヴァル・ノア・ハラリはその著「ホモ・デウス：テクノロジーとサピエンスの未来」(91)においてさらに大胆な未来を予測している。彼によれば、単にＡＩが労働の代替をするだけでなく、生命科学や遺伝子工学、ナノ・テクノロジーと結びつき、人類（ホモ・サピエンス）を変化させ、サイボーグが全知全能の神（デウス）すら及ばないホモ・デウスに進化するであろうと予想している。こうして、ホモ・サピエンスは不死と至福と神性を獲得する。その結果、サピエンスは自らを神（デウス）にアップグレードさせ、ホモ・デウスになるのではないか、というのである。

図表127　AIやロボット等による代替可能性が高い100種の職業
（野村総合研究所[90]による）

AIで奪われる仕事		AIに奪われにくい仕事		AIによって新たに生まれる仕事
IC生産オペレーター、	製粉工、	アートディレクター、	人類学者、	データ探偵、
一般事務員、	製本作業員、	アウトドアインストラクター、	スタイリスト、	ゲノム・ポートフォリオ・ディレクター、
鋳物工、	清涼飲料ルートセールス員、	アナウンサー、	スポーツインストラクター、	散歩・会話の相手、
医療事務員、	石油精製オペレーター、	アロマセラピスト、	スポーツライター、	倫理的な調達（ES）責任者、
受付係、	セメント生産オペレーター、	犬訓練士、	声楽家、	最高信用責任者（CTO）、
AV・通信機器組立・修理工、	繊維製品検査工、	医療ソーシャルワーカー、	精神科医、	サイバー都市アナリスト、
駅務員、	倉庫作業員、	インテリアコーディネーター、	ソムリエ、	人間と機械の協働責任者、
NC研削盤工、	惣菜製造工、	インテリアデザイナー、	大学・短期大学教員、	人工知能（AI）事業開発責任者、
NC旋盤工、	測量士、	映画カメラマン、	中学校教員、	BYO（個人所有機器活用）ITファシリテーター、
会計監査係員、	宝くじ販売人、	映画監督、	中小企業診断士、	エッジコンピューティング専門家、
加工紙製造工、	タクシー運転者、	エコノミスト、	ツアーコンダクター、	フィットネス・コミットメント・カウンセラー、
貸付係事務員、	宅配便配達員、	音楽教室講師、	ディスクジョッキー、	デジタル仕立屋、
学校事務員、	鍛造工、	学芸員、	ディスプレイデザイナー、	AI支援医療技師、
カメラ組立工、	駐車場管理人、	学校カウンセラー、	デスク、	財務健全性コーチ、
機械木工、	通関士、	観光バスガイド、	テレビカメラマン、	量子機械学習アナリスト
寄宿舎・寮・マンション管理人、	通信販売受付事務員、	教育カウンセラー、	テレビタレント、	引用元：『What to do when machines do everything』（Cognizant）
CADオペレーター、	積卸作業員、	クラシック演奏家、	図書編集者、	
給食調理人、	データ入力係、	グラフィックデザイナー、	内科医、	
教育・研修事務員、	電気通信技術者、	ケアマネージャー、	日本語教師、	
行政事務員（国）、	電算写植オペレーター、	経営コンサルタント、	ネイル・アーティスト、	
行政事務員（県市町村）、	電子計算機保守員（IT保守員）、	芸能マネージャー、	バーテンダー、	
銀行窓口係、	電子部品製造工、	ゲームクリエーター、	俳優、	
金属加工・金属製品検査工、	電車運転士、	外科医、	はり師・きゅう師、	
金属研磨工、	道路パトロール隊員、	言語聴覚士、	美容師、	
金属材料製造検査工、	日用品修理ショップ店員、	工業デザイナー、	評論家、	
金属熱処理工、	バイク便配達員、	広告ディレクター、	ファッションデザイナー、	
金属プレス工、	発電員、	国際協力専門家、	フードコーディネーター、	
クリーニング取次店員、	非破壊検査員、	コピーライター、	舞台演出家、	
計器組立工、	ビル施設管理技術者、	作業療法士、	舞台美術家、	
警備員、	ビル清掃員、	作詞家、	フラワーデザイナー、	
経理事務員、	物品購買事務員、	作曲家、	フリーライター、	
検収・検品係員、	プラスチック製品成形工、	雑誌編集者、	プロデューサー、	
検針員、	プロセス製版オペレーター、	産業カウンセラー、	ペンション経営者、	
建設作業員、	ボイラーオペレーター、	産婦人科医、	保育士、	
ゴム製品成形工（除タイヤ成形）、	貿易事務員、	歯科医師、	放送記者、	
こん包工、	包装作業員、	児童厚生員、	放送ディレクター、	
サッシ工、	保管・管理係員、	シナリオライター、	報道カメラマン、	
産業廃棄物収集運搬作業員、	保険事務員、	社会学研究者、	法務教官、	
紙器製造工、	ホテル客室係、	社会教育主事、	マーケティング・リサーチャー、	
自動車組立工、	マシニングセンター・オペレーター、	社会福祉施設介護職員、	マンガ家、	
自動車塗装工、	ミシン縫製工、	社会福祉施設指導員、	ミュージシャン、	
出荷・発送係員、	めっき工、	獣医師、	メイクアップアーティスト、	
じんかい収集作業員、	めん類製造工、	柔道整復師、	盲・ろう・養護学校教員、	
人事係事務員、	郵便外務員、	ジュエリーデザイナー、	幼稚園教員、	
新聞配達員、	郵便事務員、	小学校教員、	理学療法士、	
診療情報管理士、	有料道路料金収受員、	商業カメラマン、	料理研究家、	
水産ねり製品製造工、	レジ係、	小児科医、	旅行会社カウンター係、	
スーパー店員、	列車清掃員、	商品開発部員、	レコードプロデューサー	
生産現場事務員、	レンタカー営業所員、	助産師、	レストラン支配人、	
製パン工、	路線バス運転者	心理学研究者 、	録音エンジニア	

引用元：『日本の労働人口の49%が人工知能やロボット等で代替可能に　～601種の職業ごとに、コンピューター技術による代替確率を試算～』/2015年12月2日/株式会社野村総合研究所

（3）ＡＩ社会と交易

先に述べたようなホモ・デウスの社会では人間の欲求はアルゴリズムによって自由に制御できることになり、個々の頭脳の働きは全員に情報として伝達される。そのアルゴリズムは、個人と社会が体験したすべての認知事象・行動結果がデータとして蓄積されていることがベースとなっている。つまり、ＡＩに組み込まれたアルゴリズムはこれらのデータを解析し行動に移す指令も行うプログラムである。現在のホモ・サピエンスでは、個々の人間の頭脳ごとに保有する（経験した）データやアルゴリズムが異なるため、間違いを起こしたり、同じ情報に接しても異なった行動をとったりする。一方では異なる頭脳を持った人々の接触がより大きなデータベースを形成し、さらには、相互刺激によって個々の人間のアルゴリズムが学習過程を通じて改変されていく。人類の歴史はこれらの経緯の拡大過程でもあったともいえる。

図表128　AI時代の物流（筆者作成）

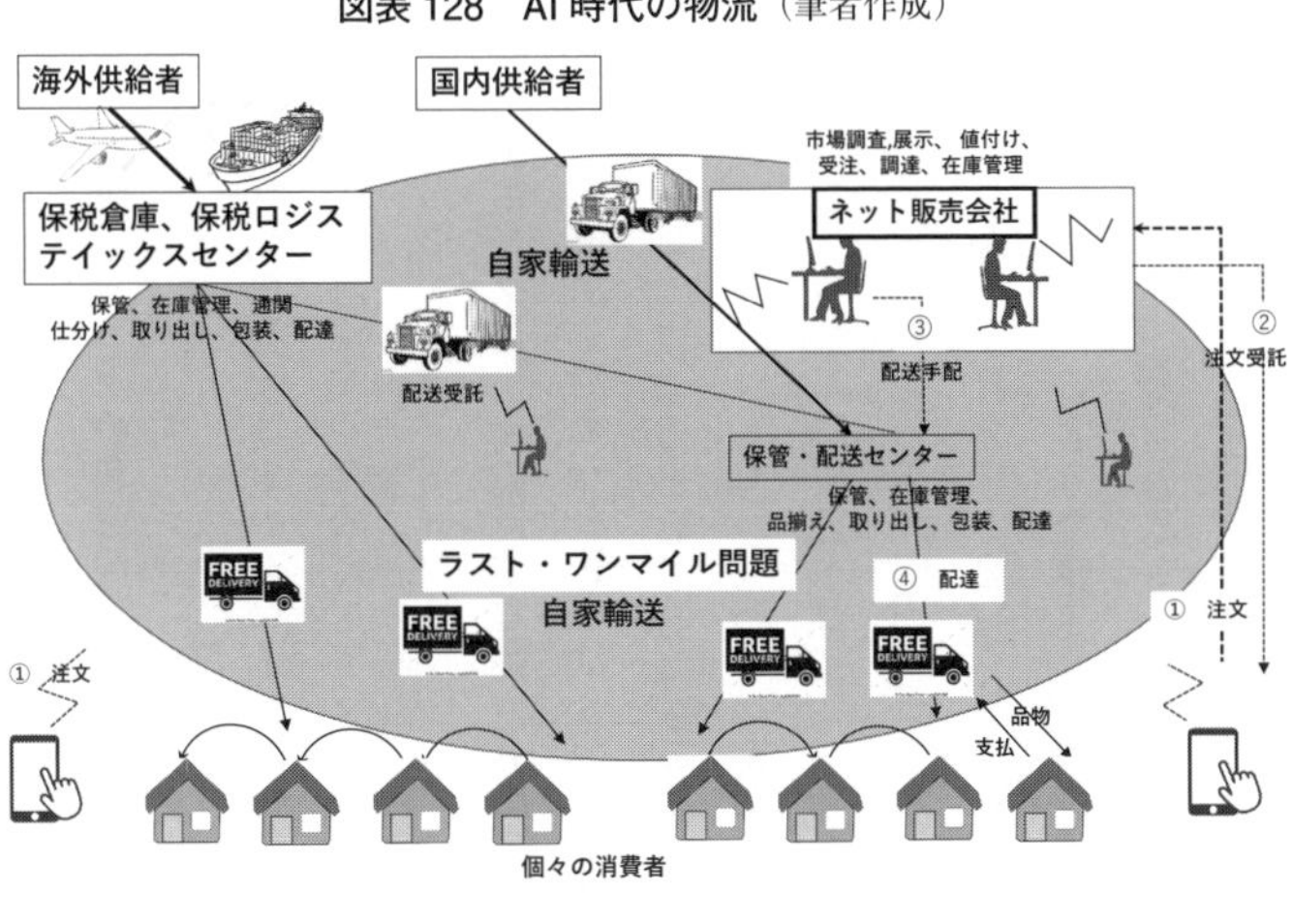

　さて、それではＡＩ社会の物流はどのような姿になるであろうか？これを想像するのは現在のアマゾンの流通システム（**図表１２８**）を考えるとわかりやすい。周知のとおり、アマゾンは通信販売業（Ｅコマース：ＥＣ）である。消費者からネットを介した注文（スマホ、パソコン）を受けると地域配送センターで注文の品をロボットが取り出し、配送口まで持ってくる。配送口ではパッキングおよび送り状貼り付けを人間が作業する。配達車の運転手には配達経路をグーグルマップで指示し、決められたルートを配送する。アマゾンでは仕入れ、在庫管理、受注、仕分け等はすべてＡＩまたはＡＩ搭載ロボットが作業をこなす。問題は「ラスト・ワンマイル問題」と呼ばれている消費者までの末端配達である。アマゾンではＵＰＳ（United Post Service）

や FedEx および地域の物流業者と契約してこのラスト・ワンマイルをこなしているが、自社での配送も試行している。一方、自動トラックや自動配達ロボット、ドローンなどはこのラスト・ワンマイル問題の解決策として現在試行実験が繰り返されている。ＣＯＶＩＤ‐19によって急激に広がったウーバーイーツのような消費者への配達はすべてＡＩが搭載された自動配達車やドローンが代替し、流通過程全体がほぼ自動化されることが予想される。また、ラスト・ワンマイルを解決するために、アマゾンをはじめモール型通販の楽天の一部は宅配だけでなく、コンビニ各社と提携してローソン、ファミリーマート、ミニストップの店頭で二四時間いつでも商品の受け取りを可能にしている。加えて「宅配ボックス」を設置する動きも出てきている。

ここで、例示したようなＥＣは今後ますます拡大していくと予想されている。経産省「電子商取引に関する市場調査２０１９年」によるとＢ２Ｂ（Business to Business）‐ＥＣはすでに海外輸出も含めて約三五〇兆円で全取引に対するＥＣ化率は三一・七％である。また、Ｂ２Ｃ（Business to Consumer）‐ＥＣは一五・三兆円でＥＣ化率は六・七六％である。ちなみに、日本ロジスティクスフィールド総合研究所の辻俊昭[92]によるとＢ２ＣのＥＣ化率は二〇一九年で、韓国二五・三％、中国二三・六％、イギリス二〇・四％、アメリカ一一・八％となっており、日本はまだまだ低い。しかし、Ｂ２Ｂ‐ＥＣ、Ｂ２Ｃ‐ＥＣもともに急激に増加しており、今後はますます拡大していくものと予想されている。このような電子商取引の世界は「時間」と「価格」で闘っているのである。まさに、この世界では Time is money と Everyday low price（ウォルマートのキャッチフレーズ）の世界なのである。消費者は移り気で多様である。そのような消費者を満足させるためには、製造から流通販売にかかる「時間」をのんびりとかけられない。一方、消費者が満足できる時間内に低コストで商品を届けるには、莫大なノウハウの蓄積と先行投資が必要である。角井亮一は「アマゾンと物流大戦争」[93]において、なぜ、アマゾンが脅威となっているか、以下のようにその理由を述べている。

「第一に、ロジスティックスは非常に参入障壁が高いものだからです。洗練されたロジスティックスは、一朝一夕に築き上げられるものではありません。ゆえに、一度強固なロジスティックス網を張り巡らされてしまったら、外から見て真似ることもできず、それに太刀打ちできるロジスティックスを作るのには相当な時間がかかることになります。（中略）第二の理由は、ロジスティックスがそもそも合理化、低コスト化の手段であるがゆえに、それがアマゾンにとっての磨き上げられた武器になっているからです。アマゾンはあらゆる手段を用いて物流を効率化し、それを低コストでの運用につなげています。（中略）アマゾンは利益の全てを新たな物流センターの建設などへの投資に回し、顧客にとって利便性の高い配送サービスを実現し、また商品の価格を下げることを通じて顧客に還元しているからです。」

ここで取り上げた例は、Ｂ２Ｃ―ＥＣが中心であるが、Ｂ２Ｂ―ＥＣも今後ますます拡大を続けるものと予想される。その際のロジスティックスは、工場～仕出し港（港湾と空港）～仕入れ港～工場（または流通センター）といった輸送のモード転換（港湾・空港）と輸送リンク（道路、海と空の航路）からなる一貫したロジスティックス・ネットワークをいかに早く安く作り上げるかのノウハウの蓄積が勝負の分かれ目になろう。もちろんアマゾンの仕入れから流通センターまでのロジスティックスはＢ２Ｂ―ＥＣの一部でもある。ネット通販は顧客（消費者）と密着しているから顧客目線でロジスティックスを構築することができるが、材料メーカーや部品メーカー、部品を組み合わせたモジュール製品や最終消費財メーカーなどは通販業や店頭販売業などの注文や自らの市場動向調査によって、デザイン、調達、製造、販売をしなければならない。つまりサプライ・チェーン（ＳＣ）全体を見通したマネジメント（ＳＣＭ）を実施する必要がある。したがって、ＳＣＭをいかにＡＩ化できるか、さらに、ＳＣを構成するグローバルなロジスティックス・ネットワークをいかに効率化、低廉化できるかが鍵となる。しかし、このネットワークには、無数の業種が関与してくる。先に述べた、材料メーカー、部品メーカー、最終商品組立メーカーはもちろん、これらの間をつなぐ陸運業者、政府（通関、検疫）や港湾や空港の管理者、海上・航空輸送業者など、すべてを通じた最適ロジスティックスを組み立てねばならない。これを担う業者が総合物流業である。総合物流業には航空会社・海運会社・鉄道会社・陸上トラック運送業者などのハード輸送手段を持つ業界や総合商社などが参入している。アマゾンやアリババなどの通販業者や通販と店頭販売の両方を持つウォルマートなどの大手販売業者などは自ら越境Ｂ２Ｃ―ＥＣを実現するためのＳＣＭのノウハウを持っている。そして、彼らはＳＣ全体をＡＩやＡＩ搭載ロボットの導入によりさらに進化させようとしている。

二一世紀初頭に暮らすわれわれは店頭まで買い物に行けなくなったり、宅配便がなくなったら、つまり、ヒトとモノが移動できなくなったら生活できないことを知っている。ただし、規模の大小を問わず交流と物流が現代文明の根幹にある、ということを、日頃余り意識していない。しかし、ＣＯＶＩＤ-19で明らかとなったように、物流と人流が長くストップすれば現代文明は崩壊せざるをえない、ということを世界中の多くの人が知ったに違いない。交易と物流は地球上に人間が誕生して以来、その生活と文明を支えてきた。このことは未来永劫に続くであろう。

あとがき

文明の歴史はヒト、モノ、情報のネットワークの拡大過程ともいえる。原義に立ち返れば、ネット（net）とは網を意味し、ワーク（work）はつくられたものを意味する。すなわち、ネットワークとは、何かが網状につながってできあがったもの、または、関係を意味する。ヒューマン・ネットワークはヒトという多くの要素が網目状に社会的関係性を形成していることをいう。これは必ずしも目に見える物理的なつながりを意味しない。モノのネットワークは異なる地点間の物流そのものをいう。したがって、物流には物理的手段（輸送手段）が伴う。また、情報ネットワークは異なる場所にいるヒトとヒトが相互の意思や各種データを物理的な手段（通信手段）でつないでやりとりする通信網をいう。

文明の歴史を貫く法則を明らかにしようとすれば、歴史的事実と照合しながらこれらの時空間での展開過程を明らかにする必要がある。多くの歴史家は、これらヒト・モノ・情報の歴史的事象を追いながら時空間を超える法則性を発見しようと努力してきた。しかし、無数の歴史解釈は展開されてきたが、それは一つの解釈でしかない。自然法則のような因果法則が発見できないからである。もし、そのような歴史を支配する因果法則が発見されれば、人類の未来の事象が解けてしまう。そんなことは誰しも知っている。しかし、ヒト、モノ、情報のネットワークの一部でも、それがどのように形成されてきたかを垣間見ることができれば、その側面における未来を想像することはできるであろう。本書はそのような淡い期待を込めて交易と物流という視点から人類の歴史を紐解いてみた試みである。

本書の叙述は物流ネットワークの歴史的展開が輸送手段という視座から、いかなる経緯をたどったかということを中心に置いている。その前段階として、文明を文明ならしめる要素が、大規模定住、交易、文字、統治組織、社会インフラの五つにあるという見解を披露した。そして、いわゆる四大文明が花咲いた地域の他地域に対する比較優位性を明らかにするとともに、都市文明やその後の大文明の開化は、交易と物流と不可分の関係にあることを示した。

私たちが生きる現代文明は「機械文明」ともいわれる。そして、今やデジタル革命の真っ最中であり、ドローン、自走自動車などが登場しており、近い将来には、飛行する自動車や物流新幹線などが次世代の物流に大革新を及ぼすであろう。

そもそも、その文明の端緒は私たちの祖先が開発したさまざまな生産道具と輸送手段にある。それらの開発史は天然の素材と自然エネルギーの利用から始まり、人工素材の開発、畜力エネルギーの利用から動力エネルギー、電気エネルギー、そして核エネルギーの利用にまで行き着いた。これらは、人類（ホモ・サピエンス）の数十万年に及ぶ「自然」に対する知恵と努力の結晶である。しかし、現代では人類の知恵は人類を取り巻く環境の利用（破壊を含む）から、人類の生命そのものの改変に向けられている。サイボーグや遺伝子組み換え、人工知能やナノ・テクノロジーの開発などである。これらを支える生命科学や技術は長い人類の歴史では「神の領域」であった。それどころか近い将来にはヒトは神を超えるホモ・デウスになる、との予想もある。ホモ・デウスが作り出す文明は、もはや、筆者たちにとってはSFを通り越えて想像限界の外にある。筆者たちが本書で記述できたのは、せいぜい数十年先の文明と物流の世界である。私たちの先達は、「石器革命」、「農業革命」、「産業革命」、「情報革命」などさまざまな呼称で人類の歴史上の大変革に名前をつけてきた。二二世紀に生きる私たちの子孫は、現在進行中の歴史事象をなんと呼ぶのであろうか？　あるいは、人類数十万年の歴史を終え、環境激変によって人類文明の滅亡となるのであろうか？　断じてそのような未来に導いてはいけないし、あってはならないと思う。しかし、そのリスクが皆無とは誰も断言できないであろう。

私たちは本書の執筆中には、ＣＯＶＩＤ-19に脅かされながら未来の文明に思いを馳せてきた。人類は、過去にこのような疫病をはじめ飢饉や災害に何度も絶滅の危機に見舞われ、その都度、何とかその文明を生きながらえさせてきた。今回の世界を脅かしている厄災からも何とか立ち直れるように祈念している。

本書が私たち人類の明るい未来の建設にいささかとも貢献できればそれは筆者たちの無上の喜びである。また、物流関係者にとって、そして、これからの未来を担っていく学生たちにとっても本書がお役に立てたらそれも筆者たちの喜びとするところである。

最後になったが、本書を出版するに際し、公益社団法人日本港湾協会をはじめ多くの友人・知人のお世話になった。

一人ひとりのお名前を記して御礼を申し上げるには、その数が膨大でここに記載することはできなかった。改めてここに謝意を述べる次第である。また、本書の出版に際し、株式会社成山堂書店の皆さんには、特別にお世話になったことを記し御礼を申し上げる。

二〇二一年六月

黒田勝彦
小林ハッサル柔子

付録　時代区分ごとの主要事項

区分	年	エジプト	エーゲ・ギリシャ	シリア・パレスティナ・小アジア	メソポタミア・ペルシャ	インド	中央アジア	中国	付帯事項
第一次輸送革命	-10000			チャタル・ヒュユク、イェリコに新石器時代の集落	定住牧畜・農耕生活開始（新石器時代）				
	-7000	定住農耕生活開始	地中海で丸木船					河南で丸木船	
	-6000		新石器時代	トルコ丘陵地帯農耕民がメソポタミアに移住。新石器時代集落（ウガリト、ビブロス、イェリコ等）形成	BC6000～牛が欅く犂発明、最古の都市エリドゥ				
	-5000	下エジプト狩猟併用農耕開始		金石併用時代の始まり	天水農耕定住確立		馬の家畜化（BC4200）		
	-4500	上エジプト狩猟併用農耕開始。ロバの家畜化			灌漑農耕地縁的集落・神殿発生		ポントス・カスピ海ステップで馬の騎乗		
第二次輸送革命	-4000			早期青銅時代	ウルク国家へ移行（BC3400～BC3100）				ボタイで騎馬の発明
	-3900				ウルク人口５万人				
	-3800								
	-3700				城壁都市発生、				
	-3600				**後期ウルク（BC3700～BC3100）**				
	-3500	上下エジプトで定住農耕。ロバの隊商発生、轆轤の使用	青銅器時代	青銅器時代	青銅器時代、**メソポタミアの革製イカダ（BC3500～）** 轆轤の使用。 円筒印章・トークン		カスピ海北東の草原遺跡ボタイで馬の騎乗開始（BC3500頃）		BC3500～BC3000　最古のハミ
	-3400				絵文字発明（BC3400）。「ギルガメッシュ」叙事詩。車輪と四輪牛荷車が発明される（BC3400）。				
	-3300						四輪牛荷車伝播（BC3300）		
	-3200				帆船でペルシャ湾航海（エリドゥ遺跡）		カスピ海・黒海で漕艇登場		
	-3100	メネス王上下エジプト統一。レバノン杉輸入（BC3100年）							
第三次輸送革命	-3000	初期王朝時代 サハラ砂漠化	刳り貫き丸太帆船（クレタ）	ハブーバ＝カビーラ遺跡	テペ＝ヤフヤ（凍石の輸出）。**馬の伝播**	モヘンジョ・ダロ建設			**青銅器時代突入**
	-2900	戦闘用ワゴン（オナガー）		**ビブロス、エジプトと交易**	**商業関係の最初の文字資料遺跡。キシュ、ウル、ラガシュ都市国家専制化**				
	-2800	帆船発明	クレタ・ミノア文明		**エラム国家成立**				
	-2700	**古王国（BC2686～）**、ビブロスから木材輸入 クフ王の船		国家の成立	シュメール都市国家、シャフリ＝ソフタ遺跡（ラピスラズリ、紅玉髄）。乗用二輪馬車登場（BC2700）				
	-2600	スネフェル王、レバノンから40隻分の杉材輸入（BC2575～BC2551）			イランから石材輸入				
	-2500	サフラー王の帆船		中流都市マリの繁栄	**ウル第二王朝**。ロバを駄獣として利用開始。四輪戦車発明（オナガー）	インダス文明			
	-2400		クレタ島で国家誕生、古宮殿繁栄	キシリアエブラ、模型文書を遺す	ラガシュの銅貿易	ロータル（BC2500～BC1500年頃）繁栄			
	-2300	**中王国**		ノルシュン＝テペの集落	アッカド時代（シャルル・キーン：サルゴンⅠ）、騎馬軍団の実用化、四界の王				エブラ文書
	-2200	シリア地方と貿易拡大			インドと交易（ゲライ人の中継？）				
第四次輸送革命	-2100	チャリオット導入		チャリオット導入	**ウル第三王朝**、ティルムン中継貿易で活躍 チャリオット伝播	牛車伝播（BC2100～）	BC2100～BC1800：ウラル・ステップ南部のシンタシュタ文化で最古のスポークス戦車発明		
	-2000	BC2000年頃メンチェヘテプ二世、プントへ交易遠征		**古アッシリア商館繁栄、バベルの塔**	マガンから銅輸入	**インド商人の船、帆付き構船**			
	-1900		キュプロス、銅貿易で繁栄	マリの文書時代					
	-1800			ウガリト全盛期（キュプロス、クレタと交易）、ヒッタイト古王国時代	**バビロン第1王朝**ハンムラビ貿易を地中海へ方向転換				
	-1700	ヒクソス侵入。**エジプトに馬と戦車導入**	クレタ新宮殿時代		ハンムラビ王、**駅伝制度整備（BC1792～BC1750）**	インダス文明没落		青銅器時代に入る	ペルシャ湾（アラビア人、シリア人、ユダヤ人）、地中海（フェニキア人）
	-1600	**新王国時代。シリア征服**				アーリア人戦車伝搬			
	-1500	アマルナ文書時代	BC1500 櫂付外洋横帆船（サントリニ島フレスコ画）	**ヒッタイト新王国（青銅器・鉄器併用時代）**	アッシュール人、バビロン支配	リグ・ベーダ創作 チャリオット伝播			
	-1400	ワディ＝ティムナの銅山採掘、**外洋航行船**。 ハトシェプト女王のプント遠征（BC1490）	銅貿易最盛期,ミュケナイ人、クレタ制圧					殷王朝、磁石（指南車）発明、チャリオット伝播	
	-1300	ウェンアメンのビブロス旅行。アマルナ文書（楔型文字）			エラム最盛期（～BC1100）		BC1300～BC1200：青銅のハミ発明		

第五次輸送革命	-1200	末期王朝。モーゼ出エジプト(BC14～BC13世紀)	鉄器時代、フェニキア人イギリスまで航海	ヒッタイト滅亡、ウガリト没落	ギルガメシュ叙事詩(アシュール・バニパル図書館より出土)		遊牧騎馬民族発生		遊牧騎馬民族発生
	-1100	鉄器時代		鉄器時代	鉄器時代、アッシリア地中海まで進出				
	-1000	ラクダの隊商発生	フェニキア地中海制覇	遊牧騎馬民族。ダビデ王によるユダ王国成立。ユダヤ教	ラクダの隊商発生、アッシリアのロバの隊商アナトリアとナイル川沿いで活躍				
	-900		ギリシャ人海上貿易拡大・植民活発化、黒海沿岸植民地より穀物輸入	ソロモン王時代、フェニキア人紅海で貿易				周王朝	
	-800			アッシリア帝国					
	-700		フェニキア地中海の2段櫂船		シャルル・キーンⅡ(アッシリア):レバノン杉輸入	インド鉄器使用開始	スキタイ(騎馬遊牧民)	春秋戦国	
	-600	ファラオの運河完成(?)	マッシリア(マルセイユ)港建設。天文学者ヒッパルコス(BC161～126)	新バビロニア(～BC539)ネブカドネザル王(ユダヤ人幽囚:BC586年)		バラモン教		騎馬が伝播。儒教(孔子)	
	-500	ペルシャ帝国(BC550～)、王の道整備　ゾロアスター教				仏教・ジャイナ教		鉄器時代に入る	
	-400	ツキジデス(BC460～BC400)						水車発明	奴国、魏に使者派遣
	-300	アレクサンドリア港建設(BC333)、アレクサンドロス(BC330頃)				アレクサンドロス武将ネアルコス艦隊がインダス河口～メソポタミアまで航海		秦帝国	高句麗出兵
	-200	プトレマイオス朝(ギリシャ人)	BC146カルタゴ滅亡	セレウコス朝シリア		BC317マウリヤ王朝、アショカ王の宰相カウティリアの「実理論」		馳道整備	
第六次輸送革命	-100	ローマ帝国	ギリシャ人ヒッパルコス(ヒッパロス)、アストロラーベ発明⇒ヒッパロコスの風			アーンドラ朝:香料・綿紗を西アジア・ローマに輸出		BC206漢帝国建設	東南アジア港市発生
	0		エリュトゥラー海案内記(AD50頃)	季節風の利用で紅海・アラビア海⇔インド⇔東南アジアで交易開始				張騫、大月氏国派遣	
	100	オアシスの道、草原の道でシルクロードができる			ローマ帝国の道路・駅伝制の整備	インド人・アラビア人季節風発見、ヤヴァーナ人(ギリシャ・ローマのインド居住商人)中国と交易		班超、甘英をローマに派遣(97年)	
	200		大秦王安敦(166年)漢に使者、日南で上陸		パルチア(ギリシャ人)	クシャーナ朝			
	300				ササン朝ペルシャ	インド商人東南アジア進出・印僑		220年後漢滅亡、三国時代	239年卑弥呼　台与　魏へ貢納
	400		ベネチア港市建設		ローマの大消費が無くなった	グプタ朝、法顕インド往復(AD395～AD414)		火薬・印刷術の発明	中国:頸帯式馬具・轍を発明
	500							隋の文帝、大運河建設	
第七次輸送革命	600	イスラム帝国	オリエント世界の崩壊		バスラ東方貿易拠点で繁栄			隋の煬帝、大運河完成	日本がシルクロードにつながった
	700	海のシルクロードのイスラムの海となる			ダウ船(ペルシャ系・アラブ系)	パルナダ朝	751年タラス河畔の戦い	唐帝国	遣隋・遣唐使派遣
	800	方位測定器イスラムで開発			オアシスの道でソグド人活躍			海港都市に市舶司設置	
	900				風車発明			南海貿易に進出(ジャンク船)	
	1000		十字軍						
	1100	イタリア諸港市の繁栄				ガズニ朝		宋	日宋貿易
	1200	北欧～地中海を結ぶ内陸西欧諸都市勃興							ハンザ同盟
	1300	モンゴル帝国(国際市場取引ルール、税制、駅伝制の充実)						元	
第八次輸送革命	1400	地中海貿易衰退		オスマン帝国		ムガール帝国		明	倭寇
	1500	大航海時代、陸のシルクロード衰退。1453年コンスタンチノープル陥落。1492年グラナダ陥落。							南蛮貿易、三津七湊
	1600	新大陸・アフリカ・西欧・アジアの貿易、1571年レパント沖海戦でスペインがオスマン帝国の無敵艦隊撃破。						清	江戸幕府:鎖国
	1700								
第九次輸送革命	1800	産業革命・輸送革命(汽車・自動車・蒸気船)・物流大転換							
	1900		航空機	コンテナ発明(1950年頃)					
第十次輸送革命	2000	コンテナ輸送、航空機輸送、鉄道・トラック輸送							

引用・参考文献

1. ゴードン・チャイルド著、禰津正志訳「文明の起源〈上〉」、岩波新書66、１９５１年
2. 小泉龍人「都市の起源　古代先進地域＝西アジアを掘る」講談社、２０１６年３月
3. 梅棹忠夫「文明の生態史観」中公文庫、１９９８年１月
4. 小林道憲「文明の交流史観—日本文明のなかの世界文明—」ミネルヴァ書房、２００６年２月
5. 岡本隆司「世界史序説～アジア史から一望する～」、筑摩書房、２０１８年７月
6. 川勝平太「文明の海洋史観」、中公新書、２０１６年11月
7. Pomeranz, K.「The Great Divergence：China, Europe, and the Making of the Modern World Economy」, Princeton University Press, Princeton, ２００１年
8. Frank, A.G.「ReORIENT：Global Economy in the Asian Age」, University of California Press, Berkeley, １９９８年
9. Hobson, J.M.「The Eastern Origins of Western Civilisation」, Cambridge University Press, Cambridge, ２００４年
10. 森安孝夫「シルクロードと唐帝国」、講談社、２０１６年３月
11. 大貫良夫・前川和也・渡辺和子・屋形禎亮「世界の歴史１　人類の起原と古代オリエント」、中央公論新社、２００９年４月
12. サミュエル・ハンチントン著、鈴木主税訳「文明の衝突と21世紀の日本」、集英社新書、２０００年１月
13. 宮崎市定・礪波護「東西交渉史論」、中公文庫、１９９８年６月
14. 鈴木董「文字と組織の世界史」、山川出版社、２０１８年８月
15. 佐藤勝彦、https://bizgate.nikkei.co.jp/article/DGXZZO40227300604201200000、２０２１年４月閲覧
16. https://xeosferatorrente.blogspot.com/、２０２１年４月閲覧
17. ルイス・ダートネル著、東郷えりか訳「世界の起源—人類を決定づけた地球の歴史—」、河出書房新社、２０１９年12月
18. 榊佳之「サルがダーウィンになった？」、http://blog.livedoor.jp/touxia-evolution/archives/26865851.html、２０２１年４月閲覧
19. 安成哲三「ヒマラヤの上昇と人類の進化」、ヒマラヤ学誌、No14,19-38, ２０１３年
20. ミルティン・ミランコヴィッチ、フリー百科事典『ウィキペディア（Wikipedia）』、２０２１年４月閲覧
21. 安成哲三「Future Earth～その科学的意義と日本の役割～」、地域研究JACS Review Vol.18,No1, ２０１８年
22. 日本女子大学健康サポートグループ作成
23. 梶慶輔「繊維の歴史」：SENI GAKKAISI 繊維と工業、Vol59, No4, ２００３年４月
24. ブライアン・フェイガン著、東郷えりか訳「人類と家畜の世界史」、河出書房新社、２０１６年１月
25. D. W. アンソニー著、東郷えりか訳「馬・車輪・言語」上下、筑摩書房、２０１８年５月
26. 今村薫「ユーラシア大陸におけるラクダ科動物の家畜化—石器時代から現代まで—」、名古屋学院大学論集　人文・自然科学篇、54巻、２号、p p51-57、２０１８年１月
27. ユヴァル・ノア・ハラリ著、柴田裕之訳「サピエンス全史」上下、河出書房新社、２０１６年９月

28. 江坂輝彌・大貫良夫「文明の誕生」、講談社、１９８４年10月
29. 小田静夫「黒曜石分析から解明された新・海上の道―列島最古の旧石器文化を探る（４）」、多摩考古、第45号、２０１５年（ac.jpn.org/kuroshio/oda201505.htm）
30. 山田昌功「地中海地域の黒曜石研究概要」、資源環境と人類、第3号、２０１３年3月
31. カール・ポランニー著、玉野井芳郎・平野健一郎訳「経済の文明史」、日本経済新聞社、１９７５年3月
32. フィリップ・ジェイムズ・ハミルトン・グリァスン：The Silent Trade、1903、日本語訳「沈黙交易―異文化接触の原初的メカニズム序説」、中村勝訳、ハーベスト社、１９９７年7月
33. ホルスト・クレンゲル著、江上波夫、五味亨訳「古代オリエント商人の世界」、山川出版社、１９８３年8月
34. 明石茂生「古代メソポタミアにおける市場、国家、貨幣―商人的経済再考―」、成城大学経済研究所年報、第28号、２０１５年
35. 後藤健「メソポタミアとインダスのあいだ」、筑摩書房、２０１５年12月
36. 山崎利男「悠久のインド」、講談社、１９８５年1月
37. 松丸道雄・永田英正「中国文明の成立」、講談社、１９８５年2月
38. ジャック・アタリ著、林昌宏訳「危機とサバイバル」、作品社、２０１４年2月
39. 明石茂生「古代帝国における国家と市場の制度的補完性について（２）：漢帝国」、成城大学経済研究第１９３号、２０１１年7月
40. 尾形勇・岸本美緒編「中国史〈上〉」、山川出版社、２０１９年7月
41. 佐藤武俊「唐代の市制と行：とくに長安を中心として」、東洋史研究、25（３）：275–302、１９９６年
42. クリスチャン・ユルゲンセン・トムセン著「Legetraad til nordisk Oldkyndighed（北方古代文化入門）」、１８３６年
43. 宮崎市定「中国史」上下、岩波文庫、２０１５年5月
44. 中川徹「文明史上における科学技術の歩み」、青山社、１９９３年10月
45. 西川吉光「海民の日本史Ⅰ」、国際地域学研究、東洋大学国際地域学部、第１９号、２０１６年3月
46. 山田昌功「地中海地域の黒曜石研究概要」、資源環境と人類、第3号、２０１３年3月、
47. 大林太良編「船」、社会思想社、１９８５年4月
48. 三笠宮崇仁編「古代オリエントの生活」、河出書房新社、１９９１年5月
49. ジャン・ルージェ著、酒井傳六訳、「古代の船と航海」、法政大学出版局、２００９年7月
50. 中尾浩一「海と船の歴史」、http://www7b.biglobe.ne.jp/nakaokikaku0701/study/rekisi/rekisi1.htm、２０２１年4月閲覧
51. 篠原陽一「海上交易の世界と歴史」、http://koekisi.web.fc2.com/、２０２１年4月閲覧
52. 本田實信「イスラム世界の発展」、講談社、１９９７年11月
53. ジョルジュ・ルフラン著、町田実・小野崎晶裕訳「商業の歴史」、白水社、１９８６年12月
54. しらかわただひこ「人のねだん」、https://coin-walk.site/A008.htm、２０２１年4月閲覧
55. 松平千秋訳「ヘロドトス『歴史』中」、岩波文庫、１９７２年1月
56. 来村多可史「万里の長城攻防三千年史」、講談社、２００３年7月

57. 司馬遼太郎「坂の上の雲」巻四、文春文庫、１９９９年
58. 今村薫「ユーラシア大陸におけるラクダ科動物の家畜化―石器時代から現在まで―」、名古屋学院大学論集、２０１８年１月
59. 長沢和俊「海のシルクロード史」、中公新書、１９８９年３月
60. 雨宮健「古代ギリシャと古代中国の貨幣経済と経済思想」、金融研究、第３１巻、第２号、２０１２年４月
61. 弓削達編「地中海世界」、有斐閣新書、１９７９年12月
62. 樺山紘一「地中海」、岩波新書、２００６年５月
63. 合田良實「土木と文明」、鹿島出版会、１９９６年２月
64. 鈴木靖民・荒井秀規編「古代東アジアの道路と交通」、勉誠出版、２０１１年７月
65. 東亜古代史研究所　塚田敬章「古代史レポート」、http://www.eonet.ne.jp/~temb/16/chirishi/etsushi.htm、２０２１年４月閲覧
66. 高橋康一「世界の海事史」、（財）日本海事広報協会（非売品）、１９９８年11月
67. 家島彦一「イスラム世界の成立と国際商業―国際商業ネットワークの変動を中心に」、岩波書店、１９９１年４月
68. 川勝平太編「海から見た歴史」、家島彦一「インド洋海域世界の視点から」、藤原書店、１９９６年
69. 石井米雄・桜井由躬雄「東南アジア世界の形成」、講談社、１９８５年９月
70. 兼岩正夫「世界史」、学習研究社、１９８３年
71. 黒田勝彦・奥田剛章・木俣順「日本の港湾政策」、成山堂書店、２０１４年３月
72. 増田義郎「大航海時代」、講談社、１９８４年７月
73. 生田滋「大航海時代とモルッカ諸島」、中公新書、１９９８年７月
74. 玉木俊明「物流は世界史をどう変えたのか」、ＰＨＰ新書、２０１８年１月
75. 松方冬子「オランダ風説書―「鎖国」日本に語られた世界」、中公新書、２０１０年３月
76. 遅塚忠躬「ヨーロッパの革命」、講談社、１９８５年10月
77. 「明解　世界史図説　エスカリエ　11訂版」、帝国書院、２０１９年２月
78. 玉木俊明「ヨーロッパ繁栄の19世紀史」、ちくま新書、２０１８年10月
79. 尾形勇・岸本美緒編「中国史〈下〉」、山川出版社、２０１９年７月
80. マルク・レビンソン著、村井章子訳「コンテナ物語」、日経ＢＰ社、２００７年１月
81. トーマス・フリードマン著、伏見威蕃訳「フラット化する世界」、日本経済新聞出版社、２００６年５月
82. 世界の歴史まっぷ、https//sekainorekisi.com/glossary、２０２１年４月閲覧
83. 明石茂生「気候変動と文明の崩壊」、成城大学経済研究、第１６３号、２００５年
84. ベック式難単語暗記法ブログ「ノルマン人の移動」、https://blog.goo.ne.jp/daimajin-b/e/f958598234b48509e61fb9711d0ac38b、２０２１年４月閲覧
85. パラグ・カンナ著、尼丁千津子・木村高子訳「接続性の地政学」上下、原書房、２０１７年１月
86. ダニ・ロドリック著、柴山桂太・大川良文訳「グローバリゼーション・パラドクス」、白水社、２０１３年12月

87. 吉成真由美インタヴュー・編、ノーム・チョムスキー、レイ・カーツワイル、マーティン・ウルフ、ビヤルケ・インゲルス、フリーマン・ダイソン、「人類の未来～AI、経済、民主主義～」、ＮＨＫ出版、２０１７年4月
88. レイ・カーツワイル「シンギュラリティは近い―エッセンス版―人類が生命を超越するとき」、ＮＨＫ出版、２０１６年4月
89. 井上智洋「人工知能と経済の未来」、文春新書、２０１６年7月
90. 野村総合研究所 News Release, ２０１５年12月、https://www.nri.com/-/media/Corporate/jp/Files/PDF/news/newsrelease/cc/2015/151202_1.pdf
91. ユヴァル・ノア・ハラリ著、柴田裕之訳「ホモ・デウス：テクノロジーとサピエンスの未来」上下、河出書房新社、２０１８年9月
92. 辻俊昭「市場の活況を牽引する通販需要の中身」、LOGI-BIZ、２０２０年10月
93. 角井亮一「アマゾンと物流大戦争」、ＮＨＫ出版、２０１６年9月

（索引は巻末側からご覧下さい）

【す】

【せ】

索　引

筆者略歴

黒田　勝彦（くろだ　かつひこ）

1942年生。京都大学工学部・同大学院修士課程土木工学専攻修了、京都大学論工博、同大助手・講師・助教授を経て1992年熊本大学工学部建設工学科教授、1994年神戸大学工学部建設学科教授、現在：神戸大学名誉教授

国土交通省交通政策審議会港湾分科会会長、神戸港・舞鶴港・兵庫県・大阪府・和歌山県港湾審議会会長など歴任

国土交通省交通文化賞、日本航海学会論文賞、日本沿岸域学会功労賞、その他多数受賞

著書：土木工学概論（共著：共立出版）、変貌するアジアの交通・物流（編著：技報堂出版）、日本の港湾政策（編著：成山堂書店、住田海事奨励賞）その他多数

小林 ハッサル 柔子（こばやし　はっさる　やすこ）

1970年生。オーストラリア国立大学（アジア研究）博士、ロンドン大学東洋アフリカ研究学院修士、東京女子大学修士、東京大学大学院文化研究科専攻博士課程単位取得満期退学。シンガポール国立大学、オーストラリア国立大学、オーストラリア連邦政府産業革新科学技術省等の海外勤務を経て、2016年に大阪大学大学院文学研究科に勤務し、2019年より立命館大学グローバル教養学部准教授（任期付）として勤務。

文明の物流史観（ぶんめい の ぶつりゅう しかん）

定価はカバーに表示してあります

2021年7月8日　初版発行

著　者　黒田　勝彦・小林 ハッサル 柔子

発行者　小川　典子

印　刷　倉敷印刷株式会社

製　本　東京美術紙工協業組合

発行所 株式会社成山堂書店

〒160-0012　東京都新宿区南元町4番51　成山堂ビル

TEL：03(3357)5861　FAX：03(3357)5867

URL　http://www.seizando.co.jp

落丁・乱丁本はお取り換えいたしますので，小社営業チーム宛にお送りください。

Printed in Japan　ISBN978-4-425-30431-8

❈辞　典・外国語❈

✣辞　典✣

英和海事大辞典(新装版)	逆井編	16,000円
和英英和船舶用語辞典	東京商船大辞典編集委員会編	5,000円
英和海洋航海用語辞典(2訂増補版)	四之宮編	3,600円
英和和英機関用語辞典	升田編	3,200円
図解 船舶・荷役の基礎用語(6訂版)	宮本編著	3,800円
海に由来する英語事典	飯島・丹羽共訳	6,400円
船舶安全法関係用語事典(第2版)	上村編著	7,800円
最新ダイビング用語事典	日本水中科学協会編	5,400円

✣外国語✣

新版英和対訳IMO標準海事通信用語集	海事局監修	4,600円
英文和文新しい航海日誌の書き方	四之宮著	1,800円
発音カナ付英文・和文新しい機関日誌の書き方(新訂版)	斎竹著	1,600円
実用英文機関日誌記載要領	岸本大橋共著	2,000円
航海英語のABC	平田著	1,800円
船員実務英会話	日本郵船海務部編	1,600円
復刻版海の英語 —イギリス海事用語根源—	佐波著	8,000円
海の物語(改訂増補版)	商船高専英語研究会編	1,600円
機関英語のベスト解釈	西野著	1,800円
海の英語に強くなる本 —海技試験を徹底攻略—	桑田著	1,600円

❈法令集・法令解説❈

✣法　令✣

海事法令シリーズ①海運六法	海事局監修	16,500円
海事法令シリーズ②船舶六法	海事局監修	40,000円
海事法令シリーズ③船員六法	海事局監修	32,000円
海事法令シリーズ④海上保安六法	保安庁監修	17,500円
海事法令シリーズ⑤港湾六法	港湾局監修	16,000円
海技試験六法	海技・振興課監修	4,800円
実用海事六法	国土交通省監修	30,000円
安全法シリーズ①最新船舶安全法及び関係法令	安全基準課監修	9,800円
最新小型船舶漁船安全関係法令	安基課・測度課監修	6,400円
加除式危険物船舶運送及び貯蔵規則並びに関係告示(加除済み台本)	海事局監修	27,000円
最新船員法及び関係法令	船員政策課監修	5,800円
最新船舶職員及び小型船舶操縦者法関係法令	海技・振興課監修	6,200円
最新海上交通三法及び関係法令	保安庁監修	4,600円
最新海洋汚染等及び海上災害の防止に関する法律及び関係法令	総合政策局監修	9,800円
最新水先法及び関係法令	海事局監修	3,600円
船舶からの大気汚染防止関係法令及び関係条約	安全基準課監修	4,600円
最新港湾運送事業法及び関係法令	港湾経済課監修	4,500円
英和対訳 2018年STCW条約〔正訳〕	海事局監修	25,000円
英和対訳国連海洋法条約〔正訳〕	外務省海洋課監修	8,000円
英和対訳2006年ILO海上労働条約〔正訳〕	海事局監修	5,000円
船舶油濁損害賠償保障関係法令・条約集	日本海事センター編	6,600円

✣法令解説✣

シップリサイクル条約の解説と実務	大坪他著	4,800円
概説 海事法規(2訂版)	神戸大学編著	5,400円
海上交通三法の解説(改訂版)	巻幡有山共著	4,400円
四・五・六級海事法規読本(2訂版)	及川著	3,300円
ISMコードの解説と検査の実際 —国際安全管理規則がよくわかる本—(3訂版)	検査測度課監修	7,600円
運輸安全マネジメント制度の解説	木下著	4,000円
船舶検査受検マニュアル(増補改訂版)	海事局監修	8,000円
船舶安全法の解説(5訂版)	有馬　編	5,400円
国際船舶・港湾保安法及び関係法令	政策審議官監修	4,000円
図解 海上交通安全法(9訂版)	藤本著	3,000円
海上交通安全法100問100答(2訂版)	保安庁監修	3,400円
図解 港則法(2訂版)	國枝・竹本著	3,200円
図解 海上衝突予防法(11訂版)	藤本著	3,200円
海上衝突予防法100問100答(2訂版)	保安庁監修	2,400円
逐条解説 海上衝突予防法	河口著	9,000円
港則法100問100答(3訂版)	保安庁監修	2,200円
海洋法と船舶の通航(改訂版)	日本海事センター編	2,600円
船舶衝突の裁決例と解説	小川著	6,400円
内航船員用海洋汚染・海上災害防止の手びき —未来に残そう美しい海—	日海防編	3,000円
海難審判裁決評釈集	21海事総合事務所編著	4,600円
1972年国際海上衝突予防規則の解説(第7版)	松井・赤地・久古共訳	6,000円
新編 漁業法詳解(増補5訂版)	金田著	9,900円

❖海運・港湾・流通❖

✣海運実務✣

新訂 外航海運概論　森編著　3,800円
内航海運概論　畑本・古莊共著　3,000円
設問式 定期傭船契約の解説（新訂版）　松井著　5,400円
傭船契約の実務的解説（２訂版）　谷本・宮脇共著　6,600円
設問式 船荷証券の実務的解説　松井・黒澤編著　4,500円
設問式 シップファイナンス入門　秋葉編著　2,800円
設問式 船舶衝突の実務的解説　田川監修・藤沢著　2,600円
海損精算人が解説する共同海損実務ガイダンス　重松監修　3,600円
LNG船がわかる本（新訂版）　糸山著　4,400円
LNG船運航のABC（２訂版）　日本郵船LNG船運航研究会著　3,800円
LNG船・荷役用語集（改訂版）　ダイアモンド・ガス・オペレーション㈱編著　6,200円
内航タンカー安全指針〔加除式〕　内タン組合編　12,000円
コンテナ物流の理論と実際—日本のコンテナ輸送の史的展開—　石原合田共著　3,400円
載貨と海上輸送（改訂版）　運航技術研編　4,400円
海上貨物輸送論　久保著　2,800円
危険物運送のABC　山口・新日本検定協会・三井住友海上火災保険共著　3,500円
国際物流のクレーム実務—NVOCCはいかに対処するか—　佐藤著　6,400円
船会社の経営破綻と実務対応　佐藤雨宮共著　3,800円
海事仲裁がわかる本　谷本著　2,800円
船舶売買契約書の解説（改訂版）　吉丸著　8,400円

✣海難・防災✣

新訂 船舶安全学概論（改訂版）　船舶安全学研究会著　2,800円
海の安全管理学　井上著　2,400円

✣海上保険✣

漁船保険の解説　三宅・浅田菅原共著　3,000円
海上リスクマネジメント（２訂版）　藤沢・横山小林共著　5,600円
貨物海上保険・貨物賠償クレームのQ&A（改訂版）　小路丸著　2,600円
貿易と保険実務マニュアル　石原・土屋水落・吉永共著　3,800円

✣液体貨物✣

液体貨物ハンドブック（２訂版）　日本海事検定協会監修　4,000円

■油濁防止規程	内航総連合編
150トン以上200トン未満タンカー用	1,000円
200トン以上タンカー用	1,000円
400トン以上ノンタンカー用	1,600円

■有害液体汚染・海洋汚染防止規程	内航総連合編
有害液体汚染防止規程（150トン以上200トン未満）	1,200円
〃　（200トン以上）	2,000円
海洋汚染防止規程（400トン以上）	3,000円

✣港　湾✣

港湾倉庫マネジメント—戦略的思考と黒字化のポイント—　春山著　3,800円
港湾知識のABC（12訂版）　池田著　3,400円
港運実務の解説（６訂版）　田村著　3,800円
新訂 港運がわかる本　天田・恩田共著　3,800円
港湾荷役のQ&A（改訂増補版）　港湾荷役機械システム協会編　4,400円
港湾政策の新たなパラダイム　篠原著　2,700円
コンテナ港湾の運営と競争　川崎・寺田手塚編著　3,400円
日本のコンテナ港湾政策　津守著　3,600円
クルーズポート読本　みなと総研監修　2,600円

✣物流・流通✣

国際物流の理論と実務（６訂版）　鈴木著　2,600円
すぐ使える実戦物流コスト計算　河西著　2,000円
高崎商科大学叢書 新流通・経営概論　高崎商科大学編　2,000円
新流通・マーケティング入門　金他共著　2,800円
激動する日本経済と物流　ジェイアール貨物リサーチセンター著　2,000円
ビジュアルでわかる国際物流（２訂版）　汪　著　2,800円
グローバル・ロジスティクス・ネットワーク　柴崎編　2,800円
増補改訂 貿易物流実務マニュアル　石原著　8,800円
輸出入通関実務マニュアル　石原松岡共著　3,300円
新・中国税関実務マニュアル　岩見著　3,500円
ヒューマン・ファクター—航空の分野を中心として—　黒田監修石川監訳　4,800円
ヒューマン・ファクター—安全な社会づくりをめざして—　日本ヒューマンファクター研究所編　2,500円
航空の経営とマーケティング　スティーブン・ショー/山内・田村著　2,800円
シニア社会の交通政策—高齢化時代のモビリティを考える—　高田著　2,600円
安全運転は「気づき」から　春日著　1,400円
交通インフラ・ファイナンス　加藤手塚共著　3,200円

❖航　海❖

ブリッジチームマネジメント ―実践航海術―	萩原・山本監修 BTM研究会訳	2,800円
ブリッジ・リソース・マネジメント	廣澤訳	3,000円
航海学（上）（６訂版）	辻著	4,000円
航海学（下）（５訂版）	辻著	4,000円
航海学概論（改訂版）	鳥羽商船高専ナビゲーション技術研究会編	3,200円
航海応用力学の基礎（３訂版）	和田著	3,800円
実践航海術	関根監修	3,800円
海事一般がわかる本（改訂版）	山崎著	3,000円
天文航法のABC	廣野著	3,000円
平成19年練習用天測暦	航技研編	1,500円
平成27年練習用天測暦	航技研編	1,500円
初心者のための海図教室（３訂増補版）	吉野著	2,200円
四・五・六級航海読本	及川著	3,600円
四・五・六級運用読本	藤井・野間共著	3,600円
船舶運用学のABC	和田著	3,400円
魚探とソナーとGPSとレーダーと舶用電子機器の極意（改訂版）	須磨著	2,500円
新版電波航法	今津・榧野共著	2,600円
航海計器シリーズ①基礎航海計器（改訂版）	米沢著	2,400円
航海計器シリーズ②新訂増補 ジャイロコンパスとオートパイロット	前畑著	3,800円
航海計器シリーズ③電波計器（５訂増補版）	西谷著	4,000円
舶用電気・情報基礎論	若林著	3,600円
詳説 航海計器（改訂版）	若林著	4,500円
航海当直用レーダープロッティング用紙	航海技術研究会編著	2,000円
操船通論（８訂版）	本田著	4,400円
操船の理論と実際	井上著	4,400円
操船実学	石畑著	5,000円
曳船とその使用法（２訂版）	山縣著	2,400円
船舶通信の基礎知識（２訂版）	鈴木著	2,800円
旗と船舶通信（６訂版）	三谷・古藤共著	2,400円
大きな図で見るやさしい実用ロープ・ワーク	山﨑著	2,400円
ロープの扱い方・結び方	堀越・橋本共著	800円
How to ロープ・ワーク	及川・石井・亀田 共著	1,000円

❖機　関❖

機関科一・二・三級執務一般	細井・佐藤・須藤 共著	3,600円
機関科四・五級執務一般（２訂版）	海教研編	1,800円
機関学概論（改訂版）	大島商船高専マリンエンジニア育成会編	2,600円
機関計算問題の解き方	大西著	5,000円
機関算法のABC	折目・升田共著	2,800円
舶用機関システム管理	中井著	3,500円
初等ディーゼル機関（改訂増補版）	黒沢著	3,400円
舶用ディーゼル機関教範	長谷川著	3,800円
舶用エンジンの保守と整備（５訂版）	藤田著	2,400円
小形船エンジン読本（３訂版）	藤田著	2,400円
初心者のためのエンジン教室	山田著	1,800円
蒸気タービン要論	角田著	3,600円
詳説舶用蒸気タービン（上）	古川・杉田共著	9,000円
詳説舶用蒸気タービン（下）	古川・杉田共著	9,000円
なるほど納得！パワーエンジニアリング（基礎編）	杉田著	3,200円
なるほど納得！パワーエンジニアリング（応用編）	杉田著	4,500円
ガスタービンの基礎と実際（３訂版）	三輪著	3,000円
制御装置の基礎（３訂版）	平野著	3,800円
ここからはじめる制御工学	伊藤 監修 章 著	2,600円
舶用補機の基礎（８訂版）	重川・島田共著	5,200円
舶用ボイラの基礎（６訂版）	西野・角田共著	5,600円
船舶の軸系とプロペラ	石原著	3,000円
新訂金属材料の基礎	長崎著	3,800円
金属材料の腐食と防食の基礎	世利著	2,800円
わかりやすい材料学の基礎	菱田著	2,800円
最新燃料油と潤滑油の実務（３訂版）	冨田・磯山・佐藤 共著	4,400円
エンジニアのための熱力学	刑部監修 角田・川原共著	3,400円
Case Studies: Ship Engine Trouble	NYK LINE Safety & Environmental Management Group	3,000円

■航海訓練所シリーズ（海技教育機構編著）

帆船　日本丸・海王丸を知る	1,800円
読んでわかる　三級航海　航海編（改訂版）	4,000円
読んでわかる　三級航海　運用編（改訂版）	3,500円
読んでわかる　機関基礎（改訂版）	1,800円